河出文庫

東欧怪談集

沼野充義 編

河出書房新社

目次

東欧怪談集

『サラゴサ手稿』第五十三日

トラルバの騎士分団長（コマンドール）の物語

ポトツキ

◆ヤン・ポトツキ

Jan Potocki 1761-1815

ポーランドの大貴族で民族学研究の大学者、旅行家、著作家。全著作はフランス語。滅亡直前のポーランド国会でも活躍、水素気球でワルシャワ上空を一時間飛行したのが一七八九年五月、ロシア使節としてモンゴル往復は一八〇五～〇六年と活動の幅は広い。本書『サラゴサ手稿』（全六十六日）は『アラビアン・ナイト』に倣う冒険と怪奇とエロスの物語。時代も民族も舞台もさまざまな奇想の華が咲く。生前はほんの一部分が世に流れ、ポーランド語の全訳は一八四七年、フランス語の完全版は一九八九年。奇書中の奇書は五年前に復活した。第十四日までの邦訳は国書刊行会より刊行された。

トラルバの騎士分団長(コマンドール)の物語

わしがマルタ騎士団*入りしたのは、分別もつかぬ年ごろを抜け出る以前、いわゆる〈お小姓〉に迎えられたのに始まる。宮廷において庇護を賜った方々の肝煎りで、二十五歳のときには光栄にもガレー船の指揮を執る身となり、その翌年に〈分封〉の年を控えていた騎士団総長からはアラゴン言語区**内で最良の騎士領を拝領になろうという段取りであった。だから、当時はもちろん、今もなお、騎士団中、第一級の役職を待望するわしである。しかし、それほどの出世には齢(よわい)を重ねねばならず、さしあたりすることは何ひとつない、という次第で、わしは騎士団一流の最高指揮官たちのお手本に倣うこととした。あの方たちは、おそらく、わしにみごとな範を示されたに違いない。一言(ひとこと)で言えば、わしは色恋の深みにはまり込んだ。これは許される微罪だと、そのころのわしには思えたわけだ。これを上回る重罪さえ犯さねばよいと！　今となって心咎めるのは、罪深い逆上の一件で、わしは気の逸(はや)るに任せ、われらの信仰が最も神聖とするものを冒した。それを思えば身震いが出る。いや、話の先を急ぎすぎた。

ご存じと思うが、マルタには代々、島の貴族の家柄でありながら、騎士団に入らない家が数家族はあり、およそ騎士と名が付けば、いかに高位の人とも決して関わりを持たない、ただ認めるのは主君たる騎士団総長と、その補佐役たる参事会員に限る、そんな気風がある。

この階級の下にくるのが、実務をこなし、騎士の保護を頼りとする中間階層で、この階層の女性は気位が高く、〈オノラーテ〉onorate と称される。この言葉はイタリア語で〈敬うべき〉というほどの意味を持つが、確かにその名に値するだけのものはある。というのも彼女たちは行いが慎ましいうえに、ざっくばらんに打ち明けた話、その色恋は極秘のベールに包まれているからだ。

長年の経験がこの〈オノラーテ〉のご婦人方に立証した事柄、それは秘密を守り通すこととフランス出身騎士の気質とは両立しない、少なくとも彼らフランス人騎士を際立てる一切の美質と秘密厳守とはめったに結びつかないという事実なのだ。その結果、どうなるかと言えば、フランスからきた若者たちは、女にかけてはどこの国でも大持てにちやほやされるのに、ここマルタでは、もっぱら夜鷹の類の女相手で涙を飲むありさまじゃ。

片や、数こそ少ないながら、ドイツ人騎士のほうは〈オノラーテ〉のあいだでは最高に人気がある。わしの見るところ、それは彼らの肌が真っ白けだったり、バラ色だったりするお蔭だ。ドイツ人に続いては、われわれエスパーニャ人が二番目にくる。これは誠実かつ着実と当然の定評あるわが民族性に負うものとわしは見ておる。

＊＊＊

フランス人騎士、なかでもキャラバニストと呼ばれる連中は、〈オノラーテ〉に対する仕返しとして、ひそやかな隠しごとを暴き立てるなど、あらゆる手を尽くして彼女らを愚弄嘲笑の的にして気を晴らす。といっても、彼らは騎士仲間から孤立していて、おまけにマルタ島の言葉であるイタリア語の習得に不熱心という事情も手伝い、何をほざこうと大した騒ぎにはなりっこない。

こうしてわしらは、われらが〈オノラーテ〉共々、平穏無事に過ごしておったが、あるとき、フランスから到着の船に乗り込んで参ったのが、騎士分団長でその名をフゥルケールという、ポワトゥ地方の家令役の旧家の出で、先祖を辿ればダングゥレーム伯爵家の末裔となる御仁であった。この男には以前にもマルタ勤めの経歴があり、騎士の名誉にかけての事件、つまり決闘の数々ではなお聞こえていた。そして今回、ガレー船団の総元締め役を懇請にやってきたのだ。年のころは三十五歳を超えておったから、さぞかし冷静沈着のお人となられたであろうと、期待された。確かに、フゥルケールは以前のように喧嘩腰ともならず、物議を醸すことこそなかったとはいえ、傲慢不遜はまだしも、上下を弁えぬ横柄ぶりで、総長よりはおのれが一枚上とふんぞり返っておった。

騎士分団長フゥルケールは時おり私宅公開の集いを催した。そこにはフランス人騎士がわんさと押しかけた。われわれのなかで顔出ししたのは、ほんの数えるほどだが、そのうちにぱったり足が遠のいた。というのも、せっかく出かけて行っても、そこで話題になるのは、こちらが聞けば不愉快になることばかり、なかでも例の〈オノラーテ〉の悪口がばらまかれるからだ。わしらが愛しいと思いを寄せ、尊敬しているあの女性方にも拘らず。

この騎士分団長が外出ともなれば、周囲には必ず若いキャラバニストたちが取り巻く。分団長が決まって若者どもを連れ出す先は、リュ・エトロワット（Rue Etroite〈細小路〉）という通りで、おれさまの昔の決闘の場所はここだ、あすこだと案内して回り、いちいちの決闘に至る自慢話をこと細かに聞かせた。

ちなみに申せば、果たし合いはマルタでは御法度である。そうなのだが、ただ一カ所、〈細小路〉での決闘なら目をつぶってもらえる。この場所に限り道に面する窓がひとつもないためだ。その名に背かず、道幅は男ふたりが剣を交えるのがやっとという狭さである。双方とも一歩たりと後ずさりはできない。決闘の両人が向き合うだけで塞がってしまうほどの小路だから、通行人を押しとどめ、真剣勝負の邪魔立てせぬよう気を配るのが介添人の役目となる。もともとこの慣習は、その昔、敵目当ての闇討ち防止に始まった。怨みを買ったと思いあたる男ならば敬遠してリュ・エトロワットを通るようなことはしない。しかも、もしもどこか別の場所で殺人があれば、それはもはや決闘と見なすわけにはいかなかった。付け加えれば、リュ・エトロワットの小路へ匕首を携えて忍び込む者があれば、その男は縛り首の刑に処するという定めがある。という次第で、とどのつまり、果たし合いはマルタでは大目に見られているばかりか、官許されておる。もっとも、官許とは言い条、言わば暗黙のうえで濫りに行われてはならぬのは当然のこと、それゆえ、話題が決闘に触れるとなると、恥ずべきことのように語られる。キリスト教の隣人愛を損なう行為、騎士団の本拠地にふさわしからぬ悪事としてである。

コマンドールのリュ・エトロワット散策は、場違いも甚しい行為であった。その悪影響で、フランス人キャラバニストが目立って殺気立ってきた。なんせ、そういう傾きを十分に持ち合わせた連中なのだ。

この怪しからぬ風潮はいやがうえにも募った。つれて、エスパーニャ人の騎士連の側の憤懣も募った。堪りかねて、彼らはわしのところへ集まり、もう堪忍ならぬ、この増長ぶりを抑える手はないものかと相談を持ちかけた。同胞諸君の信頼に感謝の意を表したあと、わしは一同に約束した。わしから分団長に話をつけよう、フランスの若いもんの振る舞いは目に余る、この勢いが止められるのは分団長、あなたを措いてない、あなたはフランス本国にオーヴェルニュ、プロヴァンス両地方を加えた三言語区の人々から絶大な尊崇を集めておいでなのだからと。この申し出にはできうる限りの礼儀を尽くそうとわしはわが身に誓った。とは申せ、これが果たし合いなしに終わると思い描いたわけではない。考えてみれば、奇妙な喧嘩ではあるが、その動機は名誉あるものであり、いささかもわが面目に恥ずるところはない。おまけに、騎士分団長に対して抱き続けたもやもやした敵意を晴らしてやれるとわしは思った。

それが聖週間に入ったころだったから、分団長との会見は二週間後とすることで話が付いた。どうやらわしのところで何があったか、そこらのことは耳に届いていたらしく、そのまえに向こうから喧嘩を売る気だったとわしは思う。

聖週間の金曜日がきた。ご存じだろうが、だれか懸想（けそう）した女のある場合、この日に教会から教会へと女を付け回し、聖水をぶっ掛けてやる習わしがエスパーニャにはある。そうするのは、ほかのだれかが聖水を掛け、それをきっかけに相手の女と知り合っては困るといった多少のやきもち、心配からなのだ。このエスパーニャの習わしがマルタにも入って定着した。さて、わしは年来、これと思い定めた若い盛りの〈オノラータ〉〔単数形〕を見つけると、そのあとを追った。ところが、女が入って行ったそもそも最初の教会から、騎士分団長が先回りして女に近づき、わしと女のあいだに挟まれて立ちはだかり、こちらに背を向けたまま、向こうは繰り返し後ずさりしては何度もわしの足を踏みつけようとし、居合わせた騎士仲間の目に止まったほどだ。

教会を出たところで私は何くわぬ顔で世間話でもするかのように分団長に近寄った。そして、このあとどちらの教会へ行くつもりかと訊ねると、男はその名を告げた。なら近道がありますよ、とわしは教えてやった。向こうはそれとは気付かなかったが、その道順だとまんまとリュ・エトロワットに連れ込めるのだ。そこへさしかかると、むろんのこと、わしはやにわに剣を抜いた。なにしろ、こんな日なら邪魔の入る恐れはない、みんなが教会に出払っておるから。コマンドールのほうも鞘を払ったが、すぐに剣先をおろして言った。「血迷うな、聖金曜日じゃぞ!」

聴く耳を持つわしではない。

「よろしいか」とわしは言った。「もう六年もずっと祈禱をおろそかにしているおれだ。不信心にはわれながら呆れておる。三日後の……」

わしはもともと温和な生まれつきだが、ご存じのようにこういう性格の人間はひとたび立腹すると理性の声など聞き流すものじゃ。むりやりコマンドールに刀を構え直させたが、そのとき相手の面(おもて)にいかなる恐怖の色が過(よぎ)ったか、わしに覚えはない。足払いを予期してか、分団長は外壁に貼りつき、とっさの支えとした。何を構おう、わしは切っ先深く、ぐさり相手の体を突き貫いた。

剣先をだらりと下げた敵は壁に倒れかかり、苦しげな息の底から言った。「それがしは貴殿を許して進ぜる。神も許し賜らんことを! わしの剣はテート・フゥルクへ持ち帰ってほしい、それと城(シャトー)のチャペルで百回のミサをお願いする」

そう言うと息を引き取った。わしはそのとき、この遺言を大して気にも留めなかった。その文句を今もわしが忘れないのは、以後いくども聞かされた言葉だからだ。わしはお定めに従い、書面を認め(したた)て届けた。人さまの手前、この決闘は何ら悪事を犯していないと今もわしには言える。フゥルケールは嫌われ者であったし、こうした運命に値すると人は見ていたからだ。ところが、神の御前(みまえ)では、わしの行為は至極、罪深いとわしには思えた。格別そう思えるのは、相手に告解の秘蹟(サクラメント)を許さなかったことである。わしは良心の呵責に責め立てられた。それがまる一週間つづいた。

金曜日が土曜日に替わろうとする夜なかのこと、わしはふと目覚めて跳ね起きた。周囲を見回してみると、わしは自分の寝室ではなく、リュ・エトロワット〈細小路〉のなかほどにいる、しかも舗石道(しきいしみち)に寝ていたのだ。そんなはずはないが、と愕然としてよくよく見れば、紛れようもなく壁に倚りかかるコマンドールの姿が見えた。亡霊は力を振り絞って口を利(き)こうとする様子、そしてこうわしに言った。「それがしの剣はテート・フゥルクへ持ち帰ってほしい。それと城(シャトー)のチャペルで百回のミサをお願いする」

その言葉を耳にするやいなや、わしは深い眠りに落ちた。翌日、わしはいつもの寝室、いつものベッドで目が覚めたが、悪夢の記憶はまざまざと残っておった。

その晩、従僕を付き添わせてわしの寝室に寝かせたら、何の夢も見ずに済んだ。あくる晩も、その次も、そのまた次も、ずうっと無事な夜がつづいた。ところが、金曜日が土曜日へと移る夜なか、わしはまたもや同じ悪夢に苛(さいな)まれた。ただし、違うのは、従僕までが同じ舗道のわしから数歩先に寝ていたことだ。たちまち、コマンドールの幽霊が現れ、前と変わらぬ文句をわしに言い聞かせた。以来、繰り返し金曜日の夜ともなれば、必ず同じ夢とはなった。従僕はと言えば、やはりリュ・エトロワットに寝ている夢を見ることは見たが、コマンドールの姿は見ず、その声も耳にしなかった。

コマンドールが遺品の剣を持ち帰ってほしいというテート・フゥルク Tête-Foulque とは何であるのか、わしは始めのうち知らなかった。ポワトゥ出身のフランス人騎士らに訊ねると、それはポワチエから三里ある城館(シャトー)のことで、森の真ん中にあると教わった。そればかりではない、このお城については地元では不思議な話が伝えられていること、そこではまた珍品奇物の見られることをわしは知った。そのなかにはフゥルク・タイユフェール(鉄斬り)と綽名(あだな)されたダングゥレーム伯爵愛用の鎧をはじめ、彼の手にかかって死んだ騎士たちの武器がある。さらにフゥルケール家代々の習わしとして、戦争であれ、決闘であれ、その際に用いた愛剣をここの館に納めることまでわしは知った。そのすべてにわしは興を唆(そそ)られた。とはいえ、まずはおのれの信仰についてわしは思いを致してしかるべきであった。

ローマへと赴いたわしは大聴罪枢機卿さまに告解申しあげた。しつこく付きまとう悪夢についてもわしは包まず打ち明けた。枢機卿さまは赦(ゆる)しを拒否なさらなかったが、それには悔い改めのすべてを済ませてから、との条件が付いた。テート・フゥルクの城館(シャトー)のチャペルで執り行う百回のミサも改悛の行いに含まれた。神は贖罪の奉納をお容れ遊ばし、この告解のあとでは、コマンドールの亡霊の訪れはぴたりと止まった。わしはマルタから遺品の剣を携えてきていたから、告解を済ますと、大急ぎで、フランスへの道についた。

ポワチエに着いてみると、コマンドールの死はすでにここにも伝えられており、マルタと同様に当地でも故人を惜しむ声のないことを知った。わしは従者たちをポワチエの町に残し、マントを身にまとい、案内の男を雇った。テート・フゥルクへ参るには徒歩(かち)が適していた。なにしろ馬車ではとても無理な道なのだった。

わしらは城に到着はしたが、主塔の門扉は閉ざされておった。塔の鐘を根気よく鳴らして案内を請ううち、ようやく城の主(あるじ)その人が現れた。これがテート・フゥルクの唯一の住人で、ほかにはチャペルの祭務に従う隠者がひとりいるが、折から祈禱の最中であった。それが終わるのを待って、わしは百回のミサを奉納してほしいとお願いに伺った者と隠者に告げた。同時に、わしはお供え物を祭壇に置いた。死んだコマンドールの剣もそこに置こうとすると、主は、その手をとどめ、それは武器庫に納めてしかるべきだ、決闘に斃れたフゥルケール家の人々の剣は、一族の手で弑(あや)められた敵の剣共ども、残らず武器庫に納めてある、それが聖なる仕来たりである、とわしに言った。

わしは主に蹤(つ)いて武器庫に入った。なるほどそこにはさまざまな作りの剣が並び、肖像画もずらりと懸かっていた。その筆頭は例のグングゥレーム伯爵、フゥルク・タイユフェールの似姿である。テート・フゥルクの城館というのは、伯爵が私生児のために建てさせたものである。のちにポワトゥ領主の家令となったこの私生児がテート・フゥルクのフゥルケール家の初代なのだ。

家令とその奥方の肖像画は、武器庫の一隅を占める大暖炉を挟んでその両側に懸けられていた。

旧家の先祖となった御両人とも生けるがごとく活写されている。ほかのポートレートも、それぞれの時代の様式に従ってはいたが、みごとな出来栄えであった。さりながら、その強烈な迫力において フォルク・タイユフェール伯の肖像に適う絵は一枚とてなかった。それは等身大の絵である。水牛の皮の鎧に身を固めた伯爵は、右手に剣を握りしめ、侍臣のさしだす円形盾をがっちりと摑んでいる。納められた剣の大部分が置かれているのは、この絵の下であり、それらは一種、束ねる形になっていた。わしは主人に火を熾してくれるよう、また夕食をこちらへ運んでほしいと頼んだ。

「食事はそう致そう」と主人は答えた。「ただ、巡礼のお方、お寝みになるのは、わたしの寝所のほうになさるがよい」

何ゆえの用心かとわしは訊ねた。

「そういう決まりなので」主人は答えた。「いずれにせよ、ベッドはわたしのそばに整え申そう」

わしはその申し出を受け入れた。その日が金曜日に当たり、またもあの悪夢に舞い戻られてはかなわぬと恐れていたからなおさらであった。

夕食の支度に主人が立ち去ったあと、わしは武器や肖像をゆっくりと眺め始めた。申したとおり、絵はどれも生きているような出来栄えじゃ。陽が傾くにつれ、室内の薄暗がりに暗色の飾り布と絵の背景の沈む色調とが渾然と交わり、暖炉の火に照らされて絵のなかの顔ばかりが浮き出して見え、なんとなく薄気味悪い。いや、そう見えたのは、わしの痛む良心が絶えず恐れを醸していたせいかとも思える。

やがて当主が食事を運んできた。それは近くの小川で漁れる鱒の料理だった。そのうえ水差し入りのなかなか上物のワインが出た。同じテーブルについて食事を共にしないかと隠者を誘ったが、煮た青物のほかは食べないからと断られた。

聖務日課書の祈禱文朗読は、少なくともエスパーニャでは立願騎士の義務となっておるが、わしはふだんから几帳面にそれを守った。食後、わしはポケットから祈禱書とロザリオを取り出し、まだ少しも眠くないので、今から夜遅くまでお祈りがしたい、ついては寝室への行き方を教えておいてほしい、と主人に言った。

「では、明朝まで」と主は言った。「夜半には隠者が祈禱のため隣のチャペルにきます。そうしたら、このちいさな階段を降りていくと、必ずわたしの寝室に行かれます。ドアは鍵を締めずにおきましょう。真夜中すぎたらここに残ってはなりません」

主は立ち去った。わしは祈りに入り、時おり、いくらかずつ薪を火につぎたした。そうしながらも、わしは部屋の様子にはあまり目を向けないようにした。というのも、肖像画が生き返るような気配を覚えてならなかったからだ。そのひとつにしばしでも見入っていると、絵のなかの目が瞬きをし、口を動かすように思えた。暖炉の両側に懸けた家令とその奥方が特にそうなのだった。ふたりは怒りに燃えたまなざしをわしに向け、それから互いに目を交わし合うようにわしには見えた。一陣の通り風がわしの恐怖を募らせた。風は窓を揺らせるばかりか、束ねた剣を吹き動かし、そのかちかちと鳴る音がわしを震えあがらせた。わしはそれをよそに一心不乱に祈禱をつづけた。

そのうちに、隠者の朗誦する声が耳にとどき、その声が終わったとき、わしは城主の寝室を目ざして階段を降りた。わしは蠟燭を手にしておったが、それが風に吹き消されたから、火を点け直そうとわしは上へと戻った。すると、恐ろしや、家令と奥方の両人が額縁から抜け出し、暖炉のそばに寛いでいるではないか。打ち解けて話し合うふたりの話し声が聞こえた。

「そなたはどう思うていやるかな、告解の暇も与えやらで、むざむざコマンドールを殺めたあのカスティリアの男のことを?」

「わらわはこう思いまする」と奥方は答えた。「かほど悪逆非道の限りを尽くした男ゆえ、城を抜け出すそのまえに、タイユフェール殿が必ずや手袋をあのカスティリアの男に投げつけ、決闘の申し込みを遊ばすものと存じまする」

腰を抜かして、わしは階段を駆け降りた。城の主の寝室を捜すのだが、手探りではなかなか見つからぬ。握った蠟燭は今も消えたままじゃ。わしは改めて火を灯そうと思いつき、いくらか気を取り直した。たった今、暖炉のまえのふたりを見かけたのは、ほんの気のせいで、そんなことはあり得ないと自分に言い聞かせたのだ。階段をあがり、武器庫の入口で足をとめて見直すと、まさしく、先刻、炉辺に見えたふたりは影もなかった。わしは勇を鼓して部屋に踏み込んだ。ところが、数歩と行かぬうちに打ち見ると、タイユフェール殿が部屋の中央に立ちはだかり、剣先をわしに向け、構えの姿勢を取っておった。

わしは階段へ戻ろうとしたが、戸口には侍臣が控えており、鎧の籠手を外すとわしに投げつけた。せんかたなく、わしは束になった剣の一振りを握りしめ、幻の敵に躍りかかった。一刀両断、わしは相手をまっぷたつにした。と思いきや、それより早く、鋭い切っ先がわしの胸元を突き刺し、心臓の下がかっと燃えた。真っ赤に灼(や)けた鉄で刺される感覚だった。流血が床にあふれ、わしは喪神した。

　翌朝、わしは城主の寝室で目が覚めた。わしがこないと見て、主は聖水を用意してわしを迎えにきてくれたのだ。床に横たわるわしを見つけたとき、わしは意識こそ失っていたが、無傷でいた。やられたと思ったのは夢幻(ゆめまぼろし)にすぎなかったのだ。城主は何ひとつ問い質(ただ)すことなく、城を後にするようひたすらわしに勧めた。

　わしはそこを出ると、エスパーニャへ向かう道を辿(たど)った。フランスの海港、バイヨンヌまで七日がかり、着いたのは金曜日のことで、わしは旅籠屋(はたごや)に宿をとった。夜なか、わしは目覚めて、がばと跳ね起きた。剣でわしを威嚇するタイユフェール殿の姿をベッドの傍(かたわ)らに見かけたのである。十字を切ると、亡霊は煙となって消え失せた。だが、わしはテート・フォルクの城で覚えのある剣の一撃を受けたと感じた。流れ出た血の海に浸(ひた)っているかのようにわしには思えた。わしは助けを呼び、ベッドを抜け出そうとした。なのに、どちらも意のままにならぬ。その名状しがたい金縛(かなしば)りの苦悶は一番鶏が鳴くまでつづいた。そのあと、わしは再び眠りに就いた。しかし、あくる日、わしは見るも哀れな病人であった。

　それ以来、同じ悪夢は金曜日になると、決まって繰り返す。いかほど祈禱しようとも、同じ夢に襲われる。この憂愁はついにわしを墓場へと導くことになるだろうが、思えば、サタンの魔力から免れることを得ないまま、わしは墓へ降りてゆくはずだ。神の御慈悲へ懸ける微(かす)かな望みだけが、今なおわしを支え、一切の過去の悪業に堪える力をわしにお与えくださっておるのじゃ。

（工藤幸雄訳）

＊マルタ騎士団 l'ordre de Malte　マルタ島を本拠とした騎士団。巡礼の救護、十字軍の戦闘部隊として一一一三年に創設のヨハネ騎士団（三大騎士団のひとつ）が、まずロードス島に本拠を移転してロードス騎士団と改名、のち一三〇九年に同騎士団は解消、一五三〇年、マルタに本拠を移してマルタ騎士団となる。医療制度をイスラームに学び、西ヨーロッパ各地に病院を設けた。一五〜一六世紀にはオスマン・トルコのイスラーム軍勢と執拗に戦った騎士団は海軍力を誇り、要塞化を終えて間もない一五七一年、レバントの海戦で活躍、対トルコ戦勝へ導いた。一七九八年、ナポレオンに島を奪われたあと、一八三四年、ローマ本部を復活した。現在では九千人の聖俗会員を持ち、慈善活動に専念している。

＊＊アラゴン言語区 la langue d'Aragon　マルタ騎士団の所領は八つの行政区に分かれ、それらを言語区〝langue〟と呼んだ。オーヴェルニュ、プロヴァンス、フランス、イタリア、アラゴン（エスパーニャ）、カスティリア、ドイツ、イングランドがそれぞれ言語を異にしたからである。騎士はそれらの各地から送り込まれた。

＊＊＊キャラバニスト caravanistes　巡礼の海上航行を保護する任務を負った騎士。荒くれ者が多かったと想像される。キャラバン（元はペルシャ語）とは地中海を経てエルサレム向けに巡礼を運んだ船団を指す。

不思議通り

ミランドラ

◆フランチシェク・ミランドラ

Franciszek Mirandola 1871-1930

ポーランドの詩人。本名はピク。筆名はルネサンス・イタリアの人文主義者ピコ・デラ・ミランドラにちなむ。クラクフ、ハイデルベルクで薬学、哲学を学び、大学在学中、社会主義運動に関わった。卒業後、薬剤師業のかたわら詩作を開始。「不思議通り」収録の、今日ではほとんど忘れ去られた短編小説集『文彩』には、幻想的、超心理学的色彩が濃厚。第一次世界大戦後は翻訳活動に専念。フランス象徴派を始めとする厖大な訳業を残した。

狭く、照明の暗い螺旋階段を通り抜け、古い、貧民の住む建物の四階に達すると、彼は大きな、不細工な鍵でドアを開けた。

電信局の長い勤務で疲れていた。帰宅するといつも、頭の中がずきずきし、鼓動とともに由無しごとが湧いて出た。ラム入りの紅茶を二杯飲めば、かろうじて精神の状態は落ち着くとはいえ、それも最上とはいえなかった。目の前に、望みのない、単調な、辛く、ばかげた労働の果てしなく続く長い歳月が浮かんでくるのだった。

小さな、ゆがんだランプに火を灯した。覆いの紙の笠をかぶせてあるのは、もう何年も前に縁が半分ほど欠けてしまった元のガラスの笠の残骸であった。

部屋、というより、台所つきのその小部屋は、ある不思議に信仰心の篤い婦人方の占めるもっと大きな住居の一部だったが、不潔で、散らかっていて、ひどく不快な感じがした。しかし、時がたつにつれ彼はこの部屋が好きになった。人は絶えず接するものなら何でも、やがては好きになるに違いないのだ。囚人たちはその独房に、富者がその私室におぼえるのと同等の愛着を感じる……、いや、それ以上なのかもしれない。狭苦しさを思考と夢想……、貧者のただ一つの財産が満たしてくれるのだから。これだけは……、まだこれだけは俺たちの前にあると、夢に見、物思いに耽るのである。

石油焜炉に火をつけ、台所へ水を汲みに行った。コックをひねろうと手を伸ばし、不意に立ちすくんだ。

蛇口から水滴が垂れていた。不規則に滴り落ちる水の速いリズムに、無意識のうちに聞き入っていた。

あわただしく聞き取ったのはこういう言葉だった。

「不思議通り三十六番地……不思議通り……」

冷たい戦慄が走った。それからすばやく今日の電報の宛先に思いをめぐらせた。いや、そんなのはなかった。不思議通り……。

町にそんな通りがあっただろうか？

さらにその先を聞いてみた。

「不思議通り三十六番地……不思議通り三十六番地……」水滴は音を立てていた。

身震いし、やっとの思いでコックを勢いよくひねった。水は流しにほとばしり、後ずさりしなければならないほど勢いよくはねを上げた。薬缶を一杯にして部屋へ戻り、焜炉にかけた。それから雑多ながらくたや数冊の本の載せてある細長い棚に向かい、ボトルを取り、ラムを一杯注ぎ、一息に飲み干した。体が暖まり、すぐに元気が出、気分が明るくなった。

ベッドに腰掛け、まわりのすべてのものと同じように粗末な、煤まみれで、傷だらけの薬缶を包む、青い石油の炎を見つめた。

本のある棚へ目を向けたが、すぐに振り向いた。

「不思議通り」それが彼の心をすばやくよぎった。「いったいそんなものがどこにあるのか？」

まるで、自分が何か全く違う感覚の水準に足を踏み入れ、気づいてみると、束の間別の意識平面に入りこんでしまい、見知らぬ、不思議な幻にまわりを取り囲まれているとでもいった気分だった。

しかしすぐにそんな幻覚は振り払った。

「くだらん！」大声で独り言を言った。「これも俺のばかげた幻滅のなせる業（わざ）というわけだ」

そして、自分が一年後、二年後、十年後にはどうなっているのか、不安になった……。

「俺は気が狂う……、きっと気が狂う！」また大声で言った。それから立ち上がり、台所へ行った……。なぜそこへ行くのか、自分でも分かってはいなかった。戸口で立ち止まり、聞き耳を立てた。

水道から流しに水滴が垂れていた。

「畜生」また言った。

すばやく引き返したが、ベッドにたどり着く前に立ち止まり、思い直し、一瞬後にはもう台所にいた。

戸口で立ち止まった。

「不思議通り三十六番地……不思議通り三十六番地……」

やはり間違いない。水はこの言葉を発しているのだ。

すばやく水道に駆け寄り、力まかせにコックをひねった。

水滴は止まった……。

ほっとした。だが何が起こるか不安で、まだ待っていた。静寂は完璧で、ただ下の中庭から弱まった話し声の反響が聞こえ、どこか階下で赤ん坊が泣いている。

すっかり安心し部屋へ戻った。薬缶のふたを取った。湯気がもうもうと巻き上がった。ポットに茶葉を入れ、待った。

ベルの音が響きわたった。

「トーシカだ!」独り言を言った。「よかった!」

今日は一人で家にいなくてすむことが嬉しかった。

「あら、今晩は!」女は楽しげに声をかけ、彼の首に抱きつき、まっすぐ唇にキスをした。

それからベッドに帽子とオーバーをほうり投げた。

「元気?」女は訊いた。「どうしてそんなにしょぼんとしてるの? さあ、おしゃべりして! もしかして、あなた昨日ストーブに……。まあ、いやな人ね!」

「違う、違う」弁護した。「疲れてるんだ。恐ろしく疲れてるんだ。それなのに休暇なんてお話にもならない。お茶をいれてくれ!」

「どこへ行くの?」彼が部屋から出ていくのを見て、女は訊いた。

「どこでもない! ちょっと見てくるだけだ……」

台所へ入り……、ぎくりとした。ぞっとしさえした。

水道から滴が垂れていた。もはや聞き取ろうと耳をすますまでもなく、何が起こるかは分かっていた。

「不思議通り三十六番地……不思議通り……」

部屋へ戻ると、トーシカが少し片づけかかっていたテーブルのわきに立った。

「いいものを持ってきたのよ！」女はおしゃべりを始めた。「何か当ててみて……、さあ、当ててみて！」

答えなかったので、女はぽかんとした。

「まあ、あきれた！　顔色が悪いみたいね！」女は叫んだ。「どうしたっていうの？　言って！　横になったらどうかしら……、そうよ、そうよ……、すぐ寝なさいよ！　ベッドでお茶を飲むのよ。持ってきたもの、見てね……、すてきな詰め合わせよ……、そうでしょ？」

女は機嫌をとるように彼の目を見、ほほえんだ。

「何日も前から顔色が悪かったわ！　どこか痛むの？」

彼は首を振って打ち消した。

「俺といっしょに来てくれ！」まじめな顔で言った。

女は驚いたが、おとなしく台所へ行った。

「聞いてみてくれ！　それから何が聞こえたか言ってくれ！」彼は意味ありげに言った。

女はぞっとして縮み上った。

「どうしたの、フラネク！　ああ、大変だわ……、どうしたの？」

「シーッ！」指を口にあて、ささやいた。「真剣に聞いてくれ！」

女は眼を見開き、彼の顔をのぞきこみながら聞いた。

「何も聞こえないわ！」すぐに答えた。「誰かが中庭で話してて、子供が泣いてて、水が垂れてて……」

「そいつだ……」彼はささやいた。「水だ……、だけど何て言って垂れてるか——聞いてくれ！」

「何ですって……、分かるわけないでしょ？　確かに……、電信機に少し似てて……、そうよ、何かコツコツいってて……、でも分からないわ……、あたし、電報は打てないもの。コッ……、コッコッ……、コッ……、コッコッ……、それだけよ。でも、こんなことまるで子供じみてるわ！　垂れさせておけばいいのよ。こんなこと子供じみてるのは、よく分かってるでしょ……、疲れてるのよ、それだけのこと……。いらっしゃい、寝るのよ！……」

女は彼をベッドの方へ引っ張っていった。

「すぐ服を脱いで！」女は断固とした口調で言った。

「とんでもない……」彼は言い返した。「やっと八時になったばかりで、日が暮れたところだっていうのに」

「寝るのよ……、あなたは病気なの……」

「違う、違う、お茶を飲んで、それから確かめてみるよ。だけど俺は病気じゃない、頭が少し痛いだけなんだ。そっとしといてくれ……、正直言って、局から帰ると、時々頭の中がぐるぐる回ることはあるさ。ひどい仕事なんだ、トーシカ、本当さ……、ひどい仕事なんだよ」

彼がまともな話し方をするのに満足し、女はテーブルのまわりでせわしげに立ち働いた。

「あら、いやだ！」女は突然大声を出した。「砂糖が切れてるわ……。待っててね、角の店まで行ってくるわ」

「よければ……、俺が行こう！」彼はあわてて言った。

帽子を取り、肩にオーバーをはおると、外に出ていった。

台所を通り抜けるときは、忌まわしい水道を見ないように目をつむった。しかし耳に栓をすることはできず、何か不思議な電報のように思えるあのぞっとする、ばかげた水漏れが聞こえてきた。

「不思議通り三十六番地……不思議通り……三十六番地……」

それはすばやく階下におりていくときも、彼のあとを追いかけてきた。

眼で警官を捜した。通りのはずれの向こう側の歩道に立っているのが見えた。店の前で気が臆し、ポケットに手をつっこみ、歩みをゆるめた。しかしすぐに何かに気圧（けお）され、店の前を通り過ぎ、急いで前へ進んだ。警官に近づくには、通りを横切らねばならなかった。うっかりして、いつもらしくもなく、泥濘（ぬかるみ）にはまってしまった。一瞬、いやな感じ、自分が何か全くばかげたことをしているという、まるで驚きのような気持ちをおぼえたが、やっとの思いで先に進んだ。

「ちょっとお訊ねしますが」帽子をちょっと持ち上げて言った。「不思議通りはどこでしょう……。その通りをご存じですか？」

警官は彼を見おろした。長い間しげしげと見つめ、それから回れ右をしてゆっくり歩き去った。明らかに憤慨していた。

安堵の深い吐息をついた。そうしてよいのなら、公共の安全の守護者にでもうやうやしくキスをするところだった。つまりはすべて平凡なナンセンスなのだ——そう思った。

向きを変え、まだ明かりのついている店の方へ急ぎ足に歩いて行った。

店の中は少々狭かった。カウンターの脇の、明らかに余り素面（しらふ）とはいえない老齢の紳士の横に立った。ひどく酒臭かった。紳士はやっとの思いでズボンのポケットの小銭を探し出し、それからのろのろ数えていた。

何かに促され、そっと訊いた。

「ちょっとおたずねしますが……、不思議通りをご存じですか？」

紳士は小銭を数え続けていて、質問が聞き取れなかった。ようやく包みを受け取りはしたが、しかし行こうとはしなかった。二人はいっしょに外へ出た。

「お若い方」紳士は訊ねた。「名は何といいなさる？」

「フランチシェク・シャルィ（灰色の、平凡な、の意）です！」びっくりして答えた。

「わしはヤン・ブィレヤキ（いい加減な、の意）じゃ！　今はそう名乗っておる。不思議通りに行くようになってからはな……」

「その通りはどこにあるんです？」

「知りたいか？　え？」

「知りたいです」

「失うものはたくさんあるか？　どのくらいある？」

「金は……、金は……、金はあまりありません……」つぶやいた。

「金ではない！　人生に失うものはたくさんあるか？」

「人生には……、何も……、ほとんど何も……」

「それなら結構！　行こう」

なぜか妙な気持ちになった。信用していたわけではなかった。一人で行く方がいいかもしれない。

「人が待ってますから……」

「女か？」

黙っていた。

「そんなもの糞食らえじゃ、いいか！　糞食らえじゃ！　行こう。だが、前もって言っておくが、あそこからは帰れんぞ。それをまず憶えておけ。体は戻っても、魂は決して！　決して！」

シャルィを戦慄が揺さぶった。この人は酔ってはいない。彼は相手がなれなれしく抱えた肩を引き離した。

「いや。行きません。どこにあるかだけおっしゃって下さい」

「至る所にあり、どこにもない」

「分かりません」

「それは知っとる。では、この通りのことをどこで知ったか、言ってみろ」

「言えません！」

「それならもう結構！」老人は笑い出した。「まともな人間なら誰一人そんなことをおまえに言いはしなかったじゃろうからな」

「いいえ、確かにそういうものがあるような気がしたんです」

「上等じゃ！　立派なものじゃ！」ヤン・ヴィレヤキは喜んだ。「あれは人によっては夢に見えるし、人によっては今この瞬間に現実に現れてくるものなのじゃ。上等じゃ。さあ、行こう！」


　断った。


「どこにあって、そこには何があるか、おっしゃって下さい。自分で行きますから」

「そんなものはどこにもありはせん！　分かるか？　ちょうど幸福や、愛情や、善意や、千里眼がどこにもないのと同じことでな。じゃが、それは至る所にあるのじゃ。実際どんなことでも起こりうるのじゃし、今この瞬間にも、おまえは人生を横切る不思議通りに立っておるかもしれないのじゃからな。世間でいうまともな人間どもは直線（プロスタ）通り、高官（ドストイナ）通り、元老院議員（セナトルスカ）通りを歩いておるが、わしらは不思議通り、奈落（プシエパストナ）通り、彼岸（ザシフィヤタ）通りを歩いておるのじゃ」

「でも、あなたは私をどこかへ連れていきたいのでは……」

「どこへじゃと？　わしのところじゃ、わしの家じゃよ。おまえを弟子にしたいのじゃ」

「それだけですか……」がっかりして答えた。「でも、知っていますよ、それはどこでしたか……、不思議通りの三十六番地にあるんです」

「それがわしの住んでおる家の番地じゃ」

「不思議だ！　不思議だ！」フランチシェク・シャルィはささやき声で言った。「どうしてそう思ったんだろう?」

「訊くでない、それは今日は難しすぎる質問じゃ。いつか自分で答える日が来るじゃろう。さあ、行こう。おまえはわしの弟子になるのじゃ」

「なるとどうなります?」

「おまえは見所があるようじゃ……。おまえに通り道を教えてやろう。それは人生という耕作地の外の、世にも美しい、自由な、神の荒野に通じておる……」

「それでそこへ行くと何があるんです?」

「自由と知恵じゃ。人間の胸には収まりきれない歓喜、おまえを今日にも一握の灰に変えてしまいかねない愛情じゃ。おまえの心を鍛え上げ、いつの日か天上の美酒に満たされた杯になれるようにしてやろう」

彼は驚き、ぞっとして聞いていた。

「明日うかがいます……」彼は逃げを打った。

「今日来なければ、二度と来ることはないじゃろう。わしといっしょに来い」

フランチシェク・シャルィは再び肩を引き離し、後ろへ体を引くと、断固として言った。

「明日うかがいます!」

「明日はない、今日しかないのじゃ……。おまえは宝を見つけたのに、今日はぼろ切れを集めることになっているから、拾うのは明日にしたいとでも言うのか? 考えるのじゃ……、考えるのじゃ!」

フランチシェク・シャルィは額に冷たい汗を感じ、帽子を脱いだ。不安そうに震えていた。

「ご住所をどうか教えて下さい！　明日、晩にうかがって、喜んでお話をお聞きすると約束します。今日は本当にだめなんです！」

「だめじゃとな……」老人は声を立てずに笑い出した。「ああ！　だめなのは知っておった。おまえのようなやつは沢山おった。誰もがだめで、誰もが何かしら義務を果たさねばならなかった……、たった今この瞬間にも……、神様（パンスカ）通りや、明白（オチヴィスタ）通りや、美麗（ピエンクナ）通りで……。結構……、行け、行ってしまえ……」

「ご住所をお教え下さい！」彼は頼んだ。

「住所？　知っておるではないか……」

「知りません！　正確なご住所をお教え下さい……」

紳士は背を向け、無言のまま立ち去った。

フランチシェク・シャルィはたいそう恨めしそうにあとを見つめていた。

彼は突然震え出した。老人は数歩進んだかと思うと、闇に紛れたかのように、突然消えてしまった。

突然の恐怖が見つめていた彼を揺さぶった。目をこすり、あたりを見回した。

気がつくと、彼は店の中の壁に寄り掛かって立っていた。女主人が心配そうに見つめていた。

「ご気分がお悪いんですか？」

彼は何も応えなかった。支払いを済ませ、包みを受け取り、一目散に家へ駆け出した。

すぐに部屋にたどり着くと、ドアをぐいと引っ張り、立ちすくんだ。

水道から目をそらさず、聞き耳を立てた。

流しには一滴も水は垂れていなかった。

彼は恐ろしい、抑えがたい後悔に揺さぶられた。部屋に飛びこみ、トーシカの方に振り向き、窓ガラスが鳴り出すほどの大声を上げた。

「出てけ!」

彼はドアを指さし、青ざめて立ち、歯がかたかたと音を立てた。

「気が狂ったの?」女はぞっとして訊ねた。

「出てけ!」繰り返して言い、足を踏み鳴らした。

女は青ざめ、悲しみ、心の底から傷つけられ、衣服の一部をかき集め始め、その胸はひどい嗚咽に揺れていた。

彼の方は足がゆがみかかっているような気がし、ベッドに倒れこむと、わっと恐ろしい泣き声をあげた。

「フラネク!　フラネク!」女は涙ながらに叫び出した。

女は彼の首を抱きしめ、いっしょに泣いた。


（長谷見一雄訳）

シャモタ氏の恋人（発見された日記より）

グラビンスキ

◆ステファン・グラビンスキ
Stefan Grabiński 1887-1936

ポーランドの小説家。ルヴフ大学に学んだ後、主にルヴフ（現在ウクライナのリヴォーフ）で学校教師をつとめる。一九〇九年に作家としてデビューするが、名声を得るのは短編集『薔薇の丘』（一八）や『動きの悪魔』（一九）によって。短編を本領とし、その後も『狂気の巡礼』（二〇）、『不気味な物語』（二二）、『火の書』（二二）、『情熱』（三〇）といった短編集を次々と出版した。ポーランド文学史上ほとんど唯一人の、恐怖小説ジャンルの古典的作家である。「現実の多様性」や「存在の多面性」といった仮定に基づいて、超心理学的な題材も取り入れながら、数多くの幻想・怪奇小説を書いた。日本ではここに収録した『シャモタ氏の恋人』が、この作家のおそらく初めての紹介になる。これはグラビンスキの作品の中でももっとも有名なものの一つで、一九二六年にL・トリスタン監督によって映画化されている。

そして神はアダムから取った肋骨で一人の〈白い頭〉（ポーランドの古語で「女」の意味）を作り上げ、彼女をアダムの所へ連れてこられた。その時、アダムは言った。「ついにこれこそわが骨の骨、わが肉から取られた肉。これに〈男のもの〉という名をつけよう、このものは男から取られたのだから」それゆえ男はその父母を離れて妻に結びつき、二人で一つの肉となるのである。

（旧約聖書『創世記』第二章二二―二四節）

六日前から私は幸福に酔いしれている。この幸福を信じずにはいられない。六日前から私の人生は、新しい時期にはいった。それ以前とはあまりにはっきりした線で区切られているので、今や途方もない規模の激変を体験しているような気がするほどだ。

手紙を受け取ったのだ、あの人から……。

一年前、どことも知れぬ外国へあの人が出かけてしまって以来、初めて受け取った奇跡のしるしだ……。信じられない、本当に信じられない！　幸せのあまり、ぼうっとしてしまう！　あの人から私に手紙がくるなんて！　彼女は私のことなどまったく知らないのに。ただ遠くから恋い焦がれているだけで、彼女とはこれまで友達づきあいはおろか、ほんの束の間の面識さえもなかったこの私に！　でも、これは夢なんかではない。私はこの手紙をいつも肌身離さず持ち歩き、片時も手放すことはない。はっきり書かれた宛て名。まったく疑う余地はない。「イェジィ・シャモタさま」つまり、私のことだ。自分の目が信じられずに、私は何人かの知り合いにこの封筒の宛て名を読んでもらった。すると、知り合いは一人残らずあっけにとられたように私の顔を見つめて、ほほえみ、そして請け合ってくれたものだ。宛て名ははっきり読める、そしてここにある名字は私のものだと……。

つまり、あの人は帰ってくるのだ、もう二、三日後には。そして、彼女の家の玄関で最初に迎えるのが、私なのだ――町中で、公園の並木道とか、劇場や、コンサートなどでたまたま出会ったときも、恋に酔いしれた目を彼女のほうにあげることさえなかなかできなかったこの私なのに……。

以前にせめて一目でも彼女に振り向いてもらえたことや、ほんの束の間でも誇り高い彼女の唇をほほえませるようなことがあったなら！　でも、そんなことは一度もなかった。彼女は私のことなど、まったく気づかない様子だった。今の今まで、あの人は私のことなど何も知らないに違いないと、私は思い込んでいたのだ。私がもう何年もの間、まるで遠い影のように、おずおずと後をついて回っていたことなど、彼女はきっと知らないだろう。私はそれほど内気で、控えめだった。私の憧れはとても遠く、とても繊細な光のように彼女を包んでいた。いや、ひょっとしたら、あの人は私のことを感じ取っていたのだろうか。限りない私の愛と、従順な崇拝の気持ちを、鋭敏な女の本能で感じ取っていたのではないか。何年も前から私たちの間に張られていた共感の糸が、互いに離れていてもそれとわかるほど強くなって、ついには彼女を私の方向に引き寄せ始めたのだろう。

ようこそ、私のいと麗しき人よ！　今や日は傾き、夕焼けの輝きに照らされて明るく晴れ、私は額を上げて自分の歌を口ずさむ、あなたの恩寵に満たされて。素晴らしきわが人よ！……

きょうはもう木曜日。あさっての今と同じ日暮れ時、あの人に会えるのだ。それより前には会えない。それが彼女のはっきりした意志だから。私は彼女の手紙を手に取ってみる。藤色をした、とても大切な四つ折りの紙。ヘリオトロープのほのかな香りが漂ってくる。この手紙をこうして読むのは、もう何回目だろうか。

いとしいあなた！　二十六日の土曜日、夕刻六時ごろ、ジェロナ通り八番地の家にお寄りください。庭の木戸は開けておきますわ。お待ちしております。長年ののぞみがかないますように。

あなたのヤドヴィガ・カレルギス

ジェロナ通り八番地だって！　あの人の家(ヴィラ)じゃないか！　「菩提樹の下」の館！　美しい庭園

の真ん中にあって、街路からは目の詰まった金網と木の茂みに隔てられた、中世様式のこぢんまりとした素晴らしい屋敷。私はほとんど毎日のように散歩しては、あの屋敷まで行ったものだ！夕暮れ時、あの閑静な一角に忍び寄り、胸を高鳴らせながらいったい何度、窓ガラスを通じて浮かび上がる彼女の姿を見つめたことだろう！……

待望の土曜日がとても待ちきれなくなって、私は何度かその屋敷の中にはいろうと試みた。しかし、庭園の木戸はいつも閉ざされたままだった。手に力をこめれば掛け金はたしかにはずれるのだが、鍵がどうしても開かないのだ。どうやら、あの人はまだ帰ってきていないらしい。しんぼう強くあと一日半以上待たなくては。私はこれ以上耐えられないくらい、ひどくいらいらし、食事も喉を通らず、夜も眠れず、ひたすら時間を指折り数えるだけになってしまった……。しかし、いったいあと何時間残っていることか！　四十八時間もある！……　あしたは一日中、彼女の庭園のそばを流れる川で過ごそう。ボートを借りて、屋敷の周りをずっと漕ぎまわり続けるのだ。土曜日は朝からずっと午後にかけて、駅で過ごそう。あの人をせめて遠目にでも出迎えなくては。彼女がまだ帰ってきていないことは、はっきりしている。隣人たちがこの一年というもの、彼女の姿を全然見ていないと言っているからだ。きっと到着は二十六日まで、つまり私が彼女を訪ねることになっている日まで延期したのだろう。そうだとすると、心配なのは、私が訪ねていくのがあまりいい時ではないかもしれないということだ。こういった長旅の後にはひどく疲れるものだから……

＊

土曜日、つまりきのうの朝は、結局、駅で彼女に会えなかった。大変な人ごみで、千人もいようかと思われる乗客の中に彼女を見つけることができなかったのだ。そこで午後四時に二本目の列車が到着するのを待ってみたが、これも結果は同じだった。彼女は本当に帰ってきたのだろうか。じつは朝の列車でちゃんと到着していて、もう自宅にもどっているのではないのか。いずれにしても、彼女の家まで行って、確かめてみなければならない。

彼女と私を隔てるこの二時間あまりは、とても終わりまで耐え切れないほどの苦悩の連続だった。喫茶店にはいり、大量のブラック・コーヒーを飲み、煙草を何本も灰にしたが、一所に坐っていられなくなって、結局外に駆けだした。そして、園芸品評会の前を通りかかったとき、きょうのために花を注文していたことを思い出した。

「うっかりしていた！　すっかり忘れてしまうところだった」

私は花屋にはいり、真紅の薔薇とツツジの花束を受け取った。切られたばかりの花は馥郁たるつぼみをシダの襟の中からのぞかせ、夕べの風に吹かれて軽やかに揺れている。町の大時計は、六時十五分前を示そうとしていた。

花束を包装紙に包んで、川の方角に急いで歩きだした。数分後にはもう橋を越え、せかせかした足取りで屋敷に近づいていた。心臓は早鐘のように激しく打ち、足はへなへなとくずれそうになった。とうとう、木戸のところまでたどり着き、掛け金を押した。はずれる！　幸福のあまり陶然となり、私はちょっとの間、庭園の金網にもたれかかった。興奮を抑えることができなかったのだ。つまり、彼女は帰ってきているのだ！

とても長く思える数分が経った。私はうつろなまなざしを、歩道の両側に植えられた菩提樹の列に沿って移していった。菩提樹の列は並木道を作って、玄関口のほうに伸びていた。脇のほうでは、桑とハナミズキの植え込みの向こうに、葡萄の蔓につつまれた秋のあずまやの輪郭が見えている。紅葉が垣根づたいに滑り落ち、すでに萎れている木蔦と絡み合って乱雑な模様を織りなしている……。

花壇では秋の花が咲いている。羽のように軽やかなアスターや、素晴らしい菊。芝や雑草におおわれた小道には黄色くなったマロニエの葉が静かに舞い落ち、カエデの煉瓦色の葉が悲しげに雨のように降り注いでいる。水の干上がった大理石のプールのかたわらでは、血のように赤いダリヤが咲き、大きなガラス玉が虹の七色をきらめかせていた……。イボタノキの木陰では、針葉樹の針の絨毯が敷きつめられた石のベンチに二羽の小鳥がとまって、飛び立つ前の歌を歌っている。並木道を遠くまで見渡すと、夕焼けを背景に銀色の蜘蛛の糸が紡ぎ出されていた……。

私は軽く閉じ合わされただけのドアを両手で押し開け、螺旋階段を二階に上がった。だが、不思議なことに人気（ひとけ）がまったくない。屋敷は死に絶えているかのように見えた。誰も迎えに出てこなかったし、使用人や家の者の姿はどこにもまったく見当たらなかった。華やかな装飾をほどこされたグラスのような巨大な電灯が、目もくらむような明るい光で空っぽの広間や回廊を照らしだしている……。

客を歓迎するように開け放たれた控えの間で目立っていたのは、何本も立ち並んだ何も掛かっていないコート掛けだった。あまり楽しい光景とは言えない。コート掛けから突き出た金属製の滑らかな玉が光を反射して、磨き上げられた銅の冷たい輝きを放っていた。私はコートを脱いだ。その瞬間、開いていたゴシック風の大きな窓から、町の時計の打つ音が流れ込んできた。時計は六時を打っていた……。

向かいの部屋のドアをノックしてみた。中から返事はない。私はとまどった。どうしたらいいのだろうか。許可もなく中にはいっていいものか。ひょっとしたら、旅の疲れが出て、寝ているかもしれないし。

そのとき突然、ドアが開いて、戸口にあの人が現れた。王冠のように頭を覆うクリ色の髪の毛の下から、深く、誇り高く、そして同時に甘く陶酔させるような目が私を見つめていた。いかにもポリクレイトス（人体の均整美に関する規範を作ったことで知られる古代ギリシャの彫刻家）の鑿に相応しい古典的な均整のとれた頭には、エメラルドをちりばめた頭飾りが載っている。そして柔らかく、雪のように白いドレスが彼女のふくよかで成熟した姿を包み、調和のとれた波を打ちながら古風な履物のほうまで流れ落ちていた。まさに Juno stolata（古代ローマ風のガウンを着た女神ユノ）だ！

彼女の威厳ある美の前に、私は頭を垂れた。一方、彼女は奥に退いてから、手招きをして私を部屋の中に通した。それは古典古代風（アンティーク）に洗練された様式で整えられた、豪華な寝室だった。giallo antico（古典風）に彫刻をほどこされた寝台の奥のほうに、彼女は腰をおろした。

私は彼女の足下の絨毯の上にひざまずき、頭を彼女の膝にのせた。彼女はその頭を暖かく母親のようなしぐさで抱き、私の髪の中に指を入れ、優しく髪を梳き始めた。私たちは目をそらすことなく、相手の姿をいくら見ても見飽きることがないといった風に、互いを見つめ続けた。何も言わないで。二人の間で言葉はまだ一言も交わされていなかった。うかつに音を立てようものなら、二人の魂を虜にし結び合わせてくれた魅惑の天使が逃げてしまうのではないか、と恐れているかのように……。

突然、彼女は私のほうに身を寄せ、唇に接吻をした。血がかっと上り、千本もの金槌ががんがん頭を打っているようだ。世界が陶酔の渦を巻きはじめ、私は自分を抑えることができなくなった。彼女を荒々しく両手でひっつかむと、抵抗も感じないまま、愛欲に無我夢中になってその体を寝台の中に投げこんだ。彼女は素早くさっと肩から琥珀の留め具をはずし、このうえなく貴重な素晴らしい肉体を目の前にさらけ出した。こうして、私は彼女を自分のものにしたのだ。そのとき果てしない憧れと苦悩の中で、感覚は陶酔し、心は狂喜し、魂は狂乱し、血は燃えあがっていた……。

時間はあっという間に過ぎていった。幸福に満たされ、幸福の閃きのように短い何時間かが。それは満たされた――草原の風のように疾駆し、珍しい真珠のように高価な――時だった。快楽に疲れ、私たちは天国の森のような、魔法のおとぎ話のような、とても素晴らしい夢の世界に落ちていった。しかし、その夢から目覚めたときには、もっと美しく、もっと魅惑的な現実が待っているはずだ……。

夜が明けて間もなく、六時頃に私は重いまぶたをようやく開き、我に返って周りを見まわしたが、ヤドヴィガはもう私のそばにはいなかった。

急いで服を着て、彼女を待つことまる一時間。しかし、それも空しく、私は家に帰った。めまいがし、血管の中が燃えているようだ。高熱があるに違いない。唇はひび割れ、口の中には奇妙な苦みがある。歩いていても、道具につまずいたり、放心したようによろめいたりする。霧を通して世界を見ているようだ。陶酔の快いヴェールという霧を通して……。

*

翌日、編集部から家にもどると、机の上にヤドヴィガからの手紙が置いてあった。そこには、自分の屋敷での次の逢引きの日を一週間後、つまり再び土曜日の晩にしたいと書いてあった。しかし、私にはその期限はあまりにも長すぎるように思われたので、火曜日の午後にはもう、「菩提樹の下」の館に出かけていった。ところが、木戸は閉ざされていた。私は腹を立て、屋敷の周りを何度もまわってみた。庭園のどこかの並木道の一つで、彼女にひょっとしたら会えるのではないか、と期待してのことだ。しかし、散歩道に人気はまったくなく、秋風が枯れ葉をぱらぱらと巻きあげては、情け容赦なく追い立て、長く悲しげな列を作っているだけだった。もうあたりは真っ暗になっていたのに、窓に明かりは見えなかった。家はひっそり静まり返っていて、まるで誰も住んでいないようだ。どうやら、夜は北側を向いた部屋——つまり、通行人の目からは一番見えにくい側を向いた部屋——の一つで過ごしているのだろう。私はがっかりして、帰っていった……。

次の日も、またその次の日も、同じ試みを繰り返したけれども、結果はまったく同じだった。諦めて彼女の希望に従い、土曜日まで待つしかなかった。ただ、非常に驚くべきだったのは、まる一週間の間、町中では一度も——劇場であれ、市電の中であれ——彼女の姿を見かけなかったということだ。ということは、きっと彼女は以前の生活様式をすっかり変えてしまったに違いない。ヤドヴィガ・カレルギスと言えば、かつては大都会の伊達男（ダンディ）や色男（ドンファン）たちの毎日の賛嘆の的であり、舞踏会やコンサートや社交界の気晴らしの女王だったのだから。ところが、今ではまるで修道女のような暮らしぶりではないか。

実際のところは、私はこの事態に満足し、誇らしく思った。自分の幸福を見せつけて他の人たちを苛立たせたがるような、つまらない野心は私にはない。彼女を見せびらかして自慢したいなどとは思わない。それどころか、私たちの関係にまつわる秘密の雰囲気、人目を忍んで会っているという感覚には、言い表しがたいほどの魅力がある。Odi profanum vulgus...（「私は下賤な大衆を憎む」「キケロよりの引用」）

*

ついに待望の日がやってきた。朝はずっと放心したように歩き回っていた。編集部の同僚たちは、きっと恋の病だろうといって、私のことを笑った。

「あのシャモタ君が正真正銘のキ印になってしまったとはねえ」と、演劇部長が声をひそめて言った。「ちょっと前から、完全におかしくなってしまった。まともに話すこともできやしない」

「これは女だな！　事件の陰には女あり（シェルシェ・ラ・ファム）！」と、古参のジャーナリストが説明した。「それ以外にはありえないね。神かけて誓ってもいい」

　きっかり晩の六時に私は、かすかに開いていたドアから彼女の寝室にはいった。ヤドヴィガはまだいなかった。素晴らしい食器類で飾りたてられたテーブルの上では、チョコレート・ドリンクのカップが湯気を立て、その脇では皿の上にケーキが山盛りになり、緑のリキュールがきらめきを放っている。

　私は隣の部屋のほうに顔を向けながら腰をおろし、カンラン石の箱に手を伸ばして、葉巻を一本取った。と、突然、私の視線は、トラブッコという葉巻に挟まれた四つ折の紙の上に止まった。彼女の手紙だ。私あてのものだった。

　　いとしいあなた！　遅くなってごめんなさい。三十分ほどで町からもどります。お会いできるのを楽しみにしています。

　私はその書き置きに接吻をし、胸にしまって、香りのいいリキュールを飲み干した。グラスで一杯飲んだだけで、まるで眠気に襲われたような気分になった。そして新鮮な葉巻に火をつけ、向かい側の壁できらめいているギリシャ風の盾のほうに無意識のうちに目を向けた。その盾の真ん中には、メドゥサ（ギリシャ神話で、三人姉妹の怪物ゴルゴンのうちの一人。髪の毛がヘビになっている）の模様があった。盾の輝かしい胸の部分にはなにやら妙に人目を引きつけるものがあり、視線はそこに釘付けになり、それを見ているうちに意志が奪われてしまうかのようだった。

やがて、私のすべての神経はある輝く点に集中してしまった。それは鋭い閃光を稲妻のように投げかける、蛇の髪をしたゴルゴンの目だった。この催眠作用の中心から私は目をそらすことができなかった。そして、しだいになにやら独特の夢の中におちていった。周囲はまるで遠景に退いたかのようで、無限の彼方に見えたのに対して、そのかわり彩りも豊かで鮮やかな、異国的なおとぎ話の素晴らしい世界が浮かび上がってきた。まるで亜熱帯地方の蜃気楼のような光景だ……。

突然、首筋に暖かく柔らかい両腕がからみつくのを感じた。そして唇には、長く続く甘い接吻。忘我の状態から身を振り切って、我に返って目の前を見つめた。それはヤドヴィガだった。私の前に立ち、誘惑するように微笑んでいた。私はその腰を抱き締め、彼女の体を胸に押しつけた。「ごめんなさい」と、私が弁解した。「あなたがはいってきたとき、気がつかなかったんです。あの盾になんだか妙に気をとられてしまって」

彼女は黙ったまま微笑んだ。大目に見てあげましょうとでも言わんばかりに。

今日の彼女はいちだんと美しかった。ギリシャ風の衣服に包まれた、彫像のように美しいその姿は、不可解な魅力を発散させていた。素晴らしい眉の下からは黒く誇り高い目がのぞいており、その奥では欲望の炎がくすぶっている。ああ、なんという喜びだろうか、この大理石のような胸を情熱の波で激しく揺さぶり、誇り高い女神(ユノ)のこの顔を落ちつきはらった冷やかさの中から引きずり出すのは！　片腕を後ろにあてがって彼女の体を反らせ、私は食い入るように彼女を見つめ、限りない彼女の美しさをとても長い間じっと飢えた目に堪能させた。

「ああ、なんてきれいなんだろう、僕の恋人よ、あなたはなんて美しいんだろう！　でも、お下げ髪はどこなんです、すみれのようにかぐわしいあなたのお下げ髪は？」激情にかられて私はそう尋ねながら、彼女の額から純白の覆いを払いのけようとした。今日はその覆いが彼女の頭をぴったりと包んでいたのだ。

「あなたの髪を愛撫したいんです、最初のときと同じように。覚えているでしょう？　あなたのお下げ髪をほどいて神々しいマントのように肩の上に散らせて、キスをするんだ。いつまでもずっとキスを。だって、最初の夜はだめとは言わなかったじゃありませんか。そのショールをとってください」

彼女は私の手を優しく、しかし断固として押し止めた。そして、口もとに神秘的な微笑みを浮かべ、だめというように首を横に振った。

「きょうはいけないんですか？　どうして？」

彼女は相変わらず沈黙を守り続け、同じように禁止の意味で首を振るだけだった。

「どうして黙っているんです。だって、あなたは今まで一言だって口をきいてくれないじゃありませんか。せめて二言、三言でも僕に言葉をかけてください！　あなたの声が聞きたいんだ。きっと甘くて、貴金属の鉱石みたいな澄んだ響きに違いない」

ヤドヴィガは黙ったままだった。何やら果てしない悲しみのようなものが突然、彼女の顔全体に溢れだし、陶酔の時を凍りつかせてしまった。ひょっとしたら、口がきけなくなってしまったのだろうか?

そこで私はこれ以上懇願するのを止め、神々しいまでに美しい彼女の体の快楽を黙々と味わうだけだった。きょうの彼女は、前回の逢引きのときよりも情熱的だった。何度も繰り返し激しい欲情に身悶えし、その目は失神の霧に覆われ、顔は死人のように青ざめた。きめ細かい絹のような肌を小刻みな震えが走り、真珠の光沢を帯びた歯は痛々しい痙攣の中でぎゅっと嚙みしめられた。そのとき私はぎょっとして彼女を抱いた手を離して、彼女を正気にもどそうとした。しかし、それはほんの一瞬のことだった。発作は速やかに過ぎ去り、若々しく、抑えがたく、何の遠慮も知らない欲望の新たな波が、私たち二人を狂乱の渦の中に投げ込んだ……。

私たちは深夜、午前一時ごろに別れた。お別れに彼女はすみれの小さな花束を、私の胸に留めてくれた。私は彼女の片手をとり口に押し当てて、言った。

「それじゃあ、また一週間後に?」

彼女は黙ったまま、うなずいた。

「それなら、そういうことにしましょう。さようなら、carissima(イタリア語で最愛の人)!」

私は部屋から外に出た。

しかし、控えの間でコートを着ているとき、シガレットケースを寝室の小卓の上に置き忘れたことを突然思い出した。そこでコートも脱がないで、忘れものを取りに部屋にもどって行った。

「すみません」と、私はほんの少し前にヤドヴィガと別れた場所のほうに向かって、話しかけた。しかし、口から出かけた言葉はそのままとぎれてしまった。ヤドヴィガはもう、寝室にはいなかったのだ。はたして、もう隣の部屋に行ってしまったのだろうか。それにしても、ドアのあけたての音など聞こえなかったけれど……。

「ふむ……　変わっているな」と、シガレットケースをしまいながら、私はぶつぶつ言った。

「変わっている……」

そしてゆっくりと、考えごとにふけりながら階段を下りて、通りに出た。

＊

私とヤドヴィガ・カレルギスの関係はもう何か月か続いているが、世間に対しては相変わらず完全な秘密に包まれたままだ。私が首都で一番の美女の愛人だなどとは、誰も夢にも思っていない。これまでのところ、二人で外に出たことはないのだから、二人でいっしょにいるところは誰にも見られていない。そもそも彼女が帰ってきていることさえ、町の人たちはまったく知らないのではないだろうか。少なくともそれが、知り合いの間でたまたまする会話から得られる印象である。どうも奇妙だ。これではまるで、ヤドヴィガはこっそり人目を忍んで帰ってきて、そのことを人に知られたくないみたいではないか。どうやら、ここには何か隠された目的があるようだ。しかし、彼女はそれを私には明かしたくないのだろう。私だってそれを教えてくれなどとうるさく頼みはしないし、節度を守って行動することができる。

だいたいのところ、私の恋人は風変わりな女性で、自分を秘密めいた雰囲気で包むのが好きなようだ。もうそろそろ彼女の気まぐれに慣れ、突飛な習慣にも順応できなければいけないのだが。

しかし、ほとんど一歩歩くたびに私は、何か説明しがたい彼女の振る舞いに突き当たってしまう。互いを知ってからもうほとんど半年近くになるというのに、今まで私は彼女の声を聞いたことがない。最初の何週間かは、私もかなりしつこくその理由を問いただしたものだ。しかし、その答としては逢引きの翌日にいつも、「それは聞かないでください」「無用に私を苦しめないでください」、といった内容の手紙が返ってくるだけだった。結局、最後には私も諦めて、うるさく聞くことを止めた。ひょっとしたら何かの事故にあって、話す能力を本当に失ってしまったのだろうか。そして今はそれが恥ずかしくなって、自分の肉体的欠陥を認めるよりは、本当の理由について私に疑いを抱かせたままのほうがいいと思っているのだろうか。

彼女とは相変わらず週に一回だけしか会っていない。それも、いつもきまって土曜日で、他の日には会ってくれないのだ。ここで一つ、いかにも彼女らしい風変わりな点に触れておかねばならない。それは、毎週一回だけの逢瀬の、言わば前奏の部分に関してである。

じつは、私が部屋にはいっていくとき、いつも彼女がそこにいるとは限らないのだ。ときには彼女が私を迎えに出てくるまで、かなり長いこと待たねばならない。しかも、いつでも彼女は非常に静かに、こっそりと出てくるので、私には彼女がいったいいつ、どこからやってきたのか、まったくわからないほどである。ふつう、気がつくともう彼女は背後に立っていて、突然、私の首筋にキスをする。それは甘く喜ばしいことには違いないが、それと同時にぞっとするような感覚でもある。しかも、そういったとき私はどうも完全に正常な状態にあったためしがないような気がするのだ。それがいったい何なのか、はっきり言うことはできない。ひょっとしたら、ある種の軽い瞑想とか恍惚に耽った状態なのだろうか。

いずれにせよ、ヤドヴィガがいつもよりも長めに待たせるときはいつでも、私は出口の向かい側にあるギリシャ風の盾をじっと見つめたいという欲望に襲われ、どうしてもそれを抑えることができなくなる。その盾は部屋にはいってくる者の注意を引きつけ、そのきらめく円のほうに目を釘付けにしてしまうために、わざとそこに置かれているのではないのか。いったいどこからそんな考えが浮かぶのかわからないが、私には時にそんな風に思われることがある。私が時々奇妙な状態におちいるのも、ひょっとしたらこの盾が原因ではないのだろうか？……

そういった「前奏」の後、すべては正常に進行していく。私たちは互いを激しく求めあい、愛撫しあい、そして子供っぽくふざけ合ったりするほど。しかし、始まりだけがいつも、今述べたように少しばかり、何というか、奇妙なのだ……。

もう一つ、私が必ずしも満足できない点がある。まあ、つまらないことではあるが、やはり望ましくないことには違いない。ヤドヴィガはちょっと大げさではないかと思えるほど、自分の頭をギリシャ風のヴェールのようなもので隠したがるのだ。それは目が眩むほど白い、厚手の生地でできたヴェールなのだが、私はこの覆いにはどうも我慢できない！　せめて髪の毛と頭の後ろだけをくるんでいるのならともかく、そのヴェールはその上しばしば、雪花石膏のような彼女の額を覆い、顔の一部さえも用心深く見えなくし、口や目を隠してしまうのだ……。

この乳白色の頭巾を私が取り除こうとすると、彼女はどうやら腹を立てた様子で、部屋の奥に逃げ込んでしまう。なんという強情さ！　しかし、美しい女は気まぐれなものだという。こういった気まぐれを尊重する度量を持たなくてはいけない。とはいうものの、私の場合はいつもそうふるまえるとは限らない。この前などは、仮面舞踏会さながらの——東方の風習を思い起こさせないこともない——身なりに苛立って、逃げだそうとする彼女の肩をむんずと捕まえてしまった。乱暴で不器用な動作だった。その結果、私は雪のように白い、高価なドレスを引き裂き、大きな切れ端が手の中に残った。それを私は記念に取っておき、いつでも持ち歩いている……。

＊

一昨日の土曜日、奇妙なことに気づいた。夕刻屋敷にはいっていくと、いつものことだがヤドヴィガの姿は部屋にはまだ見あたらなかった。私は盾のメドゥサの視線を避けながら、寝室の他の部分から白い厚手のカーテンで仕切られている奥の間のほうに向かった。そのカーテンは長く、真鍮の円筒をはめこんで細工した床にまで垂れ下がっている。そのとき私は突然、カーテンの縁に引きちぎられた跡があることに気づいたのだ。おおよそ真ん中くらいの高さのところで、半円形の裂け目が露になっていた。私は無意識のうちにその生地を手に取り、指で触れながらそろそろと動かしてみた。柔らかい絹のような手触りに、ふと思い当たるものがあった。反射的にポケットに手を伸ばし、記念に取っておいたドレスの切れ端を取り出した。そして、唐突にもその形をカーテンの裂け目の模様と比べてみた。妙な考えが頭に浮かんだのだ。その二つはどうも同じような形に見えてならなかった。そこで、手に持った切れ端をカーテンの裂け目に当ててみた。いやはや、不思議なこともあるものだ！　ギリシャ風のドレスの断片は、カーテンの裂け目にぴったりと一致したのだ！　まるでその切れ端は、彼女のドレスからではなく、カーテンから裂き取ったもののようだった。それとも、ドレスとカーテンが同じ一つのものだということなのだろうか……。

三十分ほど後にヤドヴィガが現れて挨拶を交わしたとき、私は目を皿のようにして彼女のドレスをじっと見た。しかし、引きちぎられた跡はきれいさっぱり、なくなっていた。ドレスはしみ一つない見事な襞を描きながら足元まで垂れていて、どんな些細な疵もそこには認められなかったのだ。

私にじっと観察されていることに気づいたのだろう、彼女は半ばふざけたような、半ば謎めかしたような微笑みを浮かべた。そのとき、私はドレスから裂き取った切れ端を掲げて、ヤドヴィガを奥の間の入口の前まで連れていった。そこで、私の発見を見せるつもりだったのだ。ところが、なんと奇妙なことだろうか！　カーテンはもうそこにはなかった！　不意に馬鹿馬鹿しい考えが頭に浮かんだ。

彼女はカーテンを「借用」して、自分のドレスにしたのではないのだろうか？……

実際にカーテンのかわりに目の前で私たちを歓迎していたのは、人目につかない静かな奥の間だった。その真ん中には柔らかい寝台があって、私たちを招いている。私はヤドヴィガを見た。彼女は心を奮い立たせるような魅力的な微笑みで応えた……。

＊

最近興味深い「発見」をした。ヤドヴィガの体には、私の体にあるのとそっくりな、生まれつきのあざがあるのだ。私たちのあざは実際、まったく同じ形のものと言ってもよい。なんという面白い偶然の一致だろう。しかも、このあざは場所まで同じなのだから、ますます面白い。一つには葡萄の房の形をした暗い赤色のもので、大きさはクルミくらい。それが右の肩甲骨のところにある。もう一つはいわゆる「小ネズミ」型のしみで、左の腿の付け根のあたり。たまたまとはいえ、細部の肉体的特徴がこれほど似ているというのは、どうしたことだろうか。あざの形がよく見かけるような典型的なものではまったくなく、むしろ例外的で、非常に個性的な性格のものであるだけに、不可解である。いや、可笑しな話ではないか。

だが、もう一つ気づいたことがある。彼女の肌は特に胸や背中のあたりが日焼けしたように浅黒い色合いをおびていて、私とまったく同じなのだ。私の肌がこんなになったのは、長年にわたる日光浴のせいである。ただ、彼女の場合も同じように説明できるものかどうか、はなはだ疑わしいと思う。私の知っている限りでは、彼女はいつも太陽を避け、熱心にブラインドを下ろしている。私はその反対に、太陽が大好きで、自分の部屋には窓から日光がさんさんと降り注ぐようにしているほどだ……。

＊

ヤドヴィガの気まぐれは、完全に度を越すようになってきた。彼女は二、三週間前から、薄暗くなった部屋か、ときには真っ暗な部屋でしか会ってくれない。そして、まるまる何時間も私を待たせるのだ。そして、ようやくどこか寝室の暗い片隅から現れ出るときは、全身をあの不愉快な覆いにくるんでいるので、ときには幽霊のような印象を与える。先週などは覆いに顔をすっかり隠し、狭い割れ目を通すようにして、私のことを見つめていた。

そのかわり、そういった時の彼女の情熱はむしろ高まっているようだった。なんと激しい女だろう！　出口のないセックスの罠の中に全身を閉じこめて、淫らな喜びの中で転げ回り、欲望に痙攣して這いずり回る。ときには私のほうが本当に悪魔のような彼女の激しさについて行けなくなり、消耗しきって喘ぎながら、茫然と取り残されることさえある。くそ、なんてことだ！　ヤドヴィガ・カレルギスが本当はどんな女か、私はまだ知らなかったのだ！

しかし、その一方で私は、しばらく前から彼女の姿になにやら奇妙なものを認めるようになっていた。それはおおよそのところ、「とらえどころのなさ」とでも呼べそうな現象である。今や彼女の全身をぴったりとくるむようになっている白い覆いのせいなのか、それとも薄暗い照明のせいなのか、彼女の姿は時として私の視力ではどうにも捕えられなくなるのだ。そのため時々、面白い錯覚や、思いがけない光景が生ずる。彼女の姿がある時は二重に見えたかと思えば、またある時は滑稽なほど縮まって見えたり、次の時には遠くのほうに見えるといった具合。まるで七変化とでもいうか、あるいはキュビストの絵のようだ。そして、その姿はたびたび、最後まで仕上げられていない彫像のように見えたものだった。デザインがまだ半分しか完成しておらず、まだこれからはっきりとした形をとろうとしている段階の彫像といった感じである。

しかし、その「とらえどころのなさ」は、触覚の領域のほうにも移ってきている。特に上半身がそうだ。彼女の肩や胸は、つい最近までは強くしなやかだったのに、今ではすっかりたるんでしまった。私はそれを再三確認して、不愉快な驚愕を味わったものだ。そして、ドレスを手で押すと奥のほうまでそのままへこんでしまい、かつてしなやかだった彼女の肉体の手ごたえがもう感じられなかった。

ある時、そういったことに極度に苛々させられて、私は自分の気持ちが抑えられなくなり、突然、彼女の体を刺してみようと思った。そこでオパールをあしらったネクタイ・ピンをネクタイからそろそろと引き抜き、剝き出しになった彼女の足に突き刺した。血がほとばしり、叫び声が口をついて出た。しかし、なんと、それは私の口からのものだったのだ。その瞬間、足に猛烈な痛みを感じたのは私だった。ヤドヴィガは奇妙な微笑みを浮かべて、自分の傷口から大粒のルビーのような雫となってしみ出てくる血を見つめていた。しかし、彼女の口からは、恨みがましい言葉は一言も聞かれなかった……。

その夜遅く家に帰ってから、私は下着を替えなければならなかった。なにしろ私の下着は血だらけになっていたのだ。私の足には今でも、そのとき針を突き刺した跡が残っている。

＊

もうあそこには二度と行くものか！　「菩提樹の下」の館で一月ほど前に、つまり九月最後の土曜日にあんなことが起こってしまってからというもの、私にとって人生はすっかり魅力を失った。私は一夜のうちに白髪になってしまった。知り合いが私の姿を道で見かけても、もう私だとはわかるまい。私は意識を失って三日間も寝たままで、熱に浮かされてうわごとを言い続けていたという。きょうようやく、外出してみた。しかし、老人のようによろめきながら、杖にすがって歩くざまだ。なんという恐ろしい結末だろう！……

忘れもしない、あの九月二十八日に、つまりそれは私たちの破滅的な関係が始まってからまだ一年たらずの時だが、私が彼女の屋敷で体験したのは、こんなことだった。

その夜、私は遅れてしまった。たしか書評か、それとも文芸評論だったか、ともかくできるだけ早く掲載しなければならないものがあって、それに二時間ほど手間取ったのだ。そんなわけで、私がやっと彼女のところに着いたのは八時ごろのことだった。

寝室は真っ暗だった。二、三度家具につまずいて、私はちょっと腹を立て、大声で呼びかけた。

「今晩は、ヤドヴィガ！　どうして明かりをつけないんだい？　こんなに暗くちゃ、頭をかち割ってしまうよ！」

返事はなかった。彼女が部屋の中にいることを示すような、どんな微かな気配さえもない。そこで、私は苛々してマッチを捜し始めた。どうやら彼女はそれが気に入らず、邪魔することに決めたようだった。というのも、突然、手なのだろうか、何か冷たいものが頬を撫でるのが感じられ、低く、ほとんど聞き取れないくらいの囁きが聞こえたからだ。

「火をつけないで。こっちに来てちょうだい、イェジー！　私は奥の間にいるわ」

奇妙な感覚に襲われて、私はぞくっと震えた。なにしろ、知り合ってから初めて、彼女の声を――いや、厳密に言えば、声にもならないくらいの囁きだが――聞いたのだ。私は手探りで寝台のほうに近づいていった。囁きはもう止んでいて、二度と聞こえなかった。彼女の顔は見えない。それほど完全な暗闇だったのだ。何やら白っぽいものが、ぼんやり浮かんでいるだけだった。きっと彼女はもう、下着だけになっているのだろう。戦慄が私の身体中を駆け抜け、血は沸き立った。一瞬後に私はもう、甘美な体を貪っていた。彼女は狂ったように激しかった。その体の、眩暈を誘うような香りが感覚を麻痺させ、憧れに火を付けて、所有欲の炎を燃え上がらせた。彼女の素晴らしい太股の激情のリズムは血を燃え立たせ、狂乱の陶酔を煽った……。しかし、いくら彼女の唇を捜し求めても、いくら肩を抱きしめようとしても、無駄だった。私は震える両手で枕のあたりを探り、さらに彼女の体に沿って手を滑らせていった。しかし、突き当たったのはショールやヴェールのようなものばかり……彼女は全身をまるで自分の性の炎の中に閉じ込めてしまい、それ以外のものはすべて私の前から取りのけてしまったかのようだった……。とうとう私は我慢しきれなくなった。いささか誇りを傷つけられ、自尊心を貶められたとでもいうような感覚が、激しい抗議の念となって私の中で沸き立った。私はどうしても彼女の唇が欲しいと思い、その願望を撤回する気はなかった。どうして彼女は、私に対して唇を禁じるのだろうか。私にその権利がないとでもいうのだろうか。

その時突然思い浮かんだのは、すぐ側の壁に電気のスイッチがあるということだった。寝台の上にひざまずき、つまみを手探りで捜し、それをひねった。光がどっと溢れ、部屋を明るく照らしだした。そして私は一目見たとたん、底知れない恐怖に追われるようにして、寝台から飛び出した……。

目の前で、絡み合ったレースや繻子の中に横たわっていたのは、淫らな様子で投げ出され、足から腹部のところまで裸になった女の胴体だった。その胴体には、乳房も、腕も、頭もなかったのだ……。

恐怖の叫び声とともに私は寝室を飛び出し、狂ったような足取りで階段を転げ下り、家の外に出た。そして、夜のしじまの中を疾駆して、橋を渡った……。

明け方近く、私はどこかの公園のベンチの上で、意識を失った状態で発見された。

＊

二か月後に、たまたま「菩提樹の下」の館のそばを通りかかった時、職人たちが庭園で忙しく立ち働いているのに気づいた。冬に備えて、薔薇を藁の覆いでくるんでいるところだった。そのうちに洗練された身なりの男が一人、並木道の奥のほうからやってきて、職人たちに何か言った。抗いがたい好奇心に突き動かされて、私は彼に近寄り、帽子をちょっと持ち上げて挨拶した。

「失礼ですが、こちらはヤドヴィガ・カレルギスさんのお宅でしょうか」

「以前はたしかにヤドヴィガさんの持ち家でしたが」と、答が返ってきた。「一週間ほど前に、ご家族が遺産として相続されました」

私は喉が奇妙に締めつけられるのを感じた。

「相続というと？」私は無関心な調子を無理に装いながら、尋ねた。

「ええ、ヤドヴィガ・カレルギスさんが亡くなったのはもう二年前のことですよ。外国に出られてからほどなくして、アルプスを旅行中に事故がありましてね。おや、顔色が悪いんじゃありませんか。どうされました?……」

「いえ……何でもないんです……　失礼しました。どうも色々教えていただいて、ありがとうございます」

そしてよろめきながら私はその場を離れて、川べりを町のほうに向かった……。

（沼野充義訳）

笑うでぶ

ムロージェック

◆スワヴォーミル・ムロージェック
Sławomir Mrożek 1930-2013

ポーランドの劇作家・漫画家・小説家。クラクフで建築を学んだ後、一九五〇年に風刺作家・漫画家としてデビュー。『象』（五七）や、『原子村の婚礼』（五九）などの初期短編集には、戦後ポーランドの現実を痛烈に風刺する時事的な性格のものだけでなく、人間存在の根源をえぐるような不条理な作品もすでに含まれていた。この特異な才能は、戯曲の分野でさらに強烈に発揮され、彼はやがて戦後ポーランドの不条理演劇の第一人者として国際的にも高い評価を受けるようになる。代表的戯曲に『警察』（五八）、『ストリップ』（六一）、『タンゴ』（六五）、『亡命者たち』（七五）など。邦訳に戯曲集『タンゴ』（テアトロ）、短編集『象』（国書刊行会）がある。ここに収録したのは、グロテスクな笑いが恐怖に通じていくような、奇妙な味わいの短編。

近づいてきたその男は、遠くからもう並外れて太って見えた。その広い胸ではチョッキのボタンがはずれ、でっぷりした首筋では襟のボタンがはずれ、巨大なお腹ではズボンのボタンがはずれていた。そして太い肘を折り返し、山のように盛り上がった上膊部と前膊部の間にかごを下げていた。そのかごはきっと、家事を――とりわけよき台所を――切り回すのに必要な買物をするためのものだったに違いない。だが、それは別に驚くべきことではない。驚くべきは、その男が全身を揺すって笑っていたことだ。太っちょは自分の身を揺さぶる笑いにすっかり没頭し、私になど見向きもせずに前を通り過ぎていった。男の体は盛り上がった部分もくぼんだ部分もすべて、笑いのために揺れていた。言わば、自分でも自分の国境を正確に知らない大国のような巨体。彼は私の前を通り過ぎ、その笑いは市場の方向に遠ざかっていった。

一方、私は小ぎれいな並木道とでも言うべき道を先へ進んでいった。そのあたりには庭に囲まれた一戸建ての家や別荘が立ち並んでいて、住人にも通行人にも非常に快い印象を与えていた。それに加えて晴天と五月の緑があったと言えば、その日の光景と香気がどんなものだったかわかるだろう。

突然、またもや大きな笑い声が聞こえ、二人の異様に太った男の姿が見えた。二人とも色とりどりの染みで汚れたデニムの作業服を着て、同じ様に汚れた帽子をかぶり、一軒の家と通りの境になっている金網を緑色に塗っていた。金網の向こうには密生した生け垣があり、生け垣の後ろからはくすくす笑いの声と植木鋏のチョッキンチョッキンという音が聞こえてくる。太っちょのペンキ屋たちは笑いすぎてよろめきながら、はけを振り回していた。そして彼らが笑い声を立てると、その度に生け垣の向こう側からも笑い声が返ってくるのだった。私は足を止めて、わずかに開いている木戸の中を覗きこんだ。とても大きな家が見えた。それは高いというよりは、むしろでっぷり太ったという感じの家で、壁は陽気なパステル・カラーに彩られ、出窓は塗りたての白色に輝いていた。一点の曇りもない窓ガラスの奥には、カーテンと花が見えている。そして赤い屋根の上ではブリキ製の風見鶏が磨き上げられた銀色の姿を見せていたが、私の目にはこの雄鶏もまたかなり丸まっていて、ほとんど円形に近いように見えた。

生け垣の向こう側には、コールテンのズボンをはいた太っちょが三人いた。そのズボンはズボンつりに吊られ、必死に太っちょたちの大きな腰にしがみつこうとしていた。この三人は枝を刈り込んでいたが、気が狂ったように笑い転げ体を震わせていたので、指先にはよっぽど注意しなければならなかった。

「変な家だ」と、私は考えた。「この家には他にも誰か住んでいるのだろうか。もし住んでいるなら、その人は周りの誰もがこんなに太っていることに我慢できるんだろうか。それに、いったいどうしてこんなに笑うんだろう?」私はそれを確かめたいと思うと居ても立ってもいられなくなった。そして、他人のことに首を突っ込むのは好きではないのだが、太った男たちが陽気に仕事に精を出すあまり周囲に不注意なのをいいことに、垣根の中に入り込んだ。

「裏口から覗いてみよう」と、私は自分に言い聞かせた。「もし見とがめられたら、牛乳配達の振りをすればいい」

予期していたこととはいえ、家の一角に近寄って行くと新たな笑い声が聞こえてきたので、私は満足と恐怖を同時に味わった。用心深く身を乗り出した。すると、大きな庭が見えた。しかしそれは菜園ではなく、植えられていたのは花だけだった。いや、むしろ薔薇園と言ったほうがいい。それまでこれほど多くの薔薇の木を一度に見たことなど、記憶になかった。私から数十歩離れたところで、でぶが四人で園芸用のローラーを引っぱって、砂利を敷いた小道の地ならしをしていた。その様子はまるで、昔の人が旅行する時に使った古めかしい四頭立ての馬車のようだった。この四人は服装の彩りも鮮やかで、シャツは格子縞模様。そのため、彼らの巨体がいっそう大きく見えるのだった。それは笑いこけている、とても太った四人の男たちだった。今や私は笑いに関して以前よりも敏感になっていたので、四人の笑い声をすべてはっきりと区別することができた。一人の男は低い声で「フ、フ」、もう一人は開けっぴろげに「ハ、ハ」。三番目の男は知性を示すように懐疑的に「へ、へ」、そして四番目の男は純朴に「ホ、ホ」。また、彼らは生け垣や金網のところにいた男たちと同様、一人一人ばらばらに笑っているわけではないということも確認できた。つまり、連中は言わば合意のうえで、何か自分たち全員がともに知っているものをあざ笑っているようなのだ。彼らは何もしゃべらずに爆笑を繰り返すだけだったが、一人が何かを思い出させるようにもう一人の顔を見るだけでもう、可笑しさがこみあげてくるのだった。爆笑と爆笑のあいまのわずかな時間に、鼻息も荒く小刻みにちょこちょこ歩くようにして、四人のでぶはローラーを庭園の奥のほうに引いて行った。

私はその機をとらえ、薄暗い玄関の間に忍び込んだ。正面と右手にドアがあった。正面のドアの向こうからは、トントン、ジャラジャラ、ガリガリ、ザワザワ、ゴボゴボといった音が聞こえてくる。そして、皆がいっせいに笑う声も。鍵穴の中を覗いてみた。白くて大きな台所が見えた。ものすごく肥満した五人の料理人が笑い転げながら、忙しそうに立ち働いている。タイルやアルミ製の食器、磨き上げられた真鍮、銀のナイフやフォークが燦然と光っていた。

右手のドアを押し開けてみた。そこからは長い廊下が家の奥へと通じていた。中に踏み込んでドアを後ろ手に閉めると、もう笑いも他の騒がしい声も聞こえなくなり、突然あたりはしんと静まりかえってしまった。ワックスを塗られた黒っぽい嵌め木細工の床が輝いている。左右両側に現れる数多くのドアの前を次々に通り過ぎた。いくつか開け放たれているドアもあって、中を覗くと、そこに住んでいるのが太っちょであることが分かった。幅の広いベッドに枕、幅の広い寝椅子や長椅子、ソファ……。私は廊下の端まで辿り着いた。最後のドアの前には、大きな犬が寝そべっていた。いや、犬とは言ってもそれはあまりに太っていて、何かに関心を持つことすら大儀でできないといった様子だった。私には、犬に特有のある種の決まったやり方でその犬があくびをしているようにさえ思えた。つまり、口の両隅を引き伸ばし、なにやら笑っているようにも見えたのだ。そこで、私は最後のドアを開けた。

その部屋では窓の日除けカーテンが下りていたが、真昼の陽光は暗い黄色と赤茶色が互い違いになった縞模様のカーテンの四角い布地を突きぬけ、部屋の中を照らしていた。革張りの深い肘掛け椅子には――革の匂いが、薄暗くひんやりとした部屋の内部に充満していた――やせこけて筋ばった男が坐っていた。その顔は面長で乾いて引き締まっていて、まるでグレイハウンドのようだ。男の前には小さなテーブルがあり、地球儀が載っている。

「つまり、全部で十八人だけか」私はほっとした。「犬と、屋根の雄鶏と、地球儀を合わせて。でぶは十八人というわけだ」

やせた男は一言も発せずに、悲しそうな目で私を見つめた。

「あの人たちは何が可笑しくて、あんなに笑っているんですか」と、私は聞いた。

やせた男は目をそらした。そして、ほっそりと長く骨ばった指で地球儀を突くと、地球儀は軸を中心に軽やかにゆっくりと回転し始めた。

「何が可笑しいですって?」と、男はようやく口を開いた。「私のことが可笑しいんですよ」


（沼野充義訳）

こぶ

コワコフスキ

◆レシェク・コワコフスキ

Leszek Kołakowski 1927-2009

ポーランドの哲学者・小説家。もともとマルクス主義哲学者として出発し、ワルシャワ大学哲学科の教授をつとめたが、「修正主義者」として一九六六年に共産党（ポーランド統一労働者党）を除名、六八年には大学からも追放され、同年に亡命を余儀なくされた。北米の大学で教鞭をとった後、七〇年以降はオックスフォード大学を本拠地にして学問的な活動を続けた。専門の哲学の分野での著作は数多いが、中でも全三巻の大冊『マルクス主義の主要潮流』（七六―七八）は名著。また、初期の論文を集めた『首尾一貫しないことを称えて』（八九）という三巻の著作集もある。その一方で、機知とアイロニーに富んだ哲学的寓話といった趣の創作も少なくなく、作家としても一家をなす。邦訳に『責任と歴史――知識人とマルクス主義』（勁草書房）、『悪魔との対話』（筑摩書房）がある。ここに収録したのは哲学的寓話集『ライロニア国物語』（六三）の一編。なお、この寓話集の全訳は国書刊行会より刊行されている。

　道路工事の現場で働く石工のアイョにこぶができたとき、医者が四人集まって、病気について相談することになった。といっても、ライロニア国ではどこかの石工が病気になるたびに、医者が四人集まることになっていた、などと考えてもらっては困る。たいていはひとりも集まらなかったのだから。今回四人も集まったのは、アイョが病気になったからではないし、アイョが石工だったからではなおさらない。ただアイョの病気が変だったからで、医者だってほかのだれとも同じように、変なものを見たがるものだ。ではその病気のどこが変だったかというと、こぶという点ではない。こぶなんてものはまったく変ではなく、ごく普通のものだ。変なのは、それがまさに普通のこぶではなく、変種瘤（りゅう）、特異瘤（りゅう）、「らいろにあ全国デ一〇八年ニ一度、アルイハモットモ稀ニシカ生ジナイ瘤（りゅう）」だということだった。つまりこぶは大きくなり、ふくらみながら、異様な芽や枝をいろいろ茂らせはじめ、やがてそれぞれが手とか、足とか、頭とか、首とか、腹とか、お尻といった、体の色々な部分に似てきたのだ。（つけくわえておけば、これはいわゆる「潜原性瘤」だった。この名称はこぶのある種の独自の特質を意味する。どうしてそんなこぶができたのか、医者にもまるっきりわからないという特質である。）

　そんなわけで医者が集まって、アイョのこぶを治せるものかどうか、話し合うことになった。特別診療室に四人がそろったとき（アイョはもちろんそこにはいなかった）、年配の医者がまず口火を切った。

「みなさん、率直に認めようではありませんか、医学はこの症例に対して無力だと。一〇八年前にわれわれの偉大な先達、外科医のアアナンテコッタアタマがまったく同様の症例を記録しておりますが、やはり治すことはできなかった。もしも、一〇八年前にこのこぶを治せなかったのならば、われわれに治せるわけがない。昔の人のほうが賢かったんですからね」

「それじゃ、どうしたらいいんでしょう」と、若い医者がたずねた。「やっぱり何かをしないと。そうじゃないと、藪医者だと思われてしまう」

「なんだって?」と、年配の医者がびっくりして言った。「そりゃもちろん、患者を治療するんだよ!」

「でも、見込みがまったくないのに……」

「君ねえ、患者を治療するのは、全治の見込みがあるかどうかなんてことは、まったく関係ないんだよ。それが医術の基本というものです。治療の目的はただ治療すること。歌の目的は歌うことだし、遊びの目的は遊ぶこと。それと同じことでしょう」

「部分的になら治療できるんじゃないかと思うんですが」と、三人目の医者が割ってはいった。「私が言いたいのは、たしかにこぶは取り除けないとしても、これ以上大きくなるのは防げる、ということですよ。そのためにはこぶにギプスをすればいい。そうすればスペースがなくなって、これ以上大きくなりようがない。それから、一〇八年前の人たちのほうが今よりも賢かったなんて、そんなことがはっきり言えますかねえ」

「そんなことは、もってのほかじゃないか」と、四人目の医者がさけんだ。「こぶを完全に治せないのなら、そもそも治療なんて絶対にするべきじゃない！」

「でも、どうして？」

「わかりきったことじゃないか。ようするに治療できないからさ」

「完全には治療できなくても、部分的にはできますよ」

「ということは、できないってことだ。こぶはそのまま残るんだから、治療できるなんて錯覚すべきじゃないね」

　医者たちはこんなふうに、とても長いあいだ議論していた。その間にもこぶの成長はますます速くなる一方だった。こぶから生えてきた体の色々な部分は、ますますはっきりした形をとるようになった。こぶの頭には髪の毛が生えはじめ、目や、耳や、鼻や、口ができた。手は長く伸び、足はじきに地面につくようになった。そうしてあっという間に、こぶからまるまるひとりの人間の姿ができてしまったのだ。その姿はまさにもうひとりのアイヨで、もとのアイヨに瓜二つだった。そいつはもとのアイヨの背中にくっついてはいたけれど、それをのぞけば、まったくそっくりに見えた。そのうえ、すぐに口をききはじめた。

　もとのアイヨ、つまり本物のほうは、初めから自分の病気を心配していた。こぶができてうれしがる人なんていない。でも、背中に自分とそっくりのものが生えたのを目にしたとき、アイヨは本当にぞっとして、どうしたらいいかわからなかった。アイヨはおとなしく実直な男で、働き者だったから、みんなに好かれ、尊敬されていた。もっとも、彼にそっくりの分身が生えてしまった今となっては、どちらがもとのアイヨで、どちらがこぶから生まれたアイヨか、だれにも区別することができなかった。

さらに悪いことに、分身はたしかにアイヨと寸分違わず、アイヨの妻でさえも区別できないほどだったが、似ているのはまったく表面だけだった。ふたりめのアイヨは、もとのアイヨとはまったく違う性格をしていたのだ。口を開けば大声でわめき、何事につけかんしゃくを起こし、だれかれとなく――とりわけもとのアイヨのことを――罵った。まったく働こうとせず、相手かまわず人を侮辱し、ひとりめのアイヨのせいで歩くことができないとぐちをこぼした。もっとも、それは必ずしも嘘ではなかった。ふたりは背中で癒着していたので、それぞれの足はいつも反対の方向を向いていて、ひとりが前に進むと、もうひとりは後ずさりをしなければならなかったからだ。たしかに、こんなに不便なことはない。

でも、それだけならまだましだった。最悪だったのは、成長しきってもとのアイヨと見分けがつかなくなったとたん、ふたりめのアイヨが自分のほうこそ最初から本物のアイヨで、もうひとりのほうはこぶにすぎない、あれは本物の人間なんかじゃ全然ないんだ、と騒々しく言い立て始めたことだった。

「このいまいましいこぶを切り取ってくれ！　どうしてこんな気味の悪いできものを、いつもしょっていなけりゃいけないんだ！　なんて藪医者ばかりだろう！　なんにもできやしないんだから」と、医者であれ、だれであれ、手当たり次第に人をつかまえては訴えた。

アイヨに会った友人たちは、みんな驚いて、「きみは本当にアイヨなのかい？」とたずねた。

するとこぶのやつは声を張り上げてわめくのだった。

「もちろん、ぼくはアイヨだよ！　ほかのだれだって言うんだ！　目がついてないのか！　見りゃわかるだろう、ぼくがアイヨだってことくらい。昔からの知り合いじゃないか。あっちのほうが、後から生えてきたこぶなんだ。なんでこんなひどい目にあわなきゃならないんだろう」

そうはいうものの、友人たちは間違いがないかどうか確かめようと、ひとりめのアイヨ、つまり本物のアイヨにも念のために聞いてみた。「じゃあ、きみはいったいだれなんだい？」

「ぼくはアイヨだよ」と、こちらはそっと答えた。もとのアイヨのほうは控えめで、気の弱い男だった。

ふたりめのアイヨはそれを耳にすると、あざけりの色もあらわに噴き出して、大声でわめいた。

「見てくれ、こぶが人間になりたがってる！　こいつは驚いた！　こんな珍しい話は聞いたことがない。こぶのやつが厚かましくも、自分はこぶじゃないって人に信じ込ませようとは！　それじゃ、おまえは何だって言うんだ、この皮袋め?!　さあ、みなさん、こんなことが考えられますか。こぶが自分はアイヨだと言うなんて！　いや、おれは断じてがまんできない。このこぶを切り取ってくれ、もう堪忍袋の緒が切れた！　だまれ、このきたならしいこぶめ！　みなさん、この化け物に口をきかせないでください！」

そんなわけで、アイヨが「自分は本物のアイヨだ」とおずおず言って、必死に人々を説得しようとするたびに、こぶは罵詈雑言をあめあられと浴びせかけ、あんまり大声で何度も絶対に自分のほうが正しいと誓うものだから、とうとう人々は、医者やアイヨの親友でさえも、そしてアイヨの妻でさえも、だれもかれもがまずすっかり訳がわからなくなり、結局は、本物のアイヨは大声でわめいているほうだ、と信じこむことになった。一方、本物のアイヨはいっそう絶望と不安を深めて、ますます自信を失ってしまい、まだ小声でそっと自分は本物だと主張していたものの、ますますどもるようになり、しまいには誰も彼の言うことを聞かなくなった。新しいアイヨのほうはずうずうしくて、やかましく、ことあるごとに喧嘩をした。

友人たちは悲しそうに言った。「それにしても、あのアイヨは変わったなあ。まるで別人だ。以前はあんなにいいやつで、みんなに好かれていたのに、今のあいつにはとても我慢できないね」

「しかたないさ!」と、答える人たちもいた。「こぶが生えちゃったんだから。それほどの災難にあえば、誰だって変わるものさ。驚くことはない」

その後で話題は、災難や病気のせいで実際にひどく変わったいろんな人たちのことになり、みんなそういった例をたくさん知っていたので、アイヨのことはすぐに忘れてしまった。

その間も医者たちはずっと仕事を続けていた。昼も夜も熱心にせっせと働き、研究し、そして何カ月もたってとうとうこぶに効く薬を発明したのだ。それはある種の粉薬で、一日三回の服用で数日のうちにこぶを消し去ることができた。粉薬は苦くて、とても不味(まず)かったけれど、こぶが治るのであれば、そんなことを誰が気にするだろうか。医者たちは普通のこぶを持つ人たち十数人にその薬を試してみて、たいていとてもよく効くことを確かめた。こぶのとれた人たちは、新しい薬におおいに満足した。

そして、医者たちはついに、新発明の薬をアイヨの病気に使うことにした。医者たちがやって来たとき、アイヨは——と言っても、それは本物のアイヨではなく、ふたりめのほうの、こぶのアイヨだったが——すぐに大声で不平を言い始め、いつものようにわめきちらした。もうがまんできない、いますぐに治してくれ、と。すると医者たちはさっそくアイヨをなだめにかかった。「ちょうどこぶの特効薬を発明したところだから、もうだいじょうぶ」ひとりめのアイヨ、つまり本物は、声もたてずにそっと泣きだし、自分のほうこそ人間で、もうひとりはただの病気なんだ、と言った。しかし、だれもそれを真面目には受け取らなかった。ふたりめのアイヨがただちにもっと大きな声を張り上げて本物を黙らせ、悪口雑言を浴びせかけたからだ。ただ、アイヨの小さな息子だけがわーわー泣きながら、こっちがお父さんで、あっちは誰だか知らないおじさんだ、と叫んだが、だれも耳を貸さなかった。小さな子供は知恵が足りないので、何が本物か、大人ほど上手には見分けられないものだから。

そんなわけで、医者たちはちょっと話し合ってから、新薬を患者に、ということはつまり、ふたりめのこぶのアイヨのほうに与えてしまった。ふたりめのアイヨは薬をひっつかむと、いきなり飲みはじめた。そして、顔をしかめた。薬が苦かったのだ。そこで、甘い薬か、オレンジ味のを作るべきだったと、頭ごなしに医者たちをしかりつけた。

それから、予期すべきだった通りのことが起こった。ふたりめのアイヨが薬を服用しはじめたとたんに、ひとりめのアイヨは縮みだし、小さくなっていき、しまいにはとうとう、ふたりめのアイヨの背中にのった正真正銘のこぶになってしまった。しかし、薬はその後もさらに効き続けたため、そのこぶはいっそう小さくなって、初めはこぶにすぎなかったふたりめのアイヨは、結局、背中には何もなくなって背筋もしゃきっと伸び、すっかり満足した。ひとりめのアイヨは完全に消え失せた。医者も友人もみんな、これですっかり疑いは晴れたと納得した。こぶに変わって、最後には完全に消え失せてしまった以上、やっぱりあっちのアイヨのほうが最初から、こぶ以外の何物でもあり得なかったのだ、というわけだ。ただアイヨの小さな息子だけが、お父さんがどこかに連れていかれちゃったと言って、さめざめと泣いていた。それに対して、新しいアイヨは息子を革のベルトで打ち、俺はおまえの父親だ、そんな馬鹿なことを言うんじゃない、とわめくのだった。

この一件のあとで、アイヨは有名人になった。なんと言っても、こんなことは誰にでも起こるわけではないからだ。アイヨは嫌われた。意地悪で、見境もなく人の気分を害したからだ。しかし同時に、彼は恐れられた。それも同じ理由で。

それでもアイヨは、戦いに勝っただけでは満足しなかった。そして、とても変なふるまいをし始めた。知り合いに会うと、やぶから棒にこうたずねたのだ。「いったいいつになったら、こぶを取るんだい？　今じゃ、こぶを治す素晴らしい薬があるっていうのに！　すぐ医者に行くべきだね！」

「冗談じゃない、ぼくにはこぶなんてないよ」それを聞いた知り合いは言った。

しかし、アイヨはあざけるように、笑いだした。

「こぶがないだって?!」と、彼は叫んだ。「そんな気がするだけさ！　おまえにはこぶがある。

でも、そんななまやさしいもんじゃない！　こぶはみんな持っているんだ、わかるかね?!　みんなだ！　ひとりだけ、この俺だけをのぞいて」と、ここでは彼は両手で脇腹をぽんと叩いた――「こぶがないのは、俺ひとりだけさ。みんなぞっとするようなこぶを持っているくせに、馬鹿だから治そうとしないんだ」

　こんなふうにアイヨが町中の人々に次々と話しかけていくうちに、町の住人たちは不安と恐怖に襲われた。だれもかれもがぞっとして鏡をのぞき、もしかしてこぶが生えていないかどうか確かめたが、こぶがないとわかってもなお安心できず、すぐにまた鏡の中をのぞきこむのだった。結局のところ、自分に本当にこぶがないとは、誰も自信を持って言えなかった。町全体を恐怖が支配した。人々は互いを避け、身をかがめて壁ぎわをそそくさと通りすぎ、こぶがないかどうか、しじゅう調べてはまた点検し直していた。アイヨだけは自信満々、孔雀のように誇らしげに歩き回り、のべつまくなしに繰り返していた。「おまえらみんな、こぶがある！　ぞっとするようなこぶがある！　どうして、これが目にはいらないなんてことがあるんだ！　きっと目が見えないんだろう！」

　しばらくしてから、アイヨは徐々に方法を変えていった。人々にこんなことを言い始めたのだ。つまり、問題は人々に普通の意味でのこぶがあるというだけのことではなく、人々がじつはこぶそのものだということだ。今人間のような顔をして歩き回っている連中は、じつは人間の背中から生えてきて、人間そっくりになったこぶにすぎない。人々の身に、かつてアイヨに起こったのと同じことが起こったのだ。しかしアイヨは奇跡的に薬のおかげでこぶを取り除くことができたが、他の連中はそれをしていない。その結果、とうとう他の連中はこぶに食い尽くされてしまった。いまや、彼ひとりをのぞいて、世界を闊歩しているのはこぶだけで、それは本当の人間ではない。「おまえはこぶだ」と、行き当たった人には誰にでも腹立たしそうにアイヨは言った。「わかるか？　おまえはこぶなんだ。人間なんかじゃない！　人間のふりはしていても、じつはおまえが人間を食べてしまったんだろう。このこぶ野郎め、自分だけ残って、俺をだまそうっていうんだな。本当の人間は俺ひとりだ！」

アイヨはこんなふうに繰り返し、どなり、ふくれっ面をし、みんなにおまえたちはこぶだと吹き込み、ふんぞりかえり、俺ひとりが本物の人間だと声高に言い立てたので、しまいに人々は自分たちはこぶであって、こぶのない普通の人間たちをよみがえらせるために、何らかの手をただちに打つべきではないか、と考えるようになった。人々は悪いことをしたと恥じるようになり、とても申し訳ないと思った。

結局、アイヨがあんなに効果的にこぶを取り除いたのだから、彼が服用した薬を試すだけのことはあるのではないか。そうしたらどうにかなるかもしれない。こんなふうにますます多くの住民が考えるようになった。そこで猫も杓子もわれもわれもと薬局に押しかけて奇跡の薬を買い求め、あわててのみ始めたのだ。それこそ、必要以上の量でもおかまいなしに。以前あったこぶを薬のおかげで取り除くことに成功した人たちでさえも、また薬をのんだ。

しかし、そういった人たちの誰ひとりとして本物のこぶを持っていなかったので、こぶをなくしたくても、なくしようがなかった。そのかわり、あろうことか、薬の最初の服用期間の後ただちに誰もが不安な気持ちで気づいたのは、起こるべきこととは何やら反対のことが起こっているという事態だった。要するに、みんなの背中にこぶが生えてきたのだ。こぶは大きくなり、かつてアイヨに起こったのと同じことがまた起こった。こぶは成長してしだいに体の色々な部分を生やし始め、こぶを背負っている人間にどんどん似てきたのだ。

つまり、こぶを持つ人からこぶを跡形もなく消し去る、この同じ薬が、こぶのない人にはこぶを生やすように作用する、ということが判明した。人々がそれに気づいたときは、もう手遅れだった。みんなの背中に生えたこぶの分身たちは、アイヨの場合と同様に、自分たちこそが本当の人間で、あっちのほうがこぶだと、うるさくわめき始めたのである。

アイヨは喜びのあまり、顔をほころばせた。今や、自分と同じような仲間がたくさんいたからだ。ただし、仲間とは言っても、もとの人間とまだつながってはいたけれども。こぶたちはみんな喧嘩早く、厚かましく、やかましく、どれもこれも自分のこぶを――それはつまり、彼らにこぶ呼ばわりされた本物の人間のことだが――すぐに取り除きたがったという点でも、アイヨに似ていた。そのかわり、こぶどうしは互いに仲良くしていて、出会ったときなどは、自分たちのこぶとして背負っている人間のことを、いっしょに残酷にあざわらった。

とうとうこぶたちは宣言した。もうこんなことはたくさんだ、これ以上こぶなんかつけていたくない、と。そして、自分から奇跡の薬をのみ始めた。

こうしてライロニア国に「こぶの町」が生まれた。しかし、そこにこぶのある人はひとりもいない。この町のその後の歴史は書かれなかった。知られているかぎりでは、町は今でも存在しているようだ。

アイヨの小さな息子も、薬をむりやりのまされかけて、あやうくこぶに変わるところだったけれども、屈服しなかった。こぶにされないよう、そして大人になったら町に帰ってきてこぶどもをやっつけるために、町から逃げだしたのだ。でも、悲しくてしかたがなかった。

（沼野充義・芝田文乃訳）

蠅

ヨネカワ

◆ヨネカワ・カズミ（米川和海）

Kazumi Yonekawa 1969-92

東京生まれ。七歳よりポーランドに移り住む。ウッチ映画大学在学中に交通事故のため夭逝した。ここに訳出した短編は、少年時代より詩を執筆していた彼の散文としての処女作であり、雑誌“Przekrój”（『プシェクルイ』一九八八年五月号）に掲載されたものである。原文はポーランド語で書かれている。父はポーランド文学者の故米川和夫、母は日本文学翻訳家の倉田ブランカ。

俺は人里離れたところに住んでいる。「野こえ山こえその向こう」ってわけだ、とは言っても
こいつはお伽話じゃない。もう五年このかた、人っ子ひとり見かけちゃいないが、現にこうして
俺は存在しているわけだし、ここに山小屋まで持っている……なんと言ったっけ……そう、スウ
ェーデン風ってやつをね。
　山小屋は森に囲まれていて、眼の前には緑の草地が広がっている。少し先には湖があって、焼
けるように暑い日には水浴びもできる。湖といっても、たいして大きくはないけれど、俺には充
分だよ。でも、誤解しないでくれ、俺はエゴイストではない、このあたりには鳥や獣たちがそれ
はたくさんいて、軒先までやってくるんだ、その手は大歓迎さ。こんな人気ない所では、おおか
たの人間なら気も狂いかねないところだろうが、俺には孤独はまるで気にならない。今日はでか
い魚を釣ったぞ、オイル焼きにして食うことにしよう。本も少しばかりある。暇な時間が見つか
れば、それを読むというわけさ。
　男は食事の支度を始め、それを平らげた。日が暮れると、灯油ランプに火をともして読書に取
りかかった。ところがしばらくすると、彼はこう呟いた。
「えぇい、蠅の奴め、耳元でぶんぶん唸りやがって、気が散ってたまらない。何かこいつを叩き
つぶしてやるものはないか？　おぉ、あったぞ、五年前の新聞が！　いや、待てよ、こんなふう

に簡単に片づけてしまってもいいものだろうか？　奴が何をしたわけでもないのに」

するると、悪魔が囁いた。

「殺せ！　そいつを殺すんだ！　羽を唸らせておまえの邪魔をしているじゃないか」

「いや、俺にはできないよ。蝿に命を与えたのは、俺じゃなくて神様だ。殺す権利なんか俺にはない」

しばらくして、男は思った。

「あぁ、悪魔の奴、罪もない蝿を殺せと耳元で囁いている。えぇい、罪がないだって？　好きな本を読んでいる俺の邪魔をしやがって。出ていってくれと、蝿にちゃんと頼んでみるか。それも手だな……」

「お願いだ、この家から出ていってくれ。な、頼むよ蝿さん、……出ていかないなら、殺しちまうぞ、いいか？　この俺が殺してやる」

ところが、その小さな生きものときたら、羽でハミングなんかしながら、いかにも楽しげにガラスのうえを散歩しているのだった。

ふたたび、男は声を発した。

「おい、おまえ、出ていけ、さもないと殺してしまうからな……」

その時、部屋の真中にいた男の眼の前に、いきなり何者かが姿を現した。男はその者をじろじろ見ると、声を荒らげていきまいた。

「何の用だ？　おまえはいったい何者なんだ？」

「あなたの良心ですよ」と、その者は答えた。「ここへやって来たというのも、あなたがいつものあなたらしくないからです。そう、あなたは悪い人になりさがってゆきます。この罪もない生きものをご覧なさい、あなたが殺そうとしていることさえ、まだ気づかずにいるのですよ」

「失せろ！　気が変になりそうだ」

「分かりました。行きましょう。でも、悪事の塵も積もれば山となるということを肝に銘じておきなさい。そのことを忘れずに、忘れずに」

良心は姿を消した。我に返ると男は考えた。「今のはいったい？　夢だったのか？　いや、あれは俺のばかげた妄想に違いない。この虫がなんだというのか、ただのちっぽけな蝿じゃないか。そうとも、蝿に過ぎないんだ、蝿だ！　殺してやる」

新聞を手にとると、男は窓に近寄った。ガラスに沿って這い回る蝿を注意深く追うと、ぴしゃりと叩いた。蝿はぽとりと床に落ちた。その後、男はほうきを取って不幸な虫の残骸を掃きとった。

それからしばらく窓辺にたたずみ、男は澄みわたった空を眺めていた。空には星々が蒼い瞳を瞬かせていた。腕時計を見たあと、男は窓を閉めた。蝿殺しのことを考えながら、棚の上からコニャックの瓶をとると、グラスに注いだ。ソファーに座り暖炉で体を暖めていたものの、蝿は男をそっとしておいてはくれなかった。

男は思った。「これまで俺はこんな風にむやみに生きものを殺したことなどなかった。食べるため、生きるために、止むを得ず殺したことはあったが、あんな風に訳もなくとは？」

ふと、男は床に落ちている影に気付いた。顔を上げると、隣には悪魔が座っており、大声でこう言うのだった。

「訳もなくとは何ごとだ、奴はおまえの読書の邪魔をしたじゃないか?」そう言い終えるなり、悪魔は姿を消した。

ぐいっと飲みほすと、男は眠りこんだ。三日月は雲間に姿を消し、闇夜となったが、人間と呼ばれるこの生きものは死んだように眠っていた。それでも、彼にはこんな声が聞こえてくるのだった。

「いいか、人間よ、よく聞け! おまえはあらゆる人間同様、卑劣な奴だな。この俺様が誰だか分かるか? 分かるはずもなかろうな。俺だ、おまえに殺されたあの蝿だよ。あれはおまえの愚かな妄想に過ぎなかったとでも思っているのか? 違う、おまえの妄想なんかじゃない。俺はおまえに殺された! 俺はそのことを忘れはしないし、おまえが地の塩を舐めるまで苦しめてやるさ。俺から逃れることなどできない、おまえにはどうすることもできはしないだろう。俺がここからいなくなればいい、そう思っているのだろう? おまえの正体なら、俺が知っている、教えてやろうか? おまえはありふれた蝿殺しさ、そうだ、蝿殺しだ。おまえを憎んでやる、人間すべてを、特におまえを憎んでやる。できることなら、おまえも俺と同じ生きものにしてやりたいよ」

ふと気づいたその時、男はすでに蝿と化していた。しばらくして、彼は思った。「自由に飛び回るって、なんて気持ちのいいものだろう。おや、あそこに何か明かりが見えるぞ。なんとも素敵な山小屋じゃないか。よし、この建物に入ってガラスのうえで一休みするとしよう。ガラスのうえの散歩か、たまらないな。おや、誰かやってくる、人間だ！　あいつ、手に何か握って、振りまわしている。逃げなければ、さもないと殺されてしまうぞ。あぁ、もう二度と緑の草のうえを飛ぶこともないのだろうか？　万事休すか？　こいつ、どんどん近づいてきやがる！……あぁ……助けてくれぇ！」

怯えきった男はベッドから跳び起きた。太陽の光が真っすぐその目を突いた。（坂倉千鶴訳）

吸血鬼

ネルダ

◆ヤン・ネルダ

Jan Neruda 1834-91

詩人、小説家、批評家、ジャーナリスト。チェコ・レアリズムの代表的詩人・小説家の一人。プラハ小地区の貧しい家庭に生まれた。プラハの大学で学んだが中途退学し、ジャーナリストとなって、『民族新聞』などの編集者となり、新聞向けの小品を二千編以上書いた。詩集に『墓場の花』（一八五八）、『バラードとロマンス』（一八八三）などがあり、短編小説集に『アラベスク』（一八六四）、プラハの庶民の生活を写実的に描いた代表作『小地区物語』（一八七八）などがある。ちなみに、プラハのドイツ語ルポ作家エゴン・エルヴィン・キッシュはジャーナリストとしてのネルダを模範とし、チリのノーベル賞詩人パブロ・ネルーダはこのネルダからペンネームを取っている。

イスタンブールから観光汽船に乗った私たちは、プリンキポ島（マルマラ海に浮かぶ島）の岸に着いて、船を下りた。船客は多くなかった。ポーランド人の一家──父親、母親、娘、そのフィアンセ──と、それから私たち二人だけだった。そう、忘れるところだったが、既にイスタンブールの金角湾に架かる木の橋の上で、まだ若いどこかのギリシャ人が私たちに加わっていた。彼が肩に下げていた紙挟みからして、画家のようだった。黒くて長い巻き毛が肩に垂れ、顔は青白く、黒い目は深く眼窩に落ち窪んでいた。彼は親切そうで、この辺りについてよく知っているので、初め私の関心を惹いた。けれども、あまりにおしゃべりなので、私はじきに彼から離れた。

ポーランド人の一家は、もっと感じの良い人たちだった。父親と母親は温厚で善良な人であり、フィアンセはエレガントな若者で、率直でしかも礼儀正しかった。彼らは、少し健康を損ねている娘のために、夏の数カ月を過ごしにプリンキポ島にやって来たのだった。その蒼ざめた美しい少女は、重い病気から回復したばかりか、あるいは今まさに重い病気にとりつかれたばかりのようだった。彼女は自分のフィアンセに身体を支えてもらい、すぐに腰を下ろし、その囁き声はしばしば乾いた咳のために途切れるのだった。彼女が咳をするたびに、彼女に付き添う若者は気遣うように足を止めた。いつも苦しみを共にするように彼女を見つめ、一方彼女の方はこう言いたげに彼を見るのだった。──「こんなこと何でもないわ。だって私、幸せなんですもの！」彼らは健康と幸福を信じていた。

桟橋のところですぐに私たちと別れたギリシャ人の勧めにしたがって、ポーランド人の一家は、小高い丘にある宿屋に部屋を借りた。宿屋の主人はフランス人で、彼の家全体が、フランス式に、快適で美しく整えられていた。

私たちは一緒に食事をし、昼の暑さが少し和らいでから、丘の上の笠松林に登って眺めを楽しもうと、みんなで気晴らしに出かけた。私たちがようやくちょうど良い場所を見つけて腰を下ろすやいなや、再びあのギリシャ人が姿を現した。彼は軽く会釈をして周りを見回すと、私たちからほんの数歩の所に陣取り、紙挟みを広げて絵を描き始めた。

「思うに、私たちに絵を見られないように、わざとあんなふうに岩のそばに座っているのでしょう」と私は言った。

「絵など見る必要はありません」とポーランド人の若者は言った。「目の前に生きた絵をたっぷりと見ていますから」そして、暫くしてから付け加えた。「点景として私たちを描き入れているようですね……。勝手にするがいい！」

確かに、見るものは十分にあった。世界中でこのプリンキポ島よりも美しくて幸福な一隅はありはしない！　カール大帝の同時代人で政治的受難者であったエイレネ（ビザンチンの女帝。在位七九七～八〇二）は、「追放」の身となってここで一月を過ごしたというが、もしも私が自分の人生のたった一月でもここで過ごすことができたなら、私は残りの一生の間、その思い出によって幸せでいられるだろう！　ここで過ごしたその一日だけでも、私は決して忘れることはあるまい。

空気はダイヤモンドのように明澄で、非常に柔らかく心地良いので、魂全体がそこをゆらゆらと遠くまでさまよい出そうになるほどだった。海の向こうの右側には、アジアの褐色の山々が聳え、左側には、遠くにヨーロッパの切り立った岸が青ずんで見えた。「王子群島」の九つの島のうちの一つである、近くのハルキ島は、糸杉の森を抱いて悲しい夢のように静かな高みへと聳え、一つの大きな建物の冠を戴いていた。——それは、精神を病んだ者たちの避難所であった。

マルマラ海の水は微かに波立ち、輝くオパールのように様々な彩りに戯れていた。遠くの方で海は乳のように白く、それから薔薇色になり、二つの島の間では燃えるようなオレンジで、私たちの下ではもう透き通ったサファイアのような美しい青緑色だった。海は自らの美しさに自足し、どこにも大きな船はなく、ただイギリスの旗を掲げた小舟が二隻、岸に沿って走っていた。一隻は見張り小屋くらいの大きさの蒸気船で、もう一隻には一二人くらいの漕ぎ手がいて、その櫂が一斉に上がると、そこから融けて輝く銀が流れ落ちた。人なつこいイルカたちがその間を駆け回り、水面上に長い弧を描いて跳んだ。青い空では静かな鷲たちが、二つの大陸の間の空隙を測るかのように、それぞれ暫くの間滑空した。

私たちの下の斜面全体が、花咲く薔薇に覆われ、その香りが空気に満ちていた。海辺のカフェからは、澄んだ空気の中を、その遠さによって抑えられた音楽が聞こえてきた。

その印象は人を恍惚とさせた。私たちはみんな口を閉ざして、この世ならぬ光景に全身全霊で見入った。ポーランド人の少女は芝生に横たわって、恋人の胸に頭をもたせかけていた。彼女の優しい顔立ちの蒼白い丸顔はほんのりと色づき、その青い目からは突然涙が溢れ出した。フィアンセはその心を理解し、身を屈めて、その涙を次々と接吻で拭った。母親も涙を流し始めた。そして私は——胸が苦しかった。

「ここでは身も心も健やかにならなければいけないわ」と少女は呟いた。「ここはなんと恵まれた土地でしょう！」

「私には敵はいないと思うが、もしも敵がいたとしても、ここでは敵を許すだろう！」と、父親は震える声で言った。

そして再び、みんな口を閉ざした。みんなとても素晴らしい気分で、言葉にならないほど甘美な心地にひたっていた！ 誰もが自分にとって幸福な世界全体を感じ、誰もが自分の幸福を世界全体と分かち合いたいような気持ちだった。みんなの気持ちは同じだったので、他の人の邪魔をしたりしなかった。私たちは、例のギリシャ人が暫くしてから立ち上がり、紙挟みを閉じて、再び軽く会釈してから立ち去ったことにも、気を留めなかった。私たちはそのままそこにいた。

ついに、何時間か過ぎてから、もう遠くが、南の方では魔法のように美しい、暗い菫色を帯びてくると、母親がもう帰らなくてはと注意を促した。私たちは立ち上がり、屈託のない子供のようなゆっくりしたしなやかな足どりで、宿屋の方に降りていった。

宿屋で私たちは、美しいベランダに腰を落ち着けた。

私たちが腰を下ろすやいなや、ベランダの下で口論と罵詈が聞こえた。例のギリシャ人と宿屋の主人がそこで口喧嘩をしているのだった。私たちはそれを余興として聞いていた。

その余興は長続きしなかった。「ここにほかの客たちがいなかったら、あんな奴……」と主人はぶつぶつ言いながら私たちの方へ階段を上って来た。

「すみませんが」と、ポーランド人の若者は、近づいて来た主人に尋ねた。「あの人は誰ですか？　何という名前ですか？」

「ふん、あの男の名前なんか、誰が知るもんですか」と主人はぶつぶつ言って、毒を含んだ目つきで下を見た。「私たちは吸血鬼と呼んでいます」

「画家ですか？」

「ご立派な仕事ですよ！　死人ばかり描いているんです！　イスタンブールかこの辺りで誰かが死ぬと、もうその日のうちに死人の絵ができているんです。あの男はもう前もって描いておくんです――そして、決して過たないんです。禿鷹みたいな奴ですよ！」

ポーランド人の老婦人は、驚愕の叫びを上げた。――彼女の腕の中には、気が遠くなって蒼白になった娘が横たわっていた。

フィアンセはもう階段を駆け降りて、片手でギリシャ人の胸を摑み、もう一方の手を紙挟みに伸ばした。

私たちもすぐに彼に続いて駆け降りた。二人の男は、もう砂の上を転がっていた。

紙挟みはバラバラになっていて、その中の一枚には――鉛筆で、ポーランド人の少女の顔が描かれていた。――目を閉じて、額の周りには銀梅花（地中海に多い花樹で純潔や愛の象徴）を飾った顔が……。


（石川達夫訳）

ファウストの館

イラーセク

◆アロイス・イラーセク

Alois Jirásek 1851-1930

小説家・劇作家。東ボヘミアのフロノフのパン屋の家に生まれる。プラハの大学を卒業後、高校の歴史教師を務めながら作品を書いた。チェコ文学における民族復興運動の伝統の完成者であり、チェコ・レアリズムの歴史小説の代表的作家。チェコ民族の歴史、特に宗教改革の時代と「暗黒時代」と民族復興運動の時代に題材を取った歴史長編を多く書いた。その種の小説に、『すべてに抗して』(八四)、『暗黒』(一三)、『我々の郷里で』(〇三)などがあり、そのほかにも『ヤン・フス』(一一)、『ヤン・ジシュカ』(〇三)などの戯曲がある。「ファウストの館」は、短編集『チェコの古伝説』(一八九四)の中の一編。この作品には、チェコの興味深い怪奇的な伝説が多く収められている。

神さびたその館は、ナ・スカルッェ通りの家畜市場の端の、ナ・スロヴァネフ修道院（プラハ新市街に今もある修道院）の向かいの角に立っていた。その館にはもうずいぶん長いこと人が住んでおらず、そのために朽ち古びて陰気な感じがした。かつて赤かった屋根も今は黒ずみ、壁は剝げ落ち、埃と雨で汚れた窓は盲窓のようで、びっしりと蜘蛛の巣が張っていた。太い釘を打たれた重々しい樫の木の門は決して開かれず、門のくぐり戸さえも開かれることがなく、門の所に足を止めて、そこに垂れ下がる鍛造ノッカーに手を触れようとする者は、全くなかった。

門の向こうはがらんとしていて物音もせず、犬が吠えることもなく、雄鶏が鳴くこともなかった。そして門の前には、石の間に草が生い茂っていた。

ちょうどナ・スロヴァネフ修道院に向き合って道に面している、館の裏側から横にかけての庭もまた、陰気な感じだった。その庭を覗く者は誰もなかった。花壇もなく、花や野菜を植えた一角すらなかった。庭はすっかり草に覆われて、小道も消えてしまっていた。庭一面ただ鬱蒼とした背の高い草ばかりで、楓や菩提樹や果樹の古木も草の中に幹が埋もれ、幹にも枝にも地衣や苔が生えていた。

花咲く春、鬱蒼とした草の中に金貨のようなタンポポの花がちりばめられ、それからエチューサとドクニンジンの花があちこちに白い顔を出す。――そんな春にだけ、ここも少しは明るくな全体も闇の世界と化すのだった。しかし、木の葉が散り、庭じゅうを寒々とした風が吹き抜け、雨雲の重く垂れ込めた空が低く覆いかぶさり、つむじ風が裸の樹冠を吹き過ぎる秋には、早い夕暮れの中で、庭も館全体も闇の世界と化すのだった。

庭からも建物からも、うらさびしさが漂ってきて、奇妙な胸苦しさを引き起こす。——というのも、ここは呪われた場所であり、生前と同様死後もなお安らぎを得られないファウスト博士の亡霊が夜な夜な出没する所なのだ。その昔、この館にはファウスト博士が住んでいた。ここで魔術の書を研究して手筈を整え、悪魔を呼び出し、そして悪魔に自らの魂を売り渡した。しかし、その代わりに悪魔は彼に仕え、博士が望んだり考えたりしたことをすべて叶えてやった。しかし、その後、期限が過ぎると悪魔は言った。「もうたくさんだ。さあ来い！」

しかし、ファウスト博士はまだ行きたくなかった。彼は必死に逆らい、呪ったり呪文を唱えたりしたが、無駄だった。悪魔はファウストに襲いかかり、彼を捕らえて爪で押さえつけた。そして、ファウストがまだ抵抗をやめないでいると、悪魔は彼を捕らえたまま、扉からではなく、直接天井を突き抜けて外へ飛び出した。こうして、ファウストは、自らの行いの報いを受けた。——悪魔に魂を売り渡し、悪魔に連れ去られたのだ。

そして、天井を突き抜けた時にできた穴はそのまま残った。何度か穴を塞ぐことが試みられたのだが、その都度、塞いだ部分が夜のうちに落ちてしまって、朝になると元通りの穴が黒々と口を開けているのだった。そしてとうとう、人々は穴を塞ごうとしなくなった。というのも、恐ろしくなったからだ。——特に、館の中にファウストの亡霊が出没し始めてからは……。亡霊は毎晩現れて住人を驚かすので、どんなに肝の太い借屋人でも、この館で辛抱していることはできなかった。

その後、ここに移り住む者はついに一人もいなくなり、この古い建物はずっと空き家のままになった。そして人気の絶えたまま、朽ち古びてきた。ここに足を踏み入れる者とてなく、それどころか誰もがこの館を忌避したり迂回したりした。——特に夕方や夜には。しかし、ある秋の日、もうほとんど夕闇の迫った頃、ファウストの館の門の前に、ある若い男——大学生が、足を止めた。そのみすぼらしい三角帽子や、よれよれの上着や、膝までしかないてかてかのズボンや、つぎはぎだらけの靴下や、潰れた靴などを見れば、懐が寒いことは一目瞭然だった。

野良犬のように素寒貧だったのだ。もう住む所もなかった。金を払うことができずに、追い出されたのだ。プラハの町をほっつき歩き、宿を捜し、慈悲を乞うたが、どこでも聞いてもらえず、どこにも入れてもらえなかった。そんなふうにして一日中歩き通し、疲れ、くたくたになって、ファウストの館の前に立ち止まったのだった。どういうふうにしてここまで来たのか、自分でも分からなかった。

日が暮れて小糠雨が降り、冷たく湿った風が吹いていた。その大学生のみすぼらしい上着では首までボタンを留めていても寒さを防げず、履き古した靴では水を防げなかった。既に彼は寒さに震え始めていた。雨脚が激しくなり、すっかり暗くなって秋の夜がやって来たのに、一体どこで夜を過ごしたらよいのだろう?

枕する所もなかった。彼は辺りを見回し、古くて陰気臭い館に目を留めた。若者は苦い思いを噛みしめながらも、「ここなら追い出されまい」と思った。ややためらってから取っ手に手をかけると、くぐり戸が緩み、もう彼は丸屋根のついた通路に立っていた。そこは濡れておらず、風もなかった。そこまで足を踏み入れた以上、更に奥へ進んだ。

上の方の右側の壁龕に奇妙な像の立つ階段を上って行くと、廊下に出た。その廊下は長く、端の方は闇の中に消えていた。廊下全体に沿って、部屋に通じるたくさんの黒っぽい扉が見えた。そこは静かでがらんとしていた。しかし、中庭と荒れた庭から、風の唸りがここまで聞こえてきた。

大学生はしばらく思い惑った後、思い切っていちばん近い扉の取っ手に手をやり、部屋の中に入った。そこの丸天井の下は、もう暗くなっていた。その部屋は、壁の半分は樫の木の羽目板で覆われ、家具は全部――古い机も棚も壁に沿った長椅子も――黒っぽい木でできていたので、闇は更に濃く見えた。机のそばには、高い背もたれのついた肘かけ椅子が黒々と立っていた。

大学生は、しばらく扉の所に立っていた。それから中に入り、肘かけ椅子に腰を下ろした。周りを見回し、待ち構え、耳を澄ませた。しかし、館の中にはなんの物音もせず、誰も現れなかった。ただ外で風が唸り、雨が音を立てて窓を打っていた。大学生は肘かけ椅子に座ったまま待ち、耳を澄ませていたが、疲労に打ち勝つことができず、風と雨の音に眠気を誘われて寝入ってしまった。

十一時、零時、一時、そして朝まで眠った。彼の眠りを少しでも妨げるものは何もなかった。朝になって目を覚まし、自分がどこにいるのかと驚いた。そして、どこで夜を過ごしたか、どんなに安らかに眠れたかを思い出すと、勇気が出てきた。逃げ出したりせず、自分から進んで隣の部屋に入って行った。そこには、家具のほか、古くなって黒ずんだ絵が何枚か壁に掛かっていたが、それらの絵で少しでもはっきりと見えるのは、顎鬚を生やした男たちの気むずかしげな顔ばかりだった。だが、今彼がずっと考えている、かつての住人、つまりファウスト博士を思い起こさせるような痕跡は何もなかった。

三つ目の部屋に入った。そこには色あせた布の天蓋の下に、古い寝台があった。床には、古びた枕と、倒れたままもう埃まみれになっている椅子が二つと、ページを開いたままの、かつては白かっただろうが今は黄ばんでしまっている革装の古い本が転がっていた。そして、天井には穴が！　とてつもない力によって一挙に開けられたような穴が、黒々と口を開けていた。

そこで大学生はぎょっとした。話に聞いていたことを思い出したからだ。今この部屋の中で目にしている物はすべて、恐らく悪魔がファウストを連れ去った時のままなのだ。あの椅子はファウストが倒したのだろう。あの本は悪魔に投げつけた本だろう。大学生はその本に触れる勇気がなく、その部屋からそそくさと退散した。その隣の部屋には特に変わった物は見当たらなかったが、ただ、天井から木の階段が下りていた。彼はそこに足を乗せて上って行き、丸天井の辺りで立ち止まった。天井には穴が開いていて、更に先に行けるようになっていた。最後の段に上った時、背後で音がした。びくっとし、ぎょっとした。ここに上がって来た階段が紙でできているかのように自然に縮まって天井に消え、彼は天井の上の、別の部屋に立っているのだった。その部屋は、今まで通って来たどの部屋よりも大きかった。その部屋に驚いて、階段のことも、どうやってここまで来たのかも、忘れてしまった。

その部屋はとても広く、丸天井には太陽や月やその他の星や天の印の絵が描かれていた。壁際には、古風な装丁の大小様々な本がびっしりと詰まった黒っぽい本棚が並び、また、いくつかの机の上には、金属製やガラス製の様々な器や、赤や金や青や明るい緑の色の液体の入った瓶や空の瓶が載っていた。大きな部屋の中央には、緑の羅紗を敷いた、横木の交差した長い机があった。その机の上には、真鍮や銅でできた器や、ありとあらゆる種類の計器が光っていて、その横には、あるいは何か書いてあったりあるいは何も書いてない、黄ばんだ羊皮紙と紙があり、少し燃えたあとのある蠟燭のついた錫の燭台の下に、本が広げてあった。すべては、誰かがはるか昔に立ち去ったように見えた。

この部屋に、大学生はいちばん長くいた。それから、入って来た穴の方に再び近づき、その端を踏むと、再び木の階段が自然に下まで降りたので、自由に下に降りることができた。しかし、下の部屋からファウストの寝室に行くことは、もうしなかった。別の扉を開けると、玄関の間に出た。そこには、帯に載せた太鼓をもった美しい少年の像があった。大学生がその像に近寄り、太鼓に手を触れた瞬間、少年はまるで生きているかのように動き、太鼓を打ち始めた。バチがちょっと動いているだけなのに、太鼓は窓も震えるほどに大きな音を立てた。少年は太鼓を叩きまくった。大学生は驚いて廊下に飛び出した。

そこから通路へと急ぎ、がらんとした中庭に出ると、庭の隅に井戸があった。その砂岩の切り石は黄色い地衣や緑の苔に被われ、井戸と、井戸につけられた奇妙な怪物の形の古びた石像に、楓や菩提樹の赤や黄色の落葉が厚く積もっていた。

庭も歩いてみたが、そこに長居はしなかった。

サンザシと藪の間の古い木々の下は、淀んだ秋の日には、楽しくはなかった。彼が館の中に戻ると、そこはもう静かになっていた。太鼓手は既に叩き終えていた。しかし、もうそれには近寄らずに、再び丸天井の大きな部屋に行って、そこで羊皮紙と紙を調べた。紙の下に、黒い大理石でできたぴかぴかの平らな皿と、その皿の中には、真新しいように光るきれいなターレル銀貨を見つけた。

彼は喜ぶと同時に驚いた。銀貨を見つめて、どうしたものかと考えながら、しばらくそこに立っていた。懐に自分の金は一銭もなく、空腹が声を上げていた。だが、もしもファウストか、あるいは悪魔自身の仕業だとしたら！……

ためらい、恐れたが、結局銀貨を手にした。そして、町へ出かけた。夕方、満腹して、夜中に何かの霊が出るのではないかと恐れながらも、再びこの館に戻って来た。ここに泊まろうと思って昨日と同じ肘かけ椅子に腰を下ろしたが、昨晩ほど早く寝入ることはできず、夜中に目が覚めたりした。しかし、ファウストの亡霊も悪魔も、やって来はしなかった。

翌日、再び書斎と机の上の器具を調べてみると、大理石の黒い皿の上にまた銀貨を見つけた。昨日そこに一枚だけあった銀貨を持って行って町でくずし、小銭がまだいくらかポケットに残っていた。それなのに、今またどこからともなく涌いて出た銀貨が、黒い皿の上でミルクのように白く光っていた。これは間違いなく彼へのプレゼントだ。ファウスト博士か、あるいは誰かの好意なのだ。そう大学生は考えて、お金を取った。

正午前に出かけて、また晩になってから、二枚目の銀貨の残りをポケットに入れて戻って来た。そしてまたこの館に泊まったが、昨日と同様、何事もなかった。朝になるとまっすぐ書斎に向かい、すぐに机の所に行った。すると、またあった。銀貨は、たった今鋳造されたばかりのようにきれいで、またもや黒い皿の上に載っていた。大学生はそれが彼へのプレゼントであることをもう疑わず、喜んでそれを取った。

こうして毎朝そこに一ターレル銀貨を見出した。大学生は、一日にそんなに使わなかった。残ったお金は、新しい服と、コートと、帽子と、新しい靴を買うまで、貯めておいた。それでも十分に暮らせた。住む所は心配いらなかった。ファウストの館にいてももう恐れたりしなくなり、何かの霊が彼の面倒を見ているのだが決して姿を現さない、この静かな住まいに慣れた。冬用の薪は、中庭と庭にたっぷりとあった。下の部屋の暖炉かあるいは上の書斎の壁暖炉で火を焚き、火が気持ちよく燃えてぱちぱちと音を立てるまで薪を足した。ファウストの書斎の本や、大きな机の上にあった本や、下の寝室にあった本までをも、彼は次々と読みあさった。寝室にあえて足を踏み入れる気になったのはかなり経ってからだったが、五線の星形や奇妙な魔術の印や呪文がいっぱい書かれた本は、寝室にいちばんたくさんあった。彼は恐る恐るそれを読み始めたが、後になってからも、時々それらの魔術の本を読んでいて髪の毛の逆立つことがあった。

この孤独の中で彼は時々寂しくなった。だが、引越したくはなかった。ここは静かで心地よく、しかも働かずして毎日一ターレルが手に入るのだ！　大学からはだんだんと足が遠のいてきたが、大学の仲間たちは、彼がどうしてしまったのか、なんと変わってしまったことか、なんという洒落者になってしまったことかと、驚き呆れた。彼の住んでいる場所を聞いて身震いし、彼に呼ばれても行こうとしなかった。だがついに、好奇心に惹かれて何人かがここに来た。彼は仲間たちを、通路から屋根裏部屋、玄関の間、あちこちの部屋、書斎と、館じゅう案内し、寝室や、もう彼自身が寝るようになって再びきれいに整えてある寝台や、絨毯で覆って塞いである天井の穴を見せ、一緒に庭を歩き、自分がこの古い建物に住んでいるうちに発見したすべてのものを見せた。

彼らはすっかり驚きながら、謎めいた館の不思議について——自ら太鼓を打つ少年や、静かに歌をうたう奇妙な像や、彼らに水をかけた金属の少女の像や、火花を散らして触れる者の手を撃つ、不思議な部屋の取っ手や、天井から自然に階段が降りてきてまた自然に昇っていく部屋や、奇妙な器具や魔術の本について——語り合った。館の下で長くて暗い地下道に通じている、鉄の扉の存在も知った。

大学生は、白いターレル銀貨の載った黒い皿のことだけは、伏せておいた。しかし、仲間たちが、こんな所にいつまでもいない方がいい、何事も長続きはしない、青天の霹靂で何かが起こるにちがいない、悪霊が罠を仕掛けたんだと警告した時、彼は笑った。

仲間の言ったことは、間違いではなかった。おとりは、黒い皿の中に仕掛けられていたのだ。

彼は毎日一ターレルを手にして、なんの心配もなく、何もしなくてよかった。安楽に慣れ、あれこれと余計なことを考え始め、贅沢をし、おしゃれをするようになり、出費がかさんできた。だが、皿の中のお金は増えなかった。そして、一ターレルではもう足りないようになった。

大学生は、つつましい生活の習慣を失ってしまった。ここにやって来た時どんな状態だったか、忘れてしまった。そして、働く気など、もう起こらなかった。彼は、大きな部屋の机の上や寝室から集めてきた本に読み耽った。そこには、どうやって呪文を唱えるか、どうやって霊たちを呼び出すかが書いてあった。霊たちは今まで自ら姿を現すことはなく、彼は安心していられたし、今までは自分で霊を呼び出すようなこともしなかった。彼は心配し恐れていたのだが、今や、金貨欲しさが彼をちくちくと刺し、誘うのだった。銀貨ではもう足りなかった。皿いっぱいのターレル銀貨でも、十分ではなかっただろう。金貨こそが欲しかったのだ。そしてそれには、例の書物の助けを借りなければならなかった。

ある日彼は借金をして、一日中プラハで放蕩三昧に耽った。その放蕩三昧の時に、飲み仲間にこう言って得意げに酒をすすめた。――どんどん飲め、遠慮は無用だ、明日にはもっと金持ちになるんだ、金貨だ、ほかならぬ金貨だ、しかも借金なんかじゃなくて自分の金が手に入るんだ、今まで俺に仕えてきた霊に、けちくさいターレル銀貨なんかじゃなくてドゥカーテン金貨を貢がせてやるんだ……。

その日の夜遅く、彼はファウストの館に帰った。酔った仲間が何人か、彼と一緒に行きたがった。しかし彼は、今日は一人でいなければならない、今晩は大事な仕事があるんだと言って、許さなかった。仲間たちは、彼がファウストの館に入り、重々しい門についたくぐり戸が閉ざされるまで、彼の後ろ姿を見送った。そして、もはや再び彼の姿を目にすることはなかった。――彼らも、また他の誰一人として。彼はもう、大学にも、放蕩仲間の所にも、姿を現さなかった。

以前にファウストの館を訪ねたことのある彼の仲間たちの何人かが、そこに彼を捜しに行ったが、見つけることはできなかった。館の中はしいんと静まり返り、全く人気がなかった。大学生の存在を思わせるような痕跡はなかった。ただ、寝室に、乱れたベッドと、下に落ちた枕と、投げ散らされた衣服と、ずたずたに引き裂かれたコートと、ひっくり返った椅子と、床には開いたままの古い魔術の本と、その横には、燃えたあとのある蠟燭のついた燭台が倒れているのを見つけた。

すべては、ここで誰かが争った痕のように見えた。そして、天井を見ると！　絨毯はもぎとられ引き裂かれて床に落ちており、天井には黒い穴がぽっかりと口を開けていた。その穴の周りの天井には、血が飛び散った痕のような染みが見えた。しかも、黒くなった染みではなく、今流されたばかりのような鮮血の染みだった。

みんな十字を切って、ほうほうの態でファウストの館から逃げ出した。彼らの仲間が恐ろしい最期を遂げたことに、恐れをなしたからだ。きっと、悪霊を呼び出そうとして居丈高に命令し、悪霊が彼の命を奪ったのに違いない。そして、かつてファウスト博士を連れて飛び出したのと同じ天井の穴から、彼を連れて消え去ったのだろう……。

（石川達夫訳）

足あと

チャペック

◆カレル・チャペック

Karel Čapek 1890–1938

『兵士シュヴェイクの冒険』の作者ヤロスラフ・ハシェクと共に、戦前のチェコが生んだ世界的作家。チャペックは作家だったばかりでなく、ジャーナリストでもあった。日刊紙「リドヴェー・ノヴィニ」(人民新聞)の編集委員だった彼は、毎日出勤して時事問題についてのエッセイを書き発表したが、同紙には自作の短編、長編、旅行記なども発表した。代表作の一つで、左右の全体主義を揶揄・風刺した長編『山椒魚戦争』(一九三六)も同紙に連載した。『ひとつのポケットから出た話』、『もうひとつのポケットから出た話』(共に二九)も同じ。劇作家としてもすぐれ、『R・U・R』(ロッサムの万能ロボット、「ロボット」の題名で知られている、二〇)、『白疫病』(三七)、『母』(三八)などの戯曲も書いた。ロボットという言葉の起源は、「R・U・R」(ロボット)である。

リプカ氏はその夜特に上機嫌で、家路をたどっていた。それは第一にチェスの勝負に勝ったからであり（あの「馬」の王手はすばらしかったなあ、と彼はみちみち思い出して悦に入っていた）、第二に初雪が降って、足もとでサクサクという音が、澄んで静かな空気の中に、気持よく響いていたからであった。

「ああ、これはすばらしい！」と、リプカ氏は思わず口に出していった。「雪の下の町、まるでとつぜん、小さな町、あの昔ふうの小さな町が現われたようだ――これじゃ夜まわりとか馬車とかが出てきても、不思議じゃないよ。雪というやつは、妙に古めかしく、田舎めいて見えるものだなあ」

サク、サク、リプカ氏は人のまだ踏んでいない小道を選って歩いたが、それはただサクサクと足もとでする音を聞くのが楽しいからであった。彼の住んでいるのは、庭つきの住宅ばかりの静かな街だったので、先へ行くほど人の足あとは少なくなった。ほら、そこの門のところで男の長靴と女の短靴のあとが消えている。きっと夫婦なのだろうが――若夫婦だろうか、と、リプカ氏はまるで祝福でもするかのように、やさしくひとりごとをいった。

それからここのところは猫が走って、雪の上にまるで小さな花のような足あとを残している。おやすみ、小猫よ、今夜は足が冷えるよ。それからここにはまたひとすじきりの足あとがついているが、それは一人で歩いて行った男の残した深い足あとで、まっすぐクッキリと、鎖のようにつづいていた。近所の人らしいが、だれがここを通って行ったのだろう？　と、軽い好奇心からリプカ氏は考えた。このへんは人通りが少なく、雪の上には自転車の輪のあとひとつついていない。ここはいうなれば人生のはずれなのだ。わたしが家へたどりつくころには、街は白いかけぶとんを鼻のところまですっぽりかぶって、子どものオモチャになった夢でも見ているのだろう。朝になって新聞配達のおばあさんが通り、足あとでめちゃくちゃにしてしまうのは惜しい。おばあさんは行ったりきたりして、兎のような足あとを一面に残すだろう——。

リプカ氏はとつぜん立ちどまった——かなり白くなった通りを横切って、ちょうど自分の家の門のほうへ行こうとした時、眼の前の足あとが歩道から曲って、通りを越えて彼の家の門へ向かっているのが眼にはいったのである。だれがうちへきたのだろう？　と、彼はどぎまぎしてひとりごとをいうと、眼でそのクッキリついた足あとを追った。足あとは五つついていた。ところがちょうど通りのまんなかで、左足で踏んだ鋭い足あとを最後に、消えていたのである。その先にはもう足あとはひとつもなく、一面なんのあともついていない、きれいな雪であった。

「おれは頭がおかしくなったのじゃないかな？」と、リプカ氏は自分に向かっていった。「いや、その男は歩道に引きかえしたのだろう！」——しかし見渡すかぎり、歩道はなめらかにふわっと雪におおわれていて、人の足あとひとつついていなかった。これはまたどうしたことだろう、とリプカ氏は不思議に思った。ひょっとしたら、足あとのつづきは向こう側の歩道にあるのかもしれないぞ！　それで例の、途中できれるまで点々とつづいている足あとをよけて、弧状に通りを渡った。しかし向こう側の歩道には、ひとつも足あとがついていなかった。通り全体はきれいなフワッとした雪のためいよいよ輝きをまし、あまりの清らかさに、思わず息がとまるほどだった。

雪が降り積もってから、まだだれ一人ここを通った者はいないのだった。「これは不思議だ」と、リプカ氏はつぶやいた。「どうやらその男は、自分の足あとを踏んで歩道に引き返して行ったらしい。だが街角まで自分の足あとを踏んで行かなければならなかったはずだ。なぜなら街角からこのおれの眼の前を通ってただひとすじの足あとしかついていないから。つまりこの方向に——それにしても、そいつはなんのためにこんなことをしたのだろう？（と、リプカ氏は首をひねった）それからまた、引き返す時にどうして自分の元の足あとを寸分たがわず正確に踏んで行くような芸当ができたのだろう？」

彼は首をふりふり門の鍵をあけると、家にはいった。そして自分でもまさかと思いながら、家の内部に雪の中を歩いてきた足あとのようなものがついていはしないか、といちおうそこらじゅう見てみた。だがもちろん、そんなもののついているはずはなかった！

「おれの気のせいかもしれないぞ」と、リプカ氏は気味悪くなってつぶやくと、窓からからだを乗り出すように外を見た。通りでは街灯の光の中に五つの鋭く深い足あとがはっきりと見えた。足あとは通りの中央でなくなっていて、あとはなにもない。「これはやっぱりおかしいぞ」と、リプカ氏は眼をこすりながら思った。「おれはいつか、雪の中についているひとつの足あとの話を読んだことがある。しかしここでは足あとがいくつもつづいていて、とつぜんなくなっている——その男はいったいどこへ消え失せたのだろう？」

彼は首をふりふり着がえはじめた。が、とつぜんやめると、電話口へ行って悲痛な声で警察を呼び出した。

「もしもし、警部のバルトシェクさんですか。ひとつお願いがあるのですが、妙なことがあるのですよ、ひどく妙な――それでどなたかこちらへ寄越してくださるか、あなたご自身おいで願えると――ああそうですか、そりゃありがたいです。街角でお待ちしています。わたしもどういうことなのか、さっぱりわからぬのです――いや、危険は全然ないと思いますね。ただちょっと問題なのは、だれかがその足あとを踏んでわからないようにしてしまいはしないか、ということです――だれの足あとかは、わたしにはわかりません！ ではいいですね、お待ちしていますから」

リプカ氏は服を着て、また外へ出て行った。用心深くその足あとのところは通らないようにし、歩道でも足あとを踏んでわからなくなるようなことにならぬよう、気をつけた。そして寒さと興奮のためふるえながら、街角で警部のバルトシェクのくるのを待った。物音ひとつしなかった。人間の住んでいるこの大地は、宇宙に向かって静かに光を放っていた。

「ここはまたとても静かですね」と、警部のバルトシェクは憂鬱そうにつぶやいた。「喧嘩で一人と、酔っぱらいで一人連れて来ましてね。やりきれませんよ！――で、いったいここでどうしたというのです？」

「まあこの足あとをごらんになってくださいよ、警部さん」と、リプカ氏は声をふるわせていった。「ここから数歩先へ行っているのです」

警部さんは懐中電灯で自分の足もとを照らした。

「これはノッポの足あとですね、一メーター八十センチ近くはありますよ」と、彼は意見をのべた。「足あとの様子や足あとと足あとのあいだの距離でわかります。長靴は手縫いのちゃんとしたものだったと思います。酔ってはいず、かなり力強い足どりで歩いて行っています。こういう足あとのどこがおかしいのです？」

「どこがって、そこですよ」と、リプカ氏はあっさりいうと、通りの中央に点々とつづいている足あとを指さした。

「ああなるほど」と、警部のバルトシェクはいうと、つべこべいわずに最後の足あとのところに歩みよって、かがみ、足もとを懐中電灯で照らした。「こりゃなんでもありませんな」と、彼は満足そうにいった。「こりゃごくふつうの、しっかりした足あとじゃないですか。重心はどちらかというとかかとにかかっています。その男がもう一歩あるくか、跳んだら、重心はつまさきに移るのですがね、わかるでしょう？　その時は足あとですぐそれとわかります」

「といいますと――」と、リプカ氏は緊張してきいた。

「つまり」と、警部は落ちついて答えた。「それから先は歩いて行かなかった、ということです」

「じゃどこへ消えてなくなったんです？」とリプカ氏は熱っぽく口早にきいた。

警部は肩をすくめた。「それは知りませんね。その男に、なにかあやしいところでもある、とお考えなんですか？」

「怪しいなんてとんでもないですよ」と、リプカ氏はびっくりしていった。「わたしはただ、その男がどこへ消えてなくなったか、知りたいんです。いいですか、ここで最後の足を踏み出し、それからいったいどこへ歩いて行ったんです？　足あとはここでプッツときれているじゃありませんか！」

「それはわたしの知ったことじゃありませんよ」と、警部はぶすっといった。「どこへ行こうと、あなたになんの関係があるんです？　その男はお宅の人なんですか。だれかが行方不明になって探しておいでもいるんですか。たとえその男がどこかへ消えてなくなろうと、あなたにはどうでもいいことじゃないですか」

「しかしなんとか説明がつかなくちゃ、おさまらないですよ」と、リプカ氏はまくし立てた。「たとえば、自分の足あとを踏んで引っ返して行ったとか――そう思いませんか」

「ナンセンスですね」と、警部はぼやくようにいった。「引っ返す時はもっと小股に、しかもからだの釣り合いがよくとれるように、足をしっかり踏んばりながら歩くものですよ。それに足をあまりあげないので、かかとが雪の中にもっと食いこんでいるはずです。この足あとはどれも一回だけのものです。クッキリしているのが、よくわかるでしょう？」

「引っ返さなかったとすれば」と、リプカ氏はしつっこく食い下った。「い、っ、た、い、ど、こ、へ、消えてな、く、な、っ、たのでしょう？」

「それはその男の問題です」と、警部さんはぼやくようにいった。「いいですか、その男がなにか悪いことをしでかさなかったら、わたしたちは彼の問題に介入しようにも、しようがないのです。そうするためには、わたしたちには彼に対するだれかの告発状がいります。告発状さえあれば、もちろんわたしたちはすぐ捜査をはじめるでしょう……」

「しかし大の男が通りのまんなかで、あとかたもなく消えるなんてことが、いったいありうるでしょうか?」とリプカ氏はいきまいてきいた。

「待って様子を見るよりしかたがありませんね」と、警部は落ちついて、彼にすすめるようにいった。「もしだれかが行方不明になったら、数日後にはその人の家族かだれかが、わたしたちのところに捜索願を出すでしょう。そうすればわたしたちはその人の行方を探しはじめます。だれもその人の捜索願を出さないなら、わたしたちにはどうしようもないんです。そういうわけにはいかんですよ」

リプカ氏の胸には、なにかわけのわからない怒りがこみあげてきた。「こんなことをいっちゃ悪いかもしれませんが」と、彼はとがった声でいった。「なんの罪もない歩行人が、通りのどまんなかでわけもなしに消えてなくなったのですから、警察も少しは関心を持つべきだ、と思うんですがね!」

「だってその人には、これといってなにも起こっていないんですよ」と、バルトシェク氏は機嫌をとるようにいった。「つかみ合いの喧嘩でもしたというなら話は別ですが、そういう形跡もありませんし——まただれかがその人に襲いかかったか、誘拐でもしたんでしたら、このへんは足あとがいっぱいついているはずです——残念ですが、このままではなんとか介入しようにも理由が立たないんですよ」

「でもね、警部さん」と、リプカ氏はもどかしさのあまり思わず手をたたいて、いった。「それじゃせめてわたしに、なぜこういうことが起こったか、説明してください……なんといってもこれは大きな謎なんですから……」

「そうですね」と、バルトシェク氏は考えこみながら相づちを打った。「この世の中にはどれだけの謎があるか、あなたには想像もつかないでしょう。一軒一軒の家、ひとつひとつの家庭が謎なんです。早い話がわたしがここへくる途中、向こうのほうの家で若い女の泣声がしました。謎といえばこれも謎です、しかしわたしたちは、謎なんかにいちいちかまっていられません。わたしたちが給料をもらっているのは、治安を維持するためなんですからね。それともあなたは、わたしたちが、好奇心から、どこの馬の骨かわからない泥棒のあとを追っかけている、とでも思っていられるのですか。いいですか、わたしたちが泥棒のあとを追っかけるのは、つかまえるためなんですよ。治安がみだれたらどうにもなりませんからね」

「そうでしょう?」と、リプカ氏はこの時とばかり、いきなり言葉をはさんだ。「それはつまり、通りのどまんなかでだれかが……いってみれば立ったまま空中に上がって行った、というようなことが起これば、治安のためによくないと、あなただって認めておられる、ってことですよ。そうじゃないですか」

「解釈いかんによりますよ」と、警部は意見をのべた。「モシ何ビトカ高所ヨリ落ツル危険アル時ハ、捕縛スベシ、という規則が警察にあるのです。そういうばあいの処分はまず訓戒、それから罰金です。――その人がそういうふうに勝手に空中へ上がって行ったのでしたら、警官はもちろん救命帯をつけるよう注意すべきです。しかしきっとここには警官がいなかったんでしょう」

と、彼は弁明するようにいった。「いたとすれば足あとがあるでしょうからね。それはそうと、その人は、ほかの方法でここを去ったかもしれないじゃないですか」

「それはまたどういう方法ですか」と、すぐリプカ氏はきいた。

警部のバルトシェクは首をふった。「それはちょっといえませんね。しかしまあたとえば昇天とか、ヤコブのはしご（旧約聖書「創世記」二十八章にある故事で、ヤコブは天使がのぼりおりしているはしごの夢を見たのであった）とかいったものですよ」と、彼は漠然とした調子でいった。「昇天がもし強制的におこなわれたのでしたら、誘拐と見なしていいかもしれません。しかしそういうことは、ふつう本人の承諾を得ておこなわれる、と思いますね。その男は空を飛ぶ術を心得ているのかもしれませんよ。空を飛んでいる夢を見たことはありませんか。足で少し地上を蹴るだけで、もう空に浮いているんです……気球のように軽く飛ぶ人もいますが、わたしが夢で飛ぶ時には、しばらく足で地上を蹴らねばならないんです。きっとこの重い服とサーベルのせいだろう、と思います。その男だってここで寝入って、夢で飛びはじめたのかもしれませんよ。

だってそれまで禁止されてはいませんからね。もちろん人通りの多い通りでは、警官はその男に注意を与えなければなりませんよ。それとも、ひょっとするとこれはからだが宙に浮き上がったのかもしれませんね。心霊術をやっている連中は、からだが宙に浮き上がることを信じていますよ。心霊術だって、別に禁じられてはいないんです。バウディシとかいう人がわたしに、霊媒が宙ぶらりんになっているところをこの眼で見た、といっていましたよ。どういうことが起るか、だれだってわかりはしないのです」

「でもね、警部さん」と、リプカ氏はなじるようにいった。「まさかあなたはそんなことを信じていられないと思いますね！　それじゃ自然の法則もなにもあったものじゃないですよ――」

バルトシェク氏は気がめいってきた、といわんばかりに肩をすくめた。「それはわたしも知っていますがね、人間というものは、ありとあらゆる法則とか、しくみとかいうものに違反しているのですよ。あなたがもし警察官だったら、こういうことをもっと知っていられるはずですがね……」と、いいながら警部は手をふった。「自然の法則を破ったって、わたしは不思議に思わないでしょうよ、人間というやつは、しようのない動物なんですからね。　ではおやすみなさい。冷えてきましたなあ」

「わたしのところで、お茶でもいっぱいお飲みになりませんか……それともスリヴォヴィツェ（チェコの強いスモモ酒）がいいですか」と、リプカ氏がさそった。

「けっこうですな」と、警部は憂鬱そうに口の中でいった。「こういう制服を着ていては、酒場へもいけませんからね。だから警察官はあまり酒を飲まないんです」

「謎の話ですがね」と、彼は肱（ひじ）かけ椅子に腰をおろして、長靴のつま先で雪がとけて行くさまを考えこんで見ながら、いいつづけた。「ここを通る百人の人のうち九十九人まで、なにも気づかないで通りすぎるでしょう。あなただって、謎にみちた百のことがらのうち、九十九まで気づかないでしょう。わたしたちはいろいろのことを、なにひとつ知らないでいるんです。もっとも、謎でないものもあることはあります。たとえば、治安は謎ではありません。裁判は謎ではありません。警察も謎ではありません。しかし街を歩いているひとりひとりの人間となると、謎です。

なぜならわたしたちは、だれでもやたらに調べるというわけにはいかないからです。ところがだれかが盗みをはたらくと、その瞬間からその人間は、わたしには謎でなくなります。なぜならわたしたちは彼を監禁しますから。それでその男のことがよくわかるわけです。わたしたちは少なくとも、彼がなにをしているか、知っています。ドアの小さな窓からいつでも好きな時にのぞいて、彼の様子を見ることができるわけですからね。

新聞記者諸君は『謎の死体発見さる！』なんて書きますが、死体のどこが謎なのでしょう？わたしたちは死体を手にすると、その身長や目方をはかり、写真をとり、解剖します。わたしたちはその死体の上にあった一本一本の糸を知っており、最後になにを食べたか、なにが原因で死んだか、などいろんなことを知っています。それにだれかがその人間を、十中八九金が目当てで殺した、ということまで知っています。こういうことはみな究明されて、はっきりしていることなんです……うんと濃い紅茶を一杯いただきましょうかな。犯罪という犯罪は、みなはっきりしていますよ。少なくとも犯罪をやるようになった動機とかそういったものは、すぐわかります。ところが、お宅の猫がどんなことを考えているのかとか、お宅の女中さんがなんの夢を見ているのかとか、お宅の奥さんがなぜ窓からあんなに考えこんで外を見ているのか、というようなことは謎です。刑事事件のほかは、すべてが謎です。刑事事件というのは、厳密に規定された現実の一片であり、わたしたちが照明をあてた断面なのです。いいですか、もしわたしがこの部屋を見まわしたら、あなたのことがいろいろとわかるようになるでしょう。しかしわたしは自分の靴のつま先を見つめています。なぜなら、わたしにはあなたに職務上の興味がないからです。つまりあなたについては、わたしたちのところにはなんの苦情もきていませんからね」と、熱い紅茶をすすりながら、彼はつけ加えた。

「警察、特に刑事たちが」と、しばらくして彼はまた話しはじめた。「謎に興味を持っている、なんていうのはおかしな考えです。わたしたちは謎などはどうでもよくって、むしろ目立たぬ小さなことに興味があるんです。犯罪がわたしたちに興味のあるのは、謎だからじゃなく、禁じられているからなんです。わたしたちはどこかの悪漢を、知的興味から追いまわすのじゃなく、法律の名において逮捕するために追いまわすのです。いいですか、掃除夫は塵の中に人間の足あとを読みとるために、ホウキを持って街を駈けずりまわっているのではなく、人生が作り出すあらゆるゴミ、チリ、アクタを掃き清めるためなんです。治安だって少しも謎じゃありません。治安を維持するのは、たいへんやっかいな仕事ですよ。それに、掃除をしようと思うものは、どんな汚ない物の中にも手を突っこまなければなりません。しかしこれもだれかがしなければならぬことです」と、彼は憂鬱そうにいった。「それはちょうどだれかが子牛を殺さなければならぬ、のと同じです。しかし子牛を好奇心から殺すのは乱暴です。職業として殺すのはやむをえません。人はなにかを義務としてせねばならぬ時、そうする権利があることを、少なくとも知っています。いいですか、正義の名において人を処分することは、九九の表のようにまちがいのないものでなくてはなりません。人の物を盗むことはみな悪い、と証明することがあなたにおできになるかどうか、わたしにはわかりません。しかしわたしは人の物を盗むことはみな禁止されている、ということをあなたに証明できます。なぜなら、かりにあなたが人の物を盗んだとしたら、どんなばあいでもあなたは逮捕されるでしょうから。また、あなたがかりに街路に真珠をまきちらしたとすると、警官は街路を汚したといって、あなたに注意するでしょう。しかしあなたが街路で奇蹟をおこないはじめても、交通妨害とか不法集会とかいう名目でもつけないかぎり、わたしたちはそういうあなたをどうすることもできません。つまり、わたしたちがそういうことに介入するためには、なにか不都合なことがなければならぬのです」

「でもね警部さん」と、リプカ氏は不平そうにからだを振りながらいった。「それだけであなたはいいんですか？　こういう変な事件……謎のような事件がここで起こっているのに……あなたは……」

バルトシェク氏は肩をすくめた。「わたしはこういうことはそのまま放っておくことにしているのです。なんなら、この足あとを取り除かせましょう。あなたの夜の平安が、こんなことで乱されてはいけませんからね。それ以上のことはできません。なにか物音をお聞きになりませんでしたか。足音じゃないですか。ああ、それはうちのパトロールの巡査です。じゃ、もう二時七分なんですね。おやすみなさい」

リプカ氏は警部を門から外へ送り出した。通りの中央にはまだあの途中できれている、わけのわからないひとすじの足あとがそのまま残っていた――向こう側の歩道を通って、警官が近づいてきた。

「ミムラ君」と、警部は声をかけた。「なにか変わったことはなかったかね？」

警官のミムラは敬礼した。「なにもありませんでした、警部殿」と、彼は報告した。「向こうの十七番地では外で猫がニャンニャンないていました。それでわたしはベルを鳴らして、家の中へ入れてやるようにしました。九番地では門を閉めていませんでした。街角では道路を掘りかえしていましたが、赤いランプをつけていませんでした。八百屋のマルシーカのところでは、看板の片方がはずれていました。通行人の頭の上に落ちないよう、朝になったらはずさせねばならぬと思います」

「それだけかね？」

「これだけです」と、警官のミムラはきっぱり答えた。「朝になったら、だれか転んで足を折らないよう、歩道に砂をまかせなくてはならぬと思います。七時にはどこの家でもベルを鳴らして、砂をまくよう、注意してまわらねばならぬでしょう――」

「よろしい」と、警部のバルトシェクはいった。「ではおやすみ！」

リプカ氏は未知の世界にでもつづいていると思われた例の足あとを、もう一度見た。しかし最後の足あとのあったところには、今や警官のミムラが勤務中にはく長靴のあとが、二つクッキリとついていた。そしてそこからその大きな靴あとは、規則正しい、はっきりした線で前のほうに進んで行っていた。

「ヤレありがたや」と、リプカ氏はため息をつくようにいうと、寝にいった。　（栗栖継訳）

不吉なマドンナ

ルヴォヴィツ

◆イジー・カラーセク・ゼ・ルヴォヴィッツ

Jiří Karásek ze Lvovic 1871–1951

詩人、小説家、批評家。本名イジー・アントニーン・カラーセク。チェコのデカダン派を代表する作家。絵画の収集家としても知られ、「カラーセク・ギャラリー」の設立者。プラハの古い家系の出身で、神学を学ぶが途中で退学し、役人になった後、文学の道に入る。哲学、神学、オカルト、交霊術に関心を持ち、美学的問題にも取り組んで、文学および美術批評も書いた。その作品は、エロス、死、孤独、神秘などをテーマにし、怪奇・幻想的なものが少なくない。詩集に『ソドム』(一八九五)、『死との対話』(〇四)、小説に『ゴシックの魂』(一九〇〇)、『バロックの祭壇』(二二)、エッセイに『芸術におけるルネッサンス的希求』(〇二)、『神秘の道』(三二)などがある。

私たちは時々、ティーン教会（プラハ旧市街にある教会）の陰の小路に住む医者の家に夕食に呼ばれて、集まった。私たちはみな、絵画の収集家か美術史家であり、ディレッタントか専門家か美術館のコレクションの支配人だった。

私たちを結びつけていたのは、過去の時代の美術に対する共通の関心だった。招待側の主人自身も、自宅でも診察室でも、いにしえの巨匠たちのえりすぐったコレクションに囲まれていた。彼はアムステルダムで幸運にも手に入れたオスターデの風俗画を、誇らしげに見せたものだ。

私が最も関心を惹かれたのは、時代的に最も新しいヨゼフ・ナヴラーチルの風俗画と静物画のコレクションだった。ほかのすべては、過ぎ去った時と死んだ時代の反映に過ぎなかった。ナヴラーチルだけが、未来の世代にも語りかけるように運命づけられた芸術家だった。

我々の主人がナヴラーチルの絵やスケッチを見つけたのは、自宅近くの、ツェレトナー通りから聖ヤコブ教会へ向かう横丁にある、サルヴァトル・コミニークの小さな店でだった。その店は、ありとあらゆる安物、特に芸大の学生の作品で一杯だった。

この店の主（あるじ）はあまり価値のないものを売っていたが、芸術には通じていた。かつて、ナヴラーチルの遺した全作品を物置から二束三文で買い取り、いくつかの袋に突っ込んで自分の店に持って来た。その中から、我々の主人である医者は、ほかの収集家たちがナヴラーチルの風景画を

――紋切り型のアルプスのガッシュを――評価していた時に、価値ある獲物、特にナヴラーチルの人物スケッチを選び出したのだった。そのほかに、彼は主として果物などの静物画を選び出した。金色に輝く葡萄と青くふんわりしたプラムなどは、あまりにも見事に描かれているので、いくら見ていても見飽きないほどだった。

私は主人の医者に、アムステルダムのミュラー商会にオランダ金貨をごっそり払って得たオスターデよりも、プラハの旧市街のみすぼらしい店にわずかなオーストリア金貨を払って得たナヴラーチルの方を高く評価する、と言った。主人はただ笑っただけだが、その赤らんだ卒中症的な顔には、できるだけ少ない金で何を買うべきかを心得ている幸運な収集家の満足の反映が広がった。

しかし、そこに、個人ギャラリーの支配人で、他人の獲物を皮肉に嘲笑することの好きな冷やかし屋がいた。彼はけなしはしなかったが、苛立たせた。そして、何げないようにぽつりと言った。

「最高の敬意を表すべきワインと絵をお持ちの我々のご主人は、確かに最も美しい二枚のナヴラーチルをしっかりと握っておられる。一枚は薔薇色と純白の少女で、もう一枚は白い盆に載った金色と褐色の見事なドーナツです。しかし私は、最も神秘的で最も謎めいたナヴラーチルをお逃しになったことに驚きを禁じ得ないのです……」

主人は、個人ギャラリーの支配人の軽口にややむっとして顔を赤らめた。

「〈最も神秘的な〉ナヴラーチルとは、どの絵のことをおっしゃっているのか、私には見当がつきません。私は他人の手に渡った絵も含めて、ナヴラーチルはすべて把握しているつもりですが……」

「そのことは私も疑いません。なぜなら、あなたはナヴラーチルの絵の中から、かつてベツレヘム広場のウ・クノブロハ酒場のビヤホールからジェレズナー通りのフルメッキーのワインケラーへと放浪していたこの画家の今日の名声を本当に成しているものを、いつもうまく手に入れられたのですから。けれども、死が彼の震える手から永久に筆を奪ってしまう前に描かれた絶筆を御存じでしょうか？……」

「茂みの孔雀のことですか？」

「ええ、あれです……」

「あれは手に入れることもできたのですが、わざと手を出さなかったのです」と、主人は自己満足的なほど誇らしげに言った。

「本当ですか？　芸術的にあんなに見事な作品なのに！　緑の茂みを背景に、まるで生けるエメラルドのような孔雀が輝いている。これは、緑の中に緑を描く、大胆で天才的な勇気です……」

「あなたがおっしゃることは、もっともです。けれども、あの絵は呪われた絵だったのです。あの絵は、誰でも持ち主になった者に、一週間以内に災いをもたらしたのです……」

みんなの好奇心が駆り立てられた。説明を求める声が上がった。

「死にまつわる物がその持ち主に不幸をもたらすという伝説を、信じておられるわけではないでしょうね？」と、博学であると同時に極めて厳密であり、冷静であると同時に批判的な美術史家がいぶかった。

主人は続けた。

「私は、自分の家にあの絵を持ち込んで不吉な運命を呼び起こしたくなかったのです。それは本当に不思議な出来事でした。私は医者、つまり実証的な人間で、奇跡などは信じません。でも、考えてみてください。——あの絵を手に入れたのは、私の同僚の医者でした。私は、私の目の前であれをさらっていった同僚を羨みました。けれども彼は一週間後、階段を上って患者の所へ行く途中、脳卒中にやられたのです。私は虫の知らせのようなものを感じました。——孔雀は不幸の象徴だ、遺品の中からあれだけは誰かほかの者に買わせてやった方がいい、絶妙な茂みの孔雀のあの小さな平面で待ち伏せる不吉さを避けた方がいい、と。私はこらえ切りました。絵を買ったのは、ムニェルニーク地方の製粉場主でしたが、一週間のうちに彼の工場が全焼しました。そのあと孔雀を買ったのはプラハ郊外の薬屋でしたが、一週間のうちに奥さんが中毒死しました。絵は財政委員のコレクションに移りましたが、一週間のうちに彼の邸宅が泥棒に荒されました。財政委員は孔雀を考古学者に売りましたが、彼は一週間のうちに取引所で全財産を失いました。孔雀の絵はほかの品と共に、ある画商の手に移りましたが、彼は既にその不吉さを知っていた孔雀を競売にかけて、急いでその絵から逃れようとしました。というのも、その画商は自分のすべての店で手痛い損失を被ったので、それはひとえに、不幸を呼ぶナヴラーチルの絵のせいだと考えたからです」

個人ギャラリーの支配人は、薄笑いを浮かべた。

「ドクター、すべてはおっしゃる通りです。ただし、一つのことだけ抜け落ちています。つまり、収集家たちがみんなあの不吉な絵を恐れて競売で誰一人競らなかった時に、それを私が安く手に入れたということです。そして、あの絵は今や呪いを解かれたようにうちのギャラリーにかかっていて、訪れる人たちを、不吉さによってではなく、ナヴラーチルの芸術の真の頂点によって釘づけにしていますよ。大胆に緑の中に緑を描く芸術によって……」

我々の間に、魔術的な作品の作家として知られているばかりでなく、古い絵画の洗練された収集家として以前から知られていた年輩の文士が、今まで黙って座っていた。彼が次第に興奮してくるのに私は気づいていたが、個人ギャラリーの支配人が話を終えた時、彼はついに口を切った。

「話に口をはさむのをお許しください。私は、人間ばかりでなく物の神秘的な運命も信じるというご主人に、同意します。絵はそもそも、無関心な手の冷ややかな創造物ではありません。それは魂の表れです。芸術家は自分自身の一部を芸術作品に具現し、自分自身についての何らかのメッセージを未来の時代に送るのです。芸術家は愛ばかりでなく憎悪を送ることもでき、喜びばかりでなく呪いを送ることもできるのです。私自身の体験から少しお話しすることを許していただけるでしょうか？　簡潔に話すように努めます。私はかつて文士でしたけれども、空想は却けましょう。けれども、私が謎の前に――神秘と未知の待ち受ける深淵から立ち昇る恐怖の前に――立たされた時に、いつも体じゅうを揺さぶられる感情を、押しのけることはしますまい……」

これは私が人生の中で最も不幸だった時の話だということを断っておかねばなりません。けれども、自分自身のことについて語りたくはありません。私の運命の上に崩れ落ちるはずの屋根がもう音を立てて壊れだしたかのように家を飛び出しては、心臓の鼓動が私の正体を暴露してしまわないように自分の不安な胸を押さえつけている不幸なよそ者として、人々の間をさまよっていたこと――こんなことを詳しく語りたくはありません。

当時の私は、空の青さにも、ざわめく川にも、さざめく森にも、心が痛みました。私は再び家へ、物言わぬ空虚が領する部屋へ帰ると、本を手にしてはまた投げ出しました。というのも、私の不幸の現実は想像を超えるもので、私には、神秘的にふくらまされた言葉は、たとえそれが星空に触れることを約束していても、あまりにも空しく思えて、読む気になれなかったのです。私はうなだれて、再び旧市街の通りへ飛び出して行き、はるか昔に死んだ人々を町の通りに蘇らせて、幻と語り合いました。けれど、こんなことすべてをなんで話す必要がありましょう? 私は、不思議なマドンナの絵とどのようにして出会ったか、その出会いがどのような精神状態のもとで起きたかを説明したいだけなのです……。

概して非常に粗末な小屋や店がたくさん立ち並ぶ、カレル通りからメラントリフ通りへ抜ける旧市街の横丁を通られる方なら、そのまん中辺りに古物屋があることを、きっと覚えておいででしょう。そこには、洗練された人間の興味を惹くようなものはありません。貧乏人の家から出て来た聖者の色刷り版画や安っぽいグラスやカップなど、要するにがらくたが並べてあります。その中で皆さんの興味を惹くようなものは、手書きの祈禱書や版画くらいでしょうが、残念なことにひどく汚れています。けれども、私が、当時の精神状態で、見捨てられた棺のように暗く活気のないプラハを、家々の壁やがらんとした回廊が話しかける、人間のいない幻影のようなプラハをさまよっていた時、私の目がそのみすぼらしい古物屋の店にも向き、今あなた方がみんなきっとお笑いになるに違いないような興味を呼び起こされたのです。そしてその店の主人が私を店の中に呼び入れ、ウィンドーにあるのと同じようながらくたが壁に沿って並ぶ手狭な店の中を見た時、突然私は驚愕したのです。

片隅の薄暗がりの中に、一枚の絵がかかっていました。絵どころか！　そこには運命が、人間の不幸のすべてがかかっていたのです。それはマドンナでした。——私がいまだかつて見たこともないような、実に奇妙なマドンナでした。まるで私を待ち受けていたかのよう、彼女の定められた時がついに訪れたかのよう、運命が成就したかのようでした。何かが閃光のように、この世の外のどこかから来た不吉な光の閃きのように私を打ち、私は二世紀前に生きた女性の顔を見ました。もうずっと前にひからびてしまったぼさぼさの髪が、今に至るまで何と言っていいか分からないような恐怖に蒼ざめた顔を打ち、額を打つぼさぼさの髪の陰に隠れた、かつては目だったはずの二つの穴が、その黒い不吉さの地獄のすべてで私を見つめていました。そして、二世紀前に言葉を失った口が、はるか昔に陥没した墓の埃をかぶったようになりながらも、今再び生き生きとした深紅に震えていました。

腕には子供を抱いていましたが、子供は逆らって、きつく押さえている母の腕から逃れ出ようとしていました。

奇妙な絵でした！　私はその絵に釘づけにされて、言葉も出ないほどでした。その絵に形象化された母親は、子供に何か悪い企みをもっているように見えるほど、子供を不吉な目で見ていました。恐ろしいマドンナでした！

一体どんな奇妙な画家がこの絵を描いたのでしょうか！　私は、キャンバスから絵の年代を推定しようと、蜘蛛の巣だらけの壁から絵を外しました。すると、後ろに付け足した枠に「ホルブボックス、プラハにて」と記してあるのが読めました。

私は絵をまた壁にかけましたが、店の主は私の関心を貪欲に観察していました。

私は冷淡に言いました。

「これは奇妙な絵だね……。ぞっとするほどいやな絵だ……。ホルブボックスとかいうドイツ人の画家だが、私は知らんね……」

古物屋はがっかりしました。私が絵を買うことを期待していたのです。私は無関心を装い、絵の値段を訊くこともせずに店を出ました。まあ時間はたっぷりある、あの絵は誰も買うまい、暫くしてから値段を訊き、絵を買ってもいいかもしれない……。いいや、あれは必ず買うんだ、だってあれはあんなに驚くべき絵なのだから、是が非でも手に入れなければ……。

私は、ブランドルとの合作者でヴァーツラフ・ライネルの師であり、「ホルブボックス」とも署名していたミハル・ヴァーツラフ・ハルバックスの作品に興味をもっていました。けれども、偶然に発見したこの絵は天才的なものでした。人を撥ねつけると同時に引きつけ、何か嫌悪を催させるところと同時に魅惑するところがありました。恐怖を呼び起こす一方で人を虜にしました。それは絵というよりもむしろ謎であり、見通すことのできない秘密であると同時に、犯罪の赤い光に照らされた深淵でした。

このマドンナのかき乱すような危険な魅惑は、二世紀前に絵の上に固定された女が犯した何か恐ろしいことを物語っていました……。

私はずっとマドンナのことを考えて一晩じゅうまんじりともせずに、あの絵を買ってその謎を解き明かすように試みよう、私にはいつもブランドル自身よりも天才的な画家に思えていたあの底知れぬハルバックスの謎を解き明かそうと、もくろんでいました。ハルバックスには、何か混沌としたもの、何か旋風にかき乱されたようなものがありますが、彼はまた、偶然に発見したマドンナが証していたように、死や滅びの中から、燐光を発するような無類の恐怖の不協和音を取り出す力量もあったのです……。

数日間私は、謎めいた絵を再び見てその値段を訊きたいという欲望を抑えていました。永遠の岸辺で砂粒が風に舞い飛ぶように、時が去って行きました。私は昼間眠って、夜は目覚めたまま、小さな蛾やスズメ蛾を惹き寄せる虫取り花やツェレウスの花が夜の闇の中に咲き出すように、私の夢が開いていくのを見ました。そして、ハルバックスの神秘的で不吉なマドンナに対する私の渇望は、そのようなスズメ蛾でした。私はその渇望に、ほとんど病みつかんばかりでした……。

私は、その絵をなんとしてでも買い取るために、カレル通りからメラントリフ通りへ抜ける横丁の古物屋の店を突然訪れました。しかし、絵はもう店にはありませんでした。

古物屋は、絵は二日前にどこかのやや年輩の男性が買っていったと、私に告げました。その人の名前は分からないし、買い手は値切らずにその場で金を払って持ち去ったということでした。私は頭に血が上りました。多分、怒りも爆発したのでしょう。よくは分かりません。私は、自分がすぐにマドンナを買って持ち帰らなかったことで、自分に対して腹を立てたのでしょう。また、古物屋が私に絵を押しつけないで、ほんの通りがかりの者に平気で売ってしまったことに対して、古物屋に腹を立てたのです。絵は、背信的な闇の中へと消えてしまいました。私は思いました。——あの絵を再び見出すことがあるだろうか？　まだ生きているうちにあの絵を見つけられるだろうか？

私はメラントリフ通りから走り出て、ムーステクを過ぎ、人込みの中で我に返りました。——無関心な群衆の流れの中で……。ウィンドーから発する赤青緑の光が私の目を射、通行人たちの叫び声や呼び声が私の耳を打ちました。世の中は騒がしくざわめいていましたが、私はそれを感じ取りませんでした。私はずっと、ハルバックスの謎めいたマドンナのことを考えていました。私は生者たちの間にあって死者のように、喋り騒ぐ者たちの間にあって啞のように歩いていました……。

私の友人で、公けのギャラリーのみならず個人のコレクションで知った絵もすべて分類してリストに書きつけている学芸員を、私は訪れました。彼は驚くべき記憶力の持ち主で、古いバロック美術に関することは何でも知っていました。

私は彼に、ハルバックスに興味があるのだが、ハルバックスにはどんな絵があり、それがどこのコレクションにあるか分かったら嬉しいのだが、と言いました。学芸員の友人は、「ハルバックス」というタイトルのついたカードの束を手に取って、ゆっくりと読みました。「ロスィッエ・ウ・フルヂミの礼拝堂にある最後の晩餐、旧市街の聖ミクラーシュ寺院にある聖バルボラ……、自画像……」

私は友人を遮りました。

「マドンナの絵は、どこかにあるかい？」

「カイェターン寺院のために描かれた、聖ヨゼフと聖母と並んだイエス……」

「いや、それじゃない。イエスを抱いたマドンナなんだ」

「ちょっと待て、ここの最後のところに、紛失した行方不明の絵のことが書いてある……。嬰児を抱いたマドンナ、最終保管場所エクレーシア・サンクティー・ヨハンニス・イン・ヴァドー、即ちザーブラドリーの聖ヨハネ教会、この廃寺の売却された絵の目録中に記載、それ以後行方不明」

「僕はその絵を発見したんだが、また消えてしまったんだ……」と私は叫びました。

友人は驚いて、どこでその絵を見たのか訊き、すぐにデータをリストに書き付けました。

そして、突然言いました。

「その絵が誰を描いたものか、知っているかい？　モデルになったのは、我が子を殺した母親なんだ。その母親の処刑の前に、ハルバックスは、殺人を犯した母親の肖像を描かせてくれるように頼んだんだ。そして許可を得て、その母親から、運命を逃れようとするかのように逆らっている子供を抱いたマドンナを制作したんだ。その絵は呪われた絵だという伝説がつきまとって、教会でも個人でも、その絵を買うものはなかった。それで家族の手に残った。その所有者となったのはハルバックスの息子のアルノシュトだが、彼は目がつぶれた。アダムが所有者になったが、気が立った馬に蹴り殺された。その息子のヨゼフ・ジェホシュの世代が受け継いだが、その所有者となった者はみな不幸に見舞われた。ハルバックスの孫たちは自殺して果てた。この家系の最後の人間で、ミハル・ヴァーツラフの曾孫にあたるペトル・ハルバックスは、その絵をザーブラドリーの聖ヨハネ教会に寄贈してその絵から逃れた。けれども、その絵は教会にさえも幸福をもたらさなかった。マドンナの寄贈から一年で教会は廃され、所蔵品は売却され、マドンナは今に至るまで明らかでない運命と共に、謎の放浪を始めたんだ。君が助かったことを喜べ。けれども、僕はその現在の所有者に関心がある。紛失したが発見され、今また行方不明になったマドンナのリストに、その所有者の名前を記載したいから……」

つまり、マドンナがザーブラドリーの聖ヨハネ教会にあったのは、一八世紀末なのです！　教会の所蔵品と共に、誰か分からない者に売られた後、次の一世紀間は一体どこにあったのでしょうか？

私は、教会があった場所に後に建てられた建物の壁に接合された、この教会の最後の名残であるアプスに興味を惹かれました。その恐怖の場所には、ありふれたアパートの建物も建てられていました。その敷地にはかつて、ザーブラドリーあるいはスメチシチェの古い聖ヨハネ教会の隣に住んでいた、プラハの異端審問官の中庭がありました。

　教会は、一八世紀末に売られて壊されるまで建っていました。残ったのはそのアプスだけです。けれども、今ではもう、そのアプスさえもありません。一八九六年に壊されて、その場所には趣味の悪い新しい建物が建っています。私の話の頃は、まだアプスが、教会の名残に接合して建てられた古い家と共にありました。


　アネンスケー広場とポシトフスカー通りの間のこの教会の名残には、私を絶えず惹きつけるものがありました。謎めいたマドンナは、かつてここを住処としていたのです。その陰惨さは、アプスを恐怖で満たしていたことでしょう。その恐怖は、このような場所から、たとえそこが変えられても、決して完全に消え去ることはありません。私の想像力が、地獄的な閃光を現出させました。我が子の殺人者である若い母親の命を奪うために、過去の闇の中できらめいた、この上なく悲劇的な斧の閃きを。

　もとはロマンス様式だったに違いない教会の名残の前に、私は夜半頃立っていました。通りからは、月明りに、半円形のアプスとロトンダが見えました。けれども、アプスがロトンダに付いている所には、ちょうどアプスが直方形の身廊に付いているかのように、直角の壁が立っていました。古い壁からは漆喰が剝げ落ち、アプスは小さな切り石に削られた白山（ビーラー・ホラ）の粘板岩で建てられているのが分かりました。

　私は、頑丈な枠をつけた、アプスのただ一つの狭いロマンス様式の窓を見ていました。月明りに、調和のとれたアーチ型の軒下が見分けられました。

突然、小窓が明るくなりました。恐らく、誰かそこに住んでいる者が目を覚まして、時計を見るなり、病人で薬に手を伸ばすなりしているのでしょう。

光は消えましたが、暫くしてまたつきました。誰かが蠟燭に火をつけて何かを捜しているように見えました。私は、近くに積んであった敷石の山の上に登って、小窓を見ました。

急に蠟燭がぱっと明るく燃えました。──そして、私は驚愕しました。アプスの壁にかけられたマドンナが、ハルバックスのマドンナが、私のマドンナが、見えたのです……。

それは二度目の出会いでした。蠟燭は消え、背信的な闇がマドンナを私から再び取り上げてしまいましたが、とにかくマドンナは見つかったのです。その所有者はアプスに住んでいるのです。私が絵を手に入れることは可能でしょう。というのも、貧民街の破壊された教会などに、よほどの変人でなければ、金持ちが住んでいるはずがないからです。

翌朝早く、私はザーブラドリーの教会のある小道へと急ぎました。人間の住処から激情と犯罪の巣窟に変わったような、住人たちの貧困に満ちた建物に入りました。

古びた階段を上ると、上のアプスには、金めっきと枠の職人の仕事場がありました。鍵のかかっていないドアを開けると、ぷーんと臭う木と膠の空気に包まれました。

金めっき職人は私を迎え入れました。私は枠に興味があるように装いながら、落ち着きなくマドンナを捜しました。ところが、見当らないのです。私は夜中に、幻影に欺かれたのではないでしょうか？

不安を抑えながら、私は訊きました。

「ここの窓際に、マドンナがかかっていなかったかい？　子供を抱いたマドンナが？」

職人は頷きました。

「昨日はまだありました。あっしが、こわれた枠を直してたんです」

「今どこにあるんだい？」

「持ち主が半時間ばかり前に持ち帰りました」

「誰の絵なんだ？」

「分かりませんな。今まであっしの所に修理を頼みに来たことのない、やや年輩の男の人があの絵を持って来たんです。一日で枠を直してくれって。その人は今朝早く来て、修理代を払い、急いで持って帰りましたよ」

「住所を残して行かなかったかい？」と私は既に絶望的に、空しく、うちのめされて尋ねました。

「いいえ。さっきも言いましたけど、お客はあっしの知らない人でした。一度も見たことのない。ともかく、値切りもせずに金を払ったんです。あっしにとってはそれが第一でして……」

正直に言うと、私はハルバックスのマドンナの持ち主を憎みました。心底憎みました。

あのマドンナは、私にとっては運命的な意味をもっていました。私はそれを手に入れたいと渇望しました。容赦のない残忍さが私を捉え、猛獣のような欲望が私の中に燃え上がりました。どんな犠牲を払ってでもあの絵を手に入れなければならない、たとえ血と死の犠牲であろうとも……。お分かりでしょう、私はあの絵をまだ手に入れていなかったにもかかわらず、既にあの絵は私に対して邪悪で運命的な作用を及ぼし始めたのです。ほとんど犯罪者の道へと、私を押しやったのです。

私は、灯りのついた窓とマドンナの絵を捜しながら、夕方と夜のプラハを歩き回りました。けれども、跡形もありませんでした。再び視野から消え去り、その危険な美、犯罪的な薔薇へと花咲いたその顔、その呪われた悲劇的な存在のすべては、未知の闇へと没してしまったのです……。私はボフニツェ（プラハの地区名）で病院の医局長をしている友人から手紙を受け取りました。私に来て欲しいと書いてありました。古い絵を購入したので、その絵についての私の意見を訊きたいというのです。

その手紙は私を興奮させました。なぜかは分かりませんが、友人が手に入れた絵はハルバックスのマドンナかもしれない、私のマドンナかもしれないと、予感しだしたのです。

すぐに私はボフニツェの友人を訪ねました。けれども、私はがっかりしました。その絵はどこかのバロックの画家の中程度の作品で、私には全く興味のない老人の肖像だったのです。

友人は私に、それがブランドルの作に見えないかと、しつこく訊きました。私はほとんど不機嫌になっていて、その推測を否定しました。けれども、その後で、友人の執拗さから逃れるために、肯定しました。

「ああ、これはブランドルかもしれない！」

そして、こう付け加えました。

「これがハルバックスでないかどうか、誰に分かるだろう!」

　そして私は皮肉な笑いを爆発させました。

「ハルバックス! ハルバックス!」と、医者の友人は、私のあとから繰り返しました。「それは僕たちの一番新しい患者が、絶えず繰り返している言葉だよ。そういう名前の画家がいるのかい?」

「もちろんだ」と私は友人に教えてやりました。「ミハル・ヴァーツラフ・ハルバックスはブランドルの僚友で、何枚かの絵はブランドルと合作もしたんだ。けれども、僕は、ハルバックスの名前を叫んでいる患者に興味がある。誰なんだい、それは?」

「独り者の変人なんだが、突然発狂して、いきり立ち、〈ハルバックス! ハルバックス!〉と叫びながら、嬰児を抱いたマドンナの絵をずたずたにしてしまったんだ。ナイフを振り回して周囲を威嚇するので、拘束衣を着せられてボフニツェまで連れて来られたんだ。今はだいぶ静かになったが、あの狂気は治療不可能だ。死ぬまでここにいるだろう。それも長くはあるまい……」

　私はふらふらしながら病院を出ました。悲劇は頂点に達したのです。謎のマドンナの最後の犠牲者は発狂しました。そして、マドンナは破壊されました。今肝心なのは、私自身が発狂しないようにすることでした。私は気を落ち着かせようとして、田舎の方へ行きました。私の内面は暫くは落ち着きを取り戻しましたが、その後再び内面の闘いが始まりました。頭の周りを狂気が渦巻いて、頭に深紅の帯を巻きつけました。私は何にも楽しまず、絶えず、謎めいた不吉な絵の支配下にありました。

人は誰でも狂気の片鱗をもっているもので、それは孤独の中で成長し、力を増していくのです。私は人々の中に飛び込んで、自分を忘れようと努めました。理由もなく笑ってみたり、意味もないことを言ってみたり、空虚な冗談を言ってみたりしました……。けれども、夜になって、永遠に人の住まないような、あるいはむしろ幻影だけが住むような家へ戻って来ると、私は自分自身を死の姿において見、机の代わりに棺台を見、鏡の代わりに口を開けた骸骨を見、絵の代わりに陰鬱に歪んだマスクを見ました。

昼間は自分自身から逃れていられましたが、夜が来ると、私の自我が幽霊たちの餌食になりました。私は幻どもを追い払おうと、突然灯りをつけたりしました。けれども、私が目の前の微かな光の流れの中に見たのは、蒼白な死の化粧を帯びた、首を切られた頭部でした。

マドンナは——ザーブラドリーの聖ヨハネ教会の不吉なマドンナは、相変わらず私に作用し続けていたのです。

オルガンの音が聞こえます。灯りに照らされた、教会の入口が見えます。中へ入ります。教会の中は人で一杯です。人々はクリスマスの歌をうたっています……。「主キリストは生まれたまえり……」司祭が夜半のミサを執り行なっていて、その法衣の黄金が灯をともしたように輝いています。今や聖変化の時です。司祭は跪き、鐘が鳴ります。みな深く頭を垂れ、床の敷石に頭をつけんばかりにしている者もいます……。

私は祭壇の絵を見ます。その下で蠟燭が燃えているにもかかわらず、そこは全くの闇で、金の枠だけが光っています。けれども、絵の中は闇ばかりです……。

突然、闇の中から何かが現れ出ました。人の姿か、見知らぬ顔か、死んだ記憶か、亡霊か……。いいえ、そこには女がいました。——今まで闇の中に隠れていた女が……。けれども、今や、まるで薔薇が花咲くように、まるで燃えるような花が真っ黒な土から咲き出でるように、闇の中から姿を現してきます。それはあの女でした。二世紀前に首を切られた、その美しさと不幸によって危険な女でした……。

なぜ、我が子を殺したのでしょう？　……なぜ、彼の子供を殺したのでしょう？　子供は生きてはならず、抹殺されなければならなかった。どういう事情で、そういうことになったのでしょう？　子供の両親は、どんな恋人どうしだったのでしょう？　悲劇的な恋人たちは、いかなる愛をもって愛し合ったのでしょう？　——運命が、結婚の床(とこ)の代わりに墓を用意するとは。二人の接吻の陰で悪魔が獲物を見、断頭台からまっしぐらに地獄の深淵へと落ちていく首を見て笑っていたとは……。

それは、実に美しい女でした。死の前にハルバックスのマドンナに姿を変え、二世紀を経てもいまだに自分の姿から蠱惑的な恐怖を吐き出し、自分の瞳から黒い鏡の表面で凍りついたような恐怖を人に吹き込むその女は……。

みなさん、これが私の悲しくも残酷な物語でした……。私は夢から覚め、学芸員の友人に手紙を書いて、ミハル・ヴァーツラフ・ハルバックスの行方不明の絵のリストのマドンナの所へ、次のように書き加えるように言ってやりました。——「狂人によって切り裂かれ、破壊された」と。

私はその後も長い間、すべての所有者に不幸と恐怖をもたらしたあの絵の魔力から、なかなか逃れられませんでした。そして今でも、かつてザーブラドリーの聖ヨハネ教会が立っていた場所を通るたびに、私の目には見えるのです。――教会のアプスと、アプスの狭い小窓と、小窓の向こうには、地獄の深淵から直接ほとばしり出たような深紅の光のすじに照らされた、ハルバックスの不吉なマドンナが……。

（石川達夫訳）

生まれそこなった命

クリセオヴァー

◆エダ・クリセオヴァー

Eda Kriseová 1940-

建築家を父とし、彫刻家を母として、プラハに生まれる。カレル大学卒業後、ルポライターとなるが、チェコ事件の後に一切の発表を禁じられる。小説を書き始めるが、チェコ国内では作家として認知されず、国外の出版社で作品を発表する。「ビロード革命」の後は、ハヴェル大統領の顧問を務めた。一九六六年にフチーク賞、七九年にホストフスキー賞を受賞。ルポに『私と日本』(六八)、短編小説集に『御者の十字路』(七九)(ホストフスキー賞)、長編小説に『ロジュムベルクのペルフタ、あるいは白い婦人』(七八)、児童文学に『山のテレスカとマイダ』(八八)、伝記に『ハヴェル伝』(九一)などがある。「生まれそこなった命」は、短編集『樹木園』(八八)の中の一編。

真っ暗な家の中に、男の人と女の人が入って来るのが見える。男の人の方が先に立って、闇の中に手を伸ばして歩きながら壁を探り、スイッチを見つけようとしている。ようやく見つけてスイッチをひねるけれども、真っ暗なままだ。配電盤とメイン・ブレーカーを見つけ出さなければならないんだ。それはあの男の人の、この家での最初の仕事だけれども、それで終わりじゃない。

漆喰が爪にくいこんで、男は怪我でもしたようにチッと言う。

「どうしたの?」と、敷居の上に立っているエヴァが尋ねる。エヴァという名は、アンナ、ヤナ、ハナという名と同様、十字架にかけられた名だ。しかし、エヴァは何か快いものを期待している。というのも、まだ子供じみた夢を捨てていないからだ。その夢の一つが、心地よい山小屋だ。そこでは暖炉の火が燃えて、愛する人と一緒にいる。黄色い光は、遠目には目的地の印象を呼び起こす。そして、その目的地の中に二人はいるのだ。あなたと私が。ただ、ここは寒くて暗い。ここは、黴と、ぼろ雑巾と、朽ちた材木の臭いがし、更に、何か得体の知れないもの、恐らくは危険なものの臭いがする。マルチンがどこか闇の中で戸を開けると、氷のような気流が若い女の濡れたスラックスをはためかせて、布地を太股に貼りつかせ、悪臭をすべて運び去る。女は金髪で、両目の間が広く、頬骨が突き出ている。体つきも骨張っていて、骨盤が広い。だが、内面的には鹿のように驚きやすく、中国の皿のように脆く、人生を嘆きがちだ。今、彼女はマルチンにしがみつきたくて、手探りで彼のあとを追っていくが、蜘蛛の巣を摑んでしまい、嫌悪に身震いする。後戻りして、入口の戸をばたんと閉める。

二人は僕の罠の中だ。もう少し迷わせておこう。

ようやく灯りをつけると、廊下が見えた。それはL字型に曲がっていて、その端には、山小屋を北風から守る玄関の間があった。

天井には電球のついたコードが下がり、剝げた壁に沿ってありとあらゆる方向に蜘蛛の巣が走っていた。家は眠っている。ここではあらゆる物が冷たくなって、冬の爬虫類のように眠っているが、また毒を蓄えてもいる。

彼女は自分の影が、家の内部に通じるドアの前に立っているのを見るが、その影は彼女自身よりも力強く勇敢に見えた。彼女は自分の内から勇気を振り絞ってドアを開けた。ドアの向こうは、鼠と、固まった干し草と、湿った藁の臭いがした。そしてまた、あの、何やら得体の知れない、鼻を刺す、やや甘い臭いが。

彼女は手探りで側柱の陰にスイッチを見つけた。その部屋は正方形で、黒っぽい色に塗られた角材と白い羽目板でできていた。天井は黒い木でできていたが、それはほとんど見えなかった。というのも、天井の至る所にビニールの天蓋が吊してあったからだ。それぞれの天蓋の垂れ下がった所には紐が吊してあり、紐の端には木切れで重しをして、それが洗面器やバケツの中に置いてある。部屋の中央に灯りが黄色い円を描き、そこにビリヤード台があって、その緑のフェルトの上には、白球が三つと赤球が一つ光っている。

彼女はビリヤード台に近づいて、赤球を手に取った。それは冷たかったが、それでも血を思い起こさせた。掌で暫く球を握り、それからそれが三つの白骨の球に当たるように、ゆるく投げた。かちんという音がして、散り散りになり、それぞれが別の側壁にぶつかったが、血と骨はまた互いに戻って来た。まん中に集まって、死に絶えた。

彼女がもう一つのドアを開けてみると、その向こうは漆喰を塗っていない新しい壁だった。煉瓦から、モルタルの固まりが石筍のように垂れていた。そのドアはかつて、恐らく、入ってはならない場所に通じていたのだろう。ビリヤード台の方に戻り、身近な、理解できる物としてそこに凭れたが、すぐに離れた。まさにビリヤード台こそ、ここで一番奇妙なものではないか？

彼女は廊下に戻った。薪置き場とおぼしき方から何かうなるような音が聞こえたが、そちらには行かない方がよかった。最後のドアを開けた。ドアの向こうの部屋は、大きさと種類によって並べ分けられた空き缶で一杯だった。端の方のいくつかの缶には、まだ、むしり取られたラベルの汚らしい残骸が残っていた。汁漬けの牛肉やソーセージ——ここに住んでいた者は、恐らく缶詰しか食べなかったのだろう。だが、それはもうずいぶん昔のことだ。ここもまた空気が悪かったが、それは恐らく、この家の中では時間が止まっているせいだろう。家の中の時間というものは、人が立ち去る瞬間に止まってしまうのかもしれない。それとも、家は、人間とは関係なく、家自身がその中で生きている自らの時間をもっているのだろうか?

僕は女の人をじっと見る。初め家に入ってきた時よりも、もっと気に入った。思ったよりも、もっとふんわりしていて柔らかそうだ。気が弱くて優しそうだ。

マルチンは腕に薪を抱えて入って来た。暖炉の方へ身を屈めて、からの灰受を引き出した。暖炉の脇には、森用の靴が積んであった。洋服掛けには、森用の服がかかっていた。彼女は靴を取って、火がつかないように一メートルほど遠ざけた。それから、マルチンの背中を見た。その背中は、脊柱に力強い筋肉がある鳥の翼のようで、中央には、セーターの上からでも河床のように見える窪みがあった。彼は背中が一番美しかった。それから、長くてまっすぐな足だ。

彼女は彼に近づいてしゃがみ、彼の背中を撫でた。なんだかんだといっても、目的地の印象を呼び起こす黄色い光のともった山小屋。そして、二人一緒。一体何が足りないっていうの? マルチンはマッチを擦り、薪の山の下に火を熾(おこ)す。その瞬間に、あらゆる隙間から、青くていかにも有害そうな煙がもうもうと出て来る。

エヴァは逃げ、廊下に通じるドアを開けると、白い人影が部屋の中に入って来る。それは、彼女の周りにひんやりとした冷気を流し、薔薇に付く朝露のように彼女の顔を濡らし、マルチンがタオルで青い煙を追い払っている部屋の中を漂う。人影は彼の背後から近づいていくので、エヴァはマルチンが心配になる。気をつけてと叫ぼうとしたが、幸いにも、有害な煙が白い人影を周りじゅうから取り囲む。煙がやっつけてくれるだろう——白い人影は更に緑のビリヤード台の上の球だけを濡らしてから、消える。

　マルチンは暖炉のそばに膝をついて、火に風を送る。

「あなたの家は、ずっとセントラル・ヒーティングだった？」

「黙って見ていろ」

「レバーを全部試してみた？」

「ああ。そして、家はセントラル・ヒーティングだったよ」

　暖炉は再びぱっと燃え上がり、マルチンは跳び退いて、暖炉を敵(かたき)のように睨みつけた。冬の眠りから目を覚ました太った蠅が、煙の中を馬鹿みたいに飛び回った。闘い、ガス……。彼女は口を閉じ、息をしないようにしてまたドアの方へ走り、それを開けた。ドアの陰に白い人影がいた。それは前かがみになってすっと中に入って来たが、足は床についていなかった。仄光りを発し、ひっそりと静かで、いかにも危険そうだった。エヴァは思いきりドアを閉めた。

「何やってんだ？」

「だって、恐いんだもの」

「何が？」

「白い人影よ」

「何だって？」

「私がドアを開けると、入って来るのよ。最初あなたの背後にいたわ」

彼は小さな開き戸を開けて、二人で中を覗いた。美しいものも、またしかるべからざるものも、二人を待ってはいなかった。二人はそれを確かめた。

彼女は彼の首に手を回して、彼の背中に胸を押し付けた。

僕は二人を見て、嬉しくなる。今度は男の人が女の人にキスするだろう。そのあとはもう、キスの雨だ。


彼は彼女を振りほどいた。

エヴァは、自分が夜用の薄いシャツを着ていることを思い出して、笑いだした。

「いいかげんに私をその暖炉のそばに行かせてよ！」

彼はそれに応えず、拳を握りしめて、まるで暖炉が守るべき要塞であるかのように、暖炉の方へあとじさりをしていった。

「家はセントラル・ヒーティングだった」と彼は言った。「そして、僕はまともなことなんか一度もしたためしがない。僕はいつも家に座って本を読んでいたんだ」

「とにかく、あたしをそっちへ行かせてよ」と彼女は頼んだ。「私が小さかった頃……」

「もうその頃から君は全部知っていたんだ」

「やめてよ」

エヴァはむっとする。梁の後ろに隠れている僕はやきもきする。もしも喧嘩になってそのまま仲直りしなかったら、どうしよう？　二人とも腹を立てたままここから出て行ってしまったら、どうしよう？

けれども、彼女は、絵が描いてある櫃から羽根布団を引き出し、それを部屋の隅のベッドへもって行く。羽根布団は手にひんやりするが、それでも彼女は濡れたジャンパーを脱ぎ、靴を脱ぐ。そして羽根布団の下にもぐり込むが、布団皮の中で羽根が固まって冷たい塊りになっているのに気づく。彼女は羽根を端から端へと動かし、それからそれをつかんで、お腹の上に持って来る。しかし、お腹がひんやりするので、胸の上に置く。そこでは、もっと暖かさが涌いて来るように思える。マルチンはどこか外に出ており、暖炉は今やクリスマスの薫香蠟燭のように優しくくすぶっている。

僕は煙を吸って、朦朧となる。もしも僕がこんなに無力でなかったなら、待つように運命づけられていなかったなら。僕の手はうなだれている。それはつまり手がなく、息がないということだ。

エヴァはベッドに横たわって、死番虫が家をカリカリとかじる中で、時が加速度的に刻まれていくのを聞く。死番虫は家を食べ、食べ尽くしてしまうまでやめない。しかし、そうなる前に、何かが落着しなければならない。エヴァはそれを感じている。彼女は緊張を感じ取り、こう思う。——ここで誰かが何かを待っている。誰かが何かをあまりにも強く望んでいる、その期待が私の体を震わせるほどに。

エヴァは壁の方を向き、漆喰をじっと見つめる。目の前が白く空虚であって欲しいと思うが、漆喰には、ここを壁や天井に沿って歩くのかもしれない何かの獣の足跡がついている。

その間にマルチンが灯油を注いだ暖炉は狂ったように燃えさかり、もう熱を放射している。マルチンは今、その周りで感謝の踊りを踊っている。

「こっちへ来て」とエヴァの声が頼む。

男は今、女が彼を呼ばなければ、ビリヤードのキューを手にしただろう。彼は足首を上下に動かしながら、暫く立っている。そして、片隅に座り込んで自分の獲物のように彼を注視しているエヴァを見る。死番虫もかじるのをやめて、罠がかちんと鳴るのを待ち受けている。あるいは、逃げてしまうのを。

エヴァは罠だ、マルチンはそれを知っている。彼女はいつも彼と一緒にいたがり、彼が離れようとすると泣く。女というものはなぜ、どんな仕事にでも、すべてを忘れてしまうほどに打ち込めないのか、マルチンには分からない。女たちは、いつか来るはずの何か美しいものを絶えず待ち受け、それが完全で完結しているように願う。私とあなた、あなたと私。小さな山小屋で。エヴァは、一枚の木の葉の中には一本の木全体があり、いとしい人の中にはすべての人間がいると、いまだに信じ続けている。空想を捨てたがらず、マルチンが、どんなことでも陳腐になってしまうさと言うと、空想を弁護する。彼女はもう長い間子供を欲しがっているが、彼の方は作りたがらない。

今、彼は向こうのビリヤード台の所に立って、もうゲームを始めている。彼にはいつもどこかに始めたゲームがある、とエヴァは苦々しく思う。けれど、私には何もない。彼以外には。

灯りが頭上から彼を照らしていて、彼は聖者のように見えてもよかった。けれども、彼には平安の代わりに警戒がある。なぜ彼はいつもあんなに警戒しているのだろう。

「こっちへ来て」とエヴァが頼む。というのも、彼女の腕の中に入ればマルチンは笑い、馬鹿なことをたくさん言って、再び罪のない、片輪でない男に戻ることを、彼女は知っているからだ。彼は幸福になるだろう。

「こっちへ来て」とエヴァは繰り返し、自分自身の恐怖と、彼女が納得できずに恐れているものすべてを追い払いたいと思う。


　僕はもどかしさに震える。僕には、生きるために肉と骨が必要なんだ。僕は、ようやく手に入れられるかもしれない自分の目で見る。女の人は、もう何年も、子供を作る寝床の用意をしてきたけれど、男の人はいつも反対している。体の方は欲しがるのかもしれないけれど、頭が体を見張っていて、いつも間に合うように邪魔するんだ。あの男の人は鉄の意志を持っていて、決して間違いを犯さない。けれども、ここでは僕が支配者だ。僕は自分自身を求める生の希求だ。だから勝つのは僕の方なんだ。僕は肉と骨を頼み取るか、さもなければ策略で胎内に入り込んでそこに巣を作るんだ。

マルチンはエヴァに寄り添ってベッドに座り、彼女の頭を両方の掌で包む。

「僕のおつむさん、ごめんよ」と彼が言う。

「何がごめんなの?」

「君をこんなあばら屋に連れて来てしまったこと」

「あなたと一緒なら、私はどこでもいいの」

「かわいい子」と、マルチンは、彼女の父親が話していたような深い声で言う。「君は幽霊が恐いかい?」

「私は死というものが恐いわ。たぶん、それを忘れるために子供が欲しいんだわ」

「君には仕事があるじゃないか」

「もうずっと前から言いたかったの」

「何を?」

「子供のこと」

彼女の腕の中でマルチンの背中が硬直するのが感じられた。今、恐らく彼の頭の中ではコンピューターのスイッチが入って、最良の答えを捜し、分類しているのだ。

突然、エヴァはトントンという音を聞きつける。彼女はマルチンを押しのけ、肘をついて身を起こし、耳を澄ます。

「どうした?」

「誰かがノックしている」

「こんな所に誰が来るって言うんだ?」

エヴァは、それが単なるそら耳だったかもしれないとも思う。彼女は絶えず何かを聞きつけているのだ。この家には得体の知れない命が満ちている。まるで、ここには別の時間があるかのようだ。あるいは、別の尺度があるかのようだ。彼女には時々、例えば我々と平行して別の時間の中に古代バビロニアやエジプトの人々が生きているなどという考えが浮かぶ。我々はこの惑星が生きている長い長い時間のうちのどの千年にも、あるいはどの百年にも生まれることができるのだという考えが浮かぶ。それは前だけでなく後ろにも進む。なぜなら、過去に存在したものはすべて現在にも未来にも存在し、一瞬の中に同時にすべてが存在しなければならないからだ。

トントンという音がした。今度はマルチンも聞きつけた。

彼はベッドから跳び降り、暖炉のそばにあった斧を右手に取った。彼の影は、床と壁の境と、壁と天井の境で二重に折れ、暖気に揺れたり膨らんだりするビニール袋の上で大きくなる。

ドアが少し開いて、その隙間からぬっと老人の頭が出た。顔は細長くて上下に尖っており、頭は坊さんのように髪の毛がなく、赤ら顔で、くちばしのような鼻をしていた。長いこと中を見ているが、何も言わない。まるで鶏舎を覗き込んで、肥えた鶏を選んでいるテンのようだ。

「こんばんわ」と、老人は中に入りもせずに、恐る恐る言った。「わしはただ、ここに誰がいるのか、ちょっと見に来ただけじゃ」

「どうぞ入って下さい」とマルチンが言った。

老人はドアの隙間から注意深く体を入れた。レインコートから水滴が床にしたたり落ちた。この時、天井もすっかり濡れていて、水滴が静かに紐を伝わって、用意された容器の中に注ぎ始めた。それは、紐が光り始めたことで分かった。

「わしは隣の者じゃ」と老人は言った。「名前は、ルージチカと言う」

老人は更に、時々ホシェクの手伝いをすると言った。五年前の春に妻が死んで、独りぼっちになり、淋しい。例えば今晩のように。窓から外を見ると、小さな谷間の向こうに灯りが見える。何をしているのか、何か必要なものはないか、元気かどうか、見に行こう、と自分に言う。

老人は咳をし始めた。あまり長く話しすぎたせいか、あるいは部屋の中が相変わらず煙っていたせいだろう。マルチンは斧を脇に置いて、言った。

「座って下さい」

エヴァは、前に自分が座った時のように、椅子の足が床にめりこんでしまうのではないかと思って、見る。しかし、老人はゆっくりと慇懃に椅子に腰掛け、そのまま座っている。老人は天井の方を見て、雨漏り対策の仕掛がうまく働いているかどうか、それがどんなに静かで単純か、目で追う。マルチンはその間、老人に、自分はホシェクの友達だと言って、自己紹介をする。それは老人の興味をひかないようだ。老人の顔は嘲笑するように縮まった。恐らく、この仕組みの息切れしやすさと乱雑さを意識したのだろう。

「雨漏りは落ちるままにすべきだったんじゃ」と老人は言った。「わしはホシェクにそのことを言ったんじゃが、奴は言うことを聴かず、今ではこのあばら屋も手がつけられんようになってしもうた。ホシェクの前にここに住んでいたポスピーシルも、独りぼっちじゃった。これは奴の山小屋で、親の遺産じゃ。わしの家内が死んで以来、わしらは二人きりじゃった。わしらは谷間に共有の井戸があるんじゃが、わしがいる時はポスピーシルは決して来んかった。きむずかしくて、変人じゃった」

マルチンが椅子に座ると、椅子の足が床にめりこんだ。老人は短く鋭い笑い声を立てた。

「腐ってるんじゃ。ここは何もかも腐ってる。わしは奴に言ったんじゃが、言うことを聴かんかった」

マルチンは椅子を床から引き出し、まるで自分のせいであるかのような済まなそうな顔をした。彼は、あらかじめよく考えて準備ができる前に何事かが自分に起こってしまわないように用心しているのだわ、とエヴァは思う。

「ポスピーシルは、決して誰とも話をせんかった」と老人は続けた。「奴のおとっつぁんとおっかさんも、やっぱりそうじゃった。自分たちだけで生きておった。ポスピーシルには誰も必要なかった。それが奴らの流儀だったんじゃ。そのせいで常軌を逸してしまうことになるまでは」

老人は話をやめて部屋を見回したが、彼の眼差しは何か目に見えないものの上にとどまった。あるいは、その死者たちを見ていたのかもしれない。エヴァは、老人が死者たちを呼び出さないようにと願った。死者たちもまた、彼を待っているだろうから。

梁の陰にいる僕は、じれったさに震える。昔話をいつまで続ける気だろう？　どんどん時間が経ち、熱が部屋に広がる。僕はもう汗をかいて、命のない冷たい真珠のように光る。僕はほとんど生きているんだ。ただ、僕が成長し熱すことのできる、命を産み出す心地よい闇の中に入り込むだけでいいんだ。

「彼はどうなったんですか？」

「奴は死んだまま、ここに何日も横たわっておった」

「わしがどんなふうに死ぬかは分からんが」と老人は手を振った。「ポスピーシルの死体はあまりにもひどく傷んでおったので、絨毯ごと運び出さなければならんかった。奴は、決して他人をここに入れんかった。ようやく郵便屋が、奴が家から一歩も出て来んと警察に届けたんじゃ。奴の両親も他人を中に入れないで、子供たちを学校にもやらんかった。両親が死んだ時、葬儀には誰一人来んかった。ポスピーシルが自分で両親の死体を手押し車に乗せて、上の墓地まで運んだんじゃ。死体は白い敷布にくるんで、棺桶さえ頼まんかった。奴は自分で墓穴を掘って、司祭も墓掘人夫もなしに埋めたんじゃ。墓地の壁ぎわに、野垂れ死んだ犬っころみてえに横たわって、そこには誰が眠っているかさえも書いておらん」

老人は口を閉ざした。この機会を利用するためにわざと話を引き延ばしているように、エヴァには思えた。老人は独りでいるのがいやなのだ。そして、男と女は二人だけでいるのが好きだということを、もうとっくの昔に忘れてしまっているのだ。

マルチンは話を続けるよう、老人に促した。マルチンは、誰にどんな吉凶が起こったかを聞くのが好きだった。

「そうして、兄と妹の二人だけがここに残されたんじゃ。二人は畑で働き、手押し車を押して森に薪を採りに行き、それ以外は姿を見せんかった。妹の方は恐らく自分の家でパンを焼いていたのじゃろう。というのも、買い出しにも出て来んかったからじゃ。あの時は今日みてえに雨が降っておった。わしはもう寝ようと思って横になっておった。すると急に、誰かがドアを力まかせに叩いて、〈ヴァーツラフ！〉と呼んだんじゃ」

「わしは、一体誰なのか見当もつかんかった。ふだんわしの所にやって来る者はなかったし、しかもそんな天気じゃ。わしが灯りをつけてドアを開けて見ると、髪も髭ももじゃもじゃの変わり者、ポスピーシルじゃった。奴は、拘束衣を着せられて精神病院に連れて行かれた森のバルシュカみてえに、狂ったような目をしていて、転んだらしく泥だらけじゃった。この辺りは粘土質の土ばかりで、雨が降ろうもんなら、濡れた石鹸みてえになっちまうんじゃ」

「〈すぐに来てくれ〉と奴は叫んだ。わしは、どうしたんだと訊いたが、奴は何も言おうとしないで、ただわしをせきたてるだけじゃった。奴はわしに自分を前に走らせた。わしら二人とも転んで、奴はわしの後ろで息が詰まったみてえにぜいぜい言っておった。泣きながら、早口で、〈早く、早く〉とひとつことばかり言っておった」

「そのベッドはそこにあったんじゃ」と言って、老人はエヴァが横になっている部屋の隅を指さした。「そして、そこにマジェナが横たわっておった。ベッドは血だらけで、部屋のまん中辺りまで血が流れておった。ポスピーシルはわしをベッドの方へ突きやって何か言ったが、わしの目に入ったのは血の海だけじゃった。マジェナは腹を出して、股を開いておった。わしが入って行くとすぐに手を上げて、足の間にあった何か血だらけのものを隠そうとした。近くに寄って見ると、それは赤子じゃった。へその緒の上で動いておったが、声は全く立てなかった。それはまるで皮を剝がれた兎のようで、ポスピーシルは、へその緒を切るようにと、わしの手に庖丁を押し込んだ」

部屋の中には太古からの静寂があり、その静寂の中で何かが待っていた。

血だらけの膝?

エヴァは、子供の頃した遊びを思い出す。――みんなで手をつなぎ、輪になって歩いて、罪深くこう呼んだのだった。〈時計が一時を打ったけれど、灯りはまだともっていた。……血だらけの膝がやって来るはずの夜中までは消えなかった〉当時彼女は、誰かの死を考えることさえ恐かった。そうすると、その人が本当に死んでしまうかもしれないと思ったのだ。毎晩彼女は、自分の好きな人みんなが生きていてくれるようにと、何時間もお祈りをした。彼女は、夜と、消灯後に周りじゅうから押し寄せて来るもの、もしかすると祈りによってはいつか防げなくなるかもしれないものを、追い払おうとした。あらゆる方向に開いている、果てしなく冷たい空間を。空間は年をとると共に小さくなり、縮まり、そして人はそれを肘で支えているうちに、とうとう小さい空間の中に取り残されるのだということを、その頃はまだ知らなかった。

当時、人生は永遠と一体だった。なぜなら、自分の前に人生はあまりにも多くあり、自分の後ろにはごくわずかしかなく、昼は長く夜は眠り切れないほどだったからだ。

　老人はその時、泥道を村まで走って行きながら、一番恐ろしいものはもう見てしまったと思ったのだが、実はまだだったのだそうだ。老人が医者を連れて戻って来た時、マジェナの体はまだ血だらけだったが、顔は拭いてあった。それはまるで誰かが布切れで、顔からは苦痛を、目からは色を、真っ白になるまで拭き取ったかのようだった。彼女はどこかあらぬ方を見ていた。あるいは、彼女が見ていた白い虚空が目に映り、それがあまりにも強く光ったので、一時間前にはまだ褐色だった髪をも白くしてしまったのかもしれない。

　子供は両足の間に横たわって、既に死んでいた。マジェナを病院に運び、死んだ男の子も運び出した。恐らく窒息死させてしまったのだろう。マジェナは病院から戻っては来たが、もう魂の抜け殻のようになってしまっていた。もしも魂というものが、我々が何かを目指したり、働いたり、愛したり、憎んだりするようにさせるものであるとすれば。

　老人は、彼女が家の周りをほっつき歩くのを、しばしば目にした。以前はいつも働いていたのに、今は木から木へと歩いて、樹皮を撫で、幹を抱き、再び腕に虚空を抱きながら穀物小屋へ行き、穀物小屋から納屋へと行くのだった。ある時、井戸の所で彼女に出会ったが、水瓶はもっていなかった。もはや干からびた皮を張った骸骨同然で、老人の方を見やるけれども、その目はぼんやりして靄がかかったようだった。彼女が自分の生きている靄の中で一体何を見ていたのかは、誰にも分からない。更に痩せ衰えて、それからもう家に閉じ込もったきりになり、ついに老人は、ポスピーシルが彼女を敷布にくるんで手押し車に乗せて運んで行くのを見た。マジェナはあまりにも軽くなっていたので、ポスピーシルは丘の上まで駆け上がっていくようだった。あるいは、彼は墓地に向かう奇妙な駆け足で妹から逃れたいと思い、早く葬ってしまいたいと思ったのかもしれない。

それ以来、ポスピーシルは一睡もしなかったという。それが、自分の妹と夫婦になったことへの罰だったのだ。

老人は話を終えて、腕を組み、前かがみに頭を出した。

「じゃあ、そろそろおいとまするか」と老人は言った。

「まだいいじゃないですか」とマルチンは言った。「お茶でもどうですか?」

老人は立ち上がり、何度か足を踏みならしたが、床は落ちなかった。洋服掛けからレインコートを取って、首のところまでボタンを締め、端の反り返ったベレー帽をかぶった。そして、来た時と同じように去って行く。自分自身気が向かない限り、追い返すことも、引き留めることもできない。

マルチンは入口の戸を閉め、暖炉に薪を足した。風が西側の小窓に雨を叩きつけ、容器の中の水が増えてきた。エヴァが向き合っていた壁は、寒気と黴と湿気の臭いがし、今はそこから呪いさえもが漂ってきた。ひょっとすると、もう決してここから抜け出すことはできないかもしれない。道は雨で泥沼と化し、食べる物もなくなってしまうかもしれない。

マルチンは球を突いていた。球はコーンとぶつかっては、時々鈍い音と共に少し跳ねながら隅の穴の中に落ち、台の中でごろごろという暗い音を立てて転がった。

「君もやらない?」と彼は訊いたが、その声は遠く聞こえた。

「私、もうこんな所いや」

「やっと暖かくなったんじゃないか」

「だって、恐いんだもの」

「何が?」

「あの生まれて殺された命が」

「子供じみたことを言うなよ」

マルチンは台の端にキューを置き、彼女の方にやって来て、羽根の塊りの下に手を入れた。一方老人は夜の中を自分の小屋へとすべっていった。

「どうしてこんな所へ私を連れて来たの?」とエヴァは呟いた。

「ここが気に入ったんだ。前に一度来て、一晩じゅうビリヤードをやりながらグロッグを飲んだ」

「ホシェクはあなたに何も言わなかったの?」

「あいつは知らないのかもしれない」

「知ってるわよ」

「知ってるって、どうして分かるんだ? あるいは、あいつにはそんなことどうでもいいのかもしれない。君は交霊術の信者だからな」

「こっちへ来て」

マルチンは服を脱ぎながら、同じように服を脱ぐエヴァを見ていた。マルチンには一度言えばよかった。マルチンはこの世にあれ以上に素敵なものを知らなかったからだ。彼はまた、君と全細胞で結び付いているんだ、なぜなら、自然の恵み、神の恵みだから、とも言っていた。用心深さから信じたり信じなかったりする神に、彼女のことを感謝していた。

エヴァが裸になると、壁から漂って来る冷気が肌に触れた。自分の中の冷たいものが外の冷たいものと一緒になって、彼女は何もない空虚の中に落ちていった。寒さはいつも恐怖を伴う。恐くて、もう独りではいられなくなった。

「子供を作って」と彼女は頼んだ。なぜなら彼女は、誰よりもまず彼女を選び出した何かの存在の声を聞きつけたからだ。彼女よりも、またマルチンよりも強い何かがいた。彼ら二人が何者であるかはどうでもよかった。なぜなら、二人は何かより高い意志の単なる道具に過ぎず、エヴァはその声を聞いて、それに従おうとしたのだから。

汝の意のままに、とエヴァは何者かに答えた。それが誰なのか彼女は知らなかったし、それはどうでもよかった。

彼女の中ですべての準備が整い、高まり、積み重なって高い山になった。彼女はその険しい斜面を力の限り克服しようとした。蒼穹に聳えるその頂上で、彼女は男から子供を受け取るのだ。その男から、生はもちろんのこと、死を受け取ってもよいくらいだった。

「子供を作って」と彼女は再び頼み、彼を手で押えていようとしたが、抵抗が強すぎた。彼女が彼を離すと、彼はもう育つ用意のできていた彼女の平らなお腹の上に射出した。

どこか天井の辺りに、彼女は悲鳴を聞きつけた。それは、物言えぬ兎が耳のところを棒で打たれて目が血走る時に出す鳴き声に似ていた。そのあと体が暫く痙攣し、目がルビー色のガラスのようになるのだ。

彼女は泣いた。涙は温かかったが、体は孤独の中へと冷えていった。花開いた秋の薔薇が寒気の到来を予感した時のように、彼女は花びらを次々とたたんで、再び蕾へと押し戻した。

花びらは互いにくっついて、何か丈夫なものへと固まっていった。その中心には硬い芯があり、そこには、生き延びて待ちおおせるという最後の希望が秘められている。

「どうしたんだい?」と尋ねて、彼は彼女を撫で、接吻した。彼にはあの声が聞こえなかったんだわ、たとえ聞こえたとしてもそれを聴き入れずに、非在の中に放っておいたんだわ。再び男と女がやって来るまで、また何年も待たなければならないでしょう。けれども、その男と女があの声を聞きつけなかったとしたら? あるいは、そもそも全くやって来なかったとしたら?

「どうしてやってくれなかったの?」

「気が進まないからさ。僕自身が感じないものを、僕に望もうったって、無理だよ」

彼女は口を閉ざし、静寂に耳を傾けていた。もはや何かを待ち受けるものの気配はなく、期待も感じられなかった。万事休すだわ、と彼女は軽い頭痛と共に意識した。片手を挙げて、その手をじっと見た。

「君、震えているの?」

「私たち、ここに来るべきじゃなかったわ」

「君が死んだ人間を恐がるなんて、知らなかったよ」

「初めから、ここには何かが待ち伏せしていたのよ。それから、あのおじいさんでしょう。私たち、この家の呪いを解くべきだったのよ。もうひとたび事が起こった以上、ここに放っておくべきじゃないのよ」

「もう恐がらなくてもいいよ」と彼は言った。「僕がついてるじゃないか」

彼に告げるべきか、それとも、彼に希望を残しておくべきか？　自分の愛する人を裁くというのはなんと辛いことだろうか、真実を告げるのはなんと難しいことだろうか。彼女は母のように彼を腕に抱いた。子供の前でも、子供を驚かせないように、死を隠すではないか。なぜ、彼に言うべきなのか——あなたの内にある死が恐いのだと。なぜ、よりによって私が言わなければならないのだろう？

「君は僕の大切な人だ。いちばん親しい人だ」と、彼は寝言のように言って、寝入ってしまった。

部屋の中は暖かく、外の雨はやんでいた。死番虫はかじるのをやめ、止まった時間のもどかしさは流れ去った。もはや何かを待ち受けるものはなく、ここには死が支配しており、暖炉の扉だけが光って火の枠のように見えた。その向こうで、一度にすべてをひとしなみに焼いてしまう浄火が燃えていた。

彼は彼女の肩の上で眠り、額とこめかみに汗をかいていた。彼女は自分の体温で彼を暖めていたが、急に耐えがたくなって、もう横になったままではいられなくなった。男の重い頭を肩から下ろし、それを注意深く枕の上に載せた。それから立ち上がり、服を着て、部屋の中を歩き始めた。ベッドからドアまで六メートル、逆方向に六メートル、床が落ちないように軽く歩いた。毎回行くのに一五歩、帰るのに一五歩、そして毎回、緑のフェルトの上に初めと同じように四つの球が横たわっているビリヤード台の横を通る。メートルは朝までにキロメートルになり、それによって彼女は男から遠ざかって行った。男はもはや彼女に追いつくことはできない。たとえ分別をなくしたとしても、たとえ馬に乗った騎手になったとしても。——その蹄(ひづめ)は、彼女の空虚な体の中で、美しいけれどももはや過ぎ去ったトロットやギャロップのように、鳴りやみつつあった。

永遠は彼女の興味をひかず、もはや死も孤独も恐くはなかった。彼女を惹きつけたのは、自由な手と、自由で速い足だった。彼女は夜が明けそめるのを待った。外はまだ文目(あやめ)もわかぬ闇だったし、向こうの山道は、雨のあとで泥沼のようになっていたから。

（石川達夫訳）

出会い

シヴァントネル

◆フランチシェク・シヴァントネル
František Švantner 1912–50

スロヴァキア自然主義文学の代表的作家。ゾラ、ベルグソン、ポーなど西欧の自然主義文学の影響を受け、スロヴァキアの伝説や民話をモチーフにして、非合理で神秘的な雰囲気が漂うユニークな作品群を生み出した。代表作は短編小説集『マルカ』(一九四二)と長編小説『高原牧場の花嫁』(一九四六)。いずれも中部スロヴァキアの山岳地帯を舞台にして、不可思議な力を持つ自然と、その中で暮らす人びとの姿を、現実と幻想が交差する独特の筆致で描いている。訳出した「出会い」は、『マルカ』に収録された一編である。

その時わしは、夜番をしておった。

夜間警備と言ったほうが、わかりやすいかな。

つまりわしは、製材所で材木の見張り番をしている。もちろん夜だけの仕事で、製材所が作業をやめて、旦那がたは寝静まり、闇が盗人どもの足跡を覆いかくす時刻のことだ。簡単な仕事だが、わしには結構きつかった。歳をとっていた上に、戦場土産の義足にも悩まされている身だ。まあこんな仕事では、のんびりと座っていちゃならんし、ぼんやり突っ立っていてもだめ、だれかが安全な隠れ場所から、鵜の目鷹の目でひたすら隙を狙っているからな。朝になって、お小言やら取調べやら、なんやかやのもめ事にも会わずに、文無し退職も御免こうむって、まだ一片のパンにありつき、時には一杯ひっかけて、からだを温めたければ、駆けずりまわったり跳んだり、倉庫全体に端から端まで睨みをきかせ、隅という隅を順ぐりに覗きこみ、積み上げられた材木を、くまなく見てまわらねばならん。まるで透明人間と隠れんぼをしているようなものだ。同じところを百回でも見まわさなければな。ちょうど九十九回めに、たった今だれかがそこを、こっそり通り抜けた気配がするかもしれない。材木を杖でこんこん叩いてまわることも忘れちゃならんし、時にはピュッと口笛を吹いたり、大声を出したりして、フクロウみたいに遠くからも脅しつけてやらなければ。

夕暮れ時から明け方までこんな具合だ。

お尻にお仕置きの笞の跡をつけ、膝がしらを擦りむかせた半ズボン姿の腕白小僧や、二十歳の若い衆にとっちゃ、こんなことは面白半分だろうが、五十の坂を越した義足のおいぼれには大仕事で、終わったあとは、ぐったりとのびてしまう。

しかしその晩は駆けずりまわらなかった。そんな必要がなかった。朝方から冷気で氷が厚く張りつき、午後にはどっと雪が降り積もり、夕刻近くには風のやつが、ひりひりするテレビン油を擦りこまれた犬みたいに唸りだして、一晩中哀れっぽく鼻を鳴らしたあげく、粉雪をあたり一面に吹き散らした。こんな時にはオオカミでさえ、ふさふさした尻尾を後足のあいだに巻きこんで、腫れあがった舌で凍りついた樹皮を舐めまわすくらいだから、人間さまが戸口から鼻面を突き出すなど、とんでもない。だから気楽だった。小さな屋根の下の、風の来ない場所に火を焚いて、凍えた両手と生身のほうの足を暖めていた。こんな具合だったから、冷気がたえず脇の下に忍びこみ、夜が荒れ狂っていたけれども、まあまあだった。ちょうどザペカチカ・パイプ（おき火の上に置いて、火をつける粘土製のパイプ）を炭火の上に置いた時だった、その男が闇のなかから吐き出されてきた。

闇のなかから吐き出されたと言うのは、どこかから歩いてやって来たとは信じがたいからだ。真っ暗闇、雪の吹きだまり、荒れ狂う風、道のありかも定かではないし、どう考えても散歩する頃合じゃない。焚き火から二歩のところに来るまでは、男の姿に気がつかなかった。その時でさえ、血に飢えた野獣のようにぎらぎら光る大きな目で、やっとわかったのだ。

すぐそばまで来ると、挨拶らしい言葉をつぶやき、両手を炭火にかざして視線を伏せたので、目を覗きこむことはできなかった。奇妙な男だった。見覚えがなかった。冬物の外套をはおっていたが、息子でないとしたら、弟からのお下がりらしい。肩のあたりが窮屈そうで、袖も寸足らずだった。首のまわりには、まだら模様のズボン吊りかなにかを巻きつけていた。髪を覆っていた帽子は、わしらの村の娘たちのあいだで流行りだしていた代物だった。

こんな風体の男が、おまえさんたちの前に立ったら、鉄道工事労働者とでも言うかもしれないが、わしは、そいつの目が闇のなかでぎらりと光ったのを見たとたんに、違うなと思った。

前にも言ったが、男はわしの目の前に突っ立って、焚き火に両手をかざした。通路に立ったが、そこはちょうど、材木が盗まれていないかどうかを窺いたくなった時の、通り道だった。男はちょうどその場所に立ちふさがって、一言も口をきかなかった。わしは罠のなかに閉じこめられた恰好になった。後ろに身を翻して、屋根を倒すわけにはいかなかったし、左右には積み上げられた材木があった。いささかまずいことになった。それによく泣き面に蜂と言うが、あの時もそうだった。ついていないことに、片足が引きつった。ちょっと長く曲げていると、足に痙攣(けいれん)が走るのは毎度のことだが、伸ばしさえすれば良くなる。だがあの時は、足を動かすなんてもっての外。番人みたいに目の前に突っ立っている男が怖かった。足を伸ばしたりしたら、男はまったく違った風に、わしが逃げようとしているとでも考えて、一発であっさりお陀仏にされるかもしれないが、そうなったら、足が引きつるどころの話じゃない。だからわしは指一本動かさず、むしろ痛みに堪えるほうを選んだ。おまえさんたちは笑うだろうが、わしの身になったら、まったく笑いごとじゃあるまい。そんなことになったら、あの時のわしとまったく同じで、用もないのに鼻をぐずぐずいわせたり、咳払いやら空咳をしたにちがいないさ。

気詰まりな時には、咳をすると間が持てることがある。ほんの一瞬のことだったら、わしの場合もそうなっていたかもしれない。しかしあの時は、時間が経っても、わしの立場はいっこうに良くならなかった。男は押し黙ったまま、焚き火のそばに突っ立ち、風だけが哀れっぽく唸って、雪がときおり屋根から火の上に舞った。

もうこれ以上待つわけにはいかなかった。なによりも間の悪い引きつけのせいだ。もぞもぞとからだを動かして、きちんと片足を伸ばし、わしを責め苛んでいる男に猜疑心を抱かせないように、いそいで話しかけた。

「おまえさん、どちらから」

「イラヴァ（西部スロヴァキアの地方都市。監獄があることで有名）だ」――男はぼそりと答えた。

おれも耄碌したな、こんな男が、夜ばい帰りであるはずがないことは、わかりきっていたのに――わしは自分を罵って、喉がささくれだってしまうほど咳払いした。一度二度と咳を繰り返し、ほんとうはもっとしたかったのだが、そうもならずに、唾を吐き、鼻をかんだ。しかしそれも一、二度だけのことで、それ以上は続かなかった。わしは肺病やみじゃない。

「刑期があけたのかね」――怖がっているなどと思わせないように、わしは言葉を継いだ。

男はなにも答えないで、じっとわしの目を見据えていた。前にも言ったが、そいつの目は血に飢えた野獣のように光っていて、まともには見られなかった。素肌の上に炭火を置かれたみたいだった。そんな風に見つめられたので、わしは背を屈め、頭を垂れてしまい、できることなら子犬みたいに、そいつの両足にじゃれつきたいほどだった。それでもこちらを見るのをやめなかった。わしの鼻の上を見据えて、額に穴を穿っていた。穴を穿ったと言うのは誇張ではなくて、ほんとうにそう感じたんだ。きっとわしの考えを探りたかったのだろう。なにを思っていて、どういう腹なのか、なにか企んでいないかどうかを。この男は、刑期をしかるべく務めあげた並みの囚人ではなくて、脱獄囚なのかもしれない。憲兵たちに追われているので、隠れ家から姿を現せるのは夜だけなのだ。だが男が探りをいれたり見張ったりしても、無駄なことだった。わしの頭はからっぽで、ぼうっとしていて、これまでにないほど鈍っていた。

わしは明らかに怖じ気づいていた。背中を伝って腰まで、冷たいものが流れ落ちていた。溶けた雪が、帽子からシャツを通して、地肌に滲みてきたのかもしれなかったが、額と鼻の下に感じていたのと同じ、冷汗のしずくだったかもしれない。

信じてもらえるかどうかわからないが、わしはあの時、ヨーグルトのなかに落っこちたネズミみたいな心地がした。息はつまる、心臓はすぐ喉もとでドクドクいう、目も言うことをきいてくれずに、霞がかかったようで、死人のそれみたいに虚ろだった。血管に一滴でも血が通っていたかどうかは、なんとも言いかねる。そういうことは確かめがたい。なにしろ、わかってほしいのだが、夜のあいだ見張っているように言われた材木のことなど、もう問題じゃなかった。わしにとっては、材木がどうなろうといっこうに構わなかったし、製材所の旦那がたの身の上も、知ったことではなかった。あの瞬間に問題だったのは、このわし、オンドロ・ジエンカの運命だった。時は、空を飛ぶガチョウのように静かに過ぎて、オンドロ・ジエンカが、あとどれだけ焚き火のそばに座っているのか、あとどれだけ目の前に霞がかかっていて、喉もとに心臓の鼓動を聞いていられるか、いつ片足を振りあげて屋根の下にのびてしまうかを、じっと計っていた。朝になってオンドロ・ジエンカが、ひとりで足を引きずりながら家路をたどれるのか、それとも間に合わせの担架に乗せられて、四人の男に運び出されるのか、どちらかだった。こんな駆け引きを味わったら、八十になるのも待たずに、髪の毛があっというまに真っ白になってしまう。もっともわしには、もうその心配はなかった。戦争に行って以来、白髪だった。だが腰痛かなにかに見舞われるかもしれないが、そいつはご免こうむりたいものだ。

ええい、好きなようにしてくれ、あんたにとっちゃわしは、片足でぽんと蹴るだけでひっくり返ってしまう、おいぼれた切り株みたいなもんだろうが、とにかく一服やろうと思って、焚き火に置いたパイプのほうに手を伸ばした。きっともう頃合だったのだろう、いい匂いが、教会の手さげ香炉からのように、あたりに溢れ出ていた。でも口に運ぶのはやめた。手を伸ばしたとたんに窮余の一策が頭に閃いた。(頭というやつは、まったく思いがけない時に働いてくれるものだ。)

「一服やらんかね」と言って、上目づかいに男を窺ったが、読みがまんざらでもなかったことは歴然としていた。そいつの目は、前よりもいっそう光っていたが、もう血走った激情は失せて、大きな渇きのようなものが読み取れた。たっぷり塩のきいた肉料理を食べた後で、泉に口を浸している人間の渇きを思わせた。無言でパイプに手を伸ばした。くりかえすが、これは窮余の一策だった。パイプが夜の訪問者を、まったくの別人に変えてしまった。まず腰を下ろすと、ぼろ布を巻きつけた靴を火のほうに伸ばして、一服やったとたんに、にわかに饒舌になった。

わしはパンとあぶら身をちょっと持っていた。全部男にやった。気が変わって取り返されることを恐れるように、パイプを膝のあいだに押しこんでから、あぶら身とパンにかぶりついた。両方とも見るまにたいらげてしまった。雪の上にこぼれたパンのかけらも拾い集めた。それからゆっくりとパイプをくゆらした。きっと幸せで満ち足りた気分だったのだろう。思い当たる節があるだろうが、そんな時には、いつになく口が軽くなって、ひたすら心のなかに秘めてきた秘密も洩らしてしまうものだ。だからわしは急いでこの機会に乗じた。

「どうして監獄に？」

「それがわかっていたら」

「なんだって？」

「まったくね」

「だが何かあったにちがいない、理由がなければあんたを……」

「まあ、あったさ」

「それで？」

「信じてもらえまい。裁判の時もそうだったが。連中と同じで、あんたも私が殺したと思うだろう」

わしはなにも言わないで、ただもっと明るくなるように、木っ端を二、三片、火にくべた。もう男が黙りこまないことはわかっていた。思ったとおりだった。最初の炎が燃え上がると、すぐに話しはじめた。

二年前の話だが、私は結婚の準備をしていた。ちょうど三十五歳になったばかりだった。でも歳のせいで急いだんじゃない。その当時、かつての許嫁がアルゼンチンから戻ってきた。もう未亡人になっていた。夫のベラーニという仲買人は、私が兵役についているあいだに彼女を横取りして、いっしょに海の向こうに去ったのだが、そいつがあちらで死んだのだ。彼女はまだきれいだったし、裕福だった。煉瓦造りの家と畑と小金を持っていて、まあ、あれこれためらう理由はなかった。謝肉祭の日曜日に結婚するはずだった。私にとっては、どうでもいいことだった。一ヵ月近くもいっしょに寝ていた。しかし世間の口を封じておく必要があった。ある時彼女が、子供ができたみたいと囁いたからだ。

結婚式の一週間前に、酒場で友人たちに引きとめられた。初体験を祝っておごれ、というわけだ。そいつはもうとっくの昔に済ませたけれど、けちだなんて言われたくないから、さあ飲んでくれと言った。戸口をきしらせて入ってくる客には、みんなおごったが、大勢だった。そんな時にはだれもが嗅ぎつけて、タバコでも買いにくるふりをして、酒場に押し寄せてくるものだ。

十一時半頃だったか、酒場の主人に通りに追い出された。いささか酔っていて、ふらふらと家路をたどったが、でも千鳥足というほどじゃなかった。頭はしゃんとしていて、ただちょっと重かったが、眠気のせいもあったのだろう。彼女の家の前で立ち止まった。明かりが洩れていた。なんで夜中に明かりなんか、まさか産気づいたわけでもないだろう――そうつぶやいて、そのまま村の上手のほうへ行こうとした。私の家は上手のいちばん端にあった。独り住まいだった。親父もお袋も死んでいた。中庭に鎖につないだ犬が一匹いるだけで、そいつは毎晩、森に向かって吠えていた。しかし彼女の家の明かりが気になった。脇にそれて、そちらに近寄った。窓の下に立って、こんこんと叩いて呼んだ。――「アンナ、お腹でも痛いのか」――家のなかは静まり返っていた。戸口のほうに行って、ノックして叫んだ。――「アンチャ、開けろ、おれだよ」――答えはなかった。把手をつかむと、戸口はひとりでに開いた。鍵は掛かっていなかった。もうその時には頭のなかに、不吉な思いがつぎつぎと湧き起こり、恐ろしくざわめいていたので、暗い玄関口の間を横切った時には、じぶんの足音さえ聞こえないほどだった。私の思いは何事かを予感して、竜巻のなかの重苦しい黒雲のように荒れ狂っていた。

アンナは部屋のなかの椅子に座って、窓のほうを見つめていた。さきほど私が、その下に立った窓だ。変だな、声が聞こえなかったなんて。寝巻き姿だったところを見ると、ベッドに入る支度をしていたか、それともなにかで起き出してきたのだろう。むきだしの両手は、両脇にだらりと力なく垂れていた。

「アンナ、まだ起きているのか?」

彼女は答えず、身じろぎもしなかった。

そばに近寄って、両手で柔らかい肩をだき、まじまじと顔を見つめた。死んでいるんじゃないかという予感がしたからだ。

彼女の顔はやつれて表情がなく、まるで冷たい霜が降りているようだった。両目は見開かれて、じっと同じところを見据えていた。たぶん窓か壁のほうで、こちらではなかった。たしかに彼女の目で、生きていた。それはわかったが、大きく見開かれていて、生気がなかった。恐怖が浮かんでいた。それは目のなかだけでなく、顔の上にも霜のように宿り、からだにも、忌まわしい粘つくカビのように感じ取れた。恐怖の病原菌は、そこから私の指を、血を通して全身に拡がり、顔に宿って、私の目からもほとばしりはじめた。

揺すぶって呼んだ。

「アンナ、アンナ……」

両手をぴくりと動かし、ゆっくり頭を振って、なんとか喋ろうとするように、くちびるをいくどか震わせたが、目は動かなかった。

「アンチャ、いったいどうしたんだ」

「いたのよ」

「だれが」

「あの人が」

「だれがいたんだ、はっきり言ってくれ」

彼女はやっとのことで口を開いた。歯はガチガチ鳴り、くちびるは震えていたが、力いっぱい抑えた。はっきりと話したかったのだ。一言一言絞りだすように言った。ゆっくりと。小声だったが、はっきりと聞き取れた。よく理解できた。

「私の夫が……」

「なにを言うんだ、ばかな。おまえの夫が、おまえの夫が墓場から起きあがって、はるばるアメリカからやって来ただって。気は確かなのか、おい」

彼女のからだを梨の木みたいに揺さぶり、両肩をぎゅっと締めつけたので、私の手はきりきりと痛みだしたが、手応えはなかった。感じていない。なにを求められているのか、わかっていない。私が取り乱していることが、わからないのだ。目はもうこちらを向いていたが、なんの表情もなく、死人のような冷気と恐怖だけが立ちのぼっていた。腰のあたりをつかんで、投げ散らされた穀束のように持ち上げた。荒々しくからだをすり寄せた。ベッドを共にした時、私のからだを焦がした灼熱の熱気を、燃え上がらせてやりたかった。野獣のように、いつも私の力を圧倒していたあの凄まじい情熱をかき立てたかった。私の生気を注ぎこんでやりたかった。彼女の生気が乏しくなっていて、明け方の月のように衰えていることに気づいたからだ。でもすべては無駄だった。彼女のからだはカエルのように冷たく、引き下ろされた首吊り死体のように重たく、雨に打たれた墓のように萎んでべとついていた。気味が悪くなった。自分の心臓の規則的な鼓動が聞こえた。それで私がアンチャよりも、もっと恐怖に押しひしがれていることを知った。私の行為はすべて、自分を救うためだけのものだと気づいた。私の血も凍りつき、私も力を必要とし、私からも生気が失せつつあった。

むつきにくるまれた赤子同然だった。ちっぽけで、哀れで、無力だった。あとは泣き出すしかなかった。

「アニチカ、ぼくのアニチカ」――涙声で言った。――「なにもしない、なにもしたくないよ、君はぼくのものなんだから。自分の頭を撃ち抜いたほうがましだ。ぼくのアニチカ、ただすべてを、はっきりと、ゆっくり喋ってくれ。おとなしく君の話を聞くから」

彼女はわかってくれた。わからないはずがなかった。生きていて、こちらを見つめ、まばたきもせずに耳を傾けていたのだから。私がなにを求めているのか、どんなに懇願しているか、わかっていた。そこできちんと話しはじめ、ことばも選んだ。もうくちびるは震えず、歯も鳴らなかった。

「私の夫がここに来たの。マルティン・ベラーニが、十年前に一緒にアルゼンチンに渡ったあの人が。そこの窓際に立って、男が人妻とそうするように、私とことばを交わしたわ。それから、あんたともぜひ話をしたいと言って、家へ行った。行ってごらん、きっと会えるわ」

私は息をのんだ。彼女のせわしない口の動きを、目で追った。どこかで詰まるか、せめて口籠もるだろうと思った。そうなれば、彼女のことばを信じなくてもいい理由ができる。しかし彼女の口はいつになく滑らかに開き、苦労しながらも、きちんとことばを組立てた。こうしたことばはとても重要なので、慎重に扱わねばならないことを知っていたように、それが私のなかに永遠に刻みこまれることを確信しているように。

「行ってごらん」――彼女は言葉を継いだ。「あの人とは仲良く話してね。怒らせてはだめ、死人には優しくするものよ。よくわかっているでしょう、あの人は死んでいるの。前にも話したように。でも念のために、もう一度繰り返しておくわ。夫がどんな風に死んだか、まだ話していなかったから。私の夫のマルティン・ベラーニは、三年前にアメリカで死んだ。あの人が死んだのは、死ぬなんて思いもしなかった時、私のかたわらで眠っていて、きっと私の夢を見ていた、ちょうどその時だった。夫は私をとても愛していたから。でもそれはどうでもいいわ。かんじんなのは、夫が私の手にかかって死んだこと。あの人の喉をかき切ったの」

彼女は中途で口籠もった。もう言うべきことがなかった。もっと話すべきだったとでもいうのだろうか。その口は中途で口籠もったまま、切り裂かれた肉のようにみだらに開かれていた。その奥には傷口が、深い、おそらくは底なしの傷口が広がっていた。秋の夜のように暗く湿った傷口だった。両側には小さな乳色のふくらみが、沼地のカエルの喉のように、いちように脹らんでいた。これは証（あかし）だった。その傷口のあいだから、空色の腐った肺がアコーディオンのように脹らみ、心臓は引きつったように重苦しいリズムを打ち、血は沸き返って、大釜のなかで沸騰するタールのように煮えたぎり、胃が縮こまり、腸は壺のなかのミミズのように、のたうちまわっている証だった。私はこの現実をなんの嫌悪感もなく、ちょうど肉屋が、家畜の腹を切り裂く時のように、まったく当たり前のこととして意識した。ひとつひとつの内臓が蠢（うごめ）いているさまを、生々しく思い浮かべることができた。おそらくこの病的な妄想が私のなかに、以前は知らなかった野獣の本能を呼び覚ましたのだろう。生暖かい血を舐めてみたいという貪欲な衝動が、繰り返しこみあげてきた。こんな説明は、その後起こったことの理由としては、じゅうぶんでないかもしれないし、そのせいではなくて、恐怖のために正気を失っていたのかもしれない。はっきりとはわからない。理由はもっとあったかもしれない。だからことの顛末だけを話そう。私は唸り声をあげて、彼女の白い肩に噛みついた。すぐさま血が、歯のあいだを染み通って舌に達した。生暖かくて、甘味があった。温かい牛乳を思い出させる味だった。むかし母親が、乳を搾ったあと、桶からじかに飲ませてくれたあの味だ。きっとその思い出が、私をおとなしくさせたのだろう。アニチカの血が、牛乳の味に似ていたことが。私は力なく彼女のからだを押しのけて、外に走り出た。

前にも話したが、私は村はずれに住んでいた。アニチカの家から十五分ほどのところだった。でもあの時はそんなにかからなかった。あっというまに着いたような気がする。戸口はいつものように開いたままだった(戸口を閉めたことはない。犬がいて、私の許しなしには誰ひとり家のなかに通さない)。駆けこんで、ランプに火をともすと、ぎくりとした。あいつがいたのだ。部屋の隅に立っていて、まるでその時まで、そこに隠れていたような感じだった。鼻のかたちですぐにわかった。マルティン・ベラーニの鼻は、いつも片側からだけ拭っていたみたいに、ちょっと左に歪んでいた。きちんと黒服を着こんでいた。白絹のマフラーを巻いていたので、喉は見えなかった。いつものように真面目な顔つきだった。ときどき片目をまたたかせていたが、それはたしか癖のはずだった。視線が合うと、すぐに話しはじめた。

「パリョ、おれの女房にちょっかいを出すな」

押し殺した声だった。そもそも声などではなくて、鼻にかかり、嗄れて、枯れ葉が風に舞ったり、すきま風が岩の割れめを吹き抜ける時の、かさこそいう音にすぎなかった。

「アンナはぼくの正式の妻だ。祭壇の前で貞節を誓いあった。もう一緒に暮らしたし、運が悪くなければ、子供もできるかもしれない」

あいつは泣き出しそうに口を歪めた。他人なら気の毒に思ったかもしれないが、私には屁でもなかった。部屋の隅に立っているのを見た時には、喉がぐっと詰まって、全身がこわばり、指一本動かすことができなかったが、話しかけてきて、忌まわしい囁き声を耳にすると、飛びかかっていって、泣き面に二、三発、お見舞いしたくて堪らなくなった。でも死人を相手にしていることを思い出して、そんな乱暴は思い止まった。

「無駄足を踏んだな、マルティンコ」――私は気を静めながら言った。――「一ヵ月前だったら、折り合いがついたかもしれないが、今となっては…… なあ、マルティンコ、ぼくはもう一ヵ月も、君の妻と一緒に寝ている。それにわかるだろう、君にだって覚えがあるはずだ……。まあ子供の名付け親でも紹介してくれたら、感謝するさ」

私はおだやかに、できるだけ慇懃に話した。満足していいはずだった。だがあのならず者はそうではなかった。私がなにか一言いうたびに、石でも投げつけられたみたいに気分を害した。酸っぱいキャベツを食べたように顔をしかめ、目をむき、顔面蒼白になり、しまいには炎にかざされた紙のように、顔色を黄ばませた。もう一言も言わなかった。大臣みたいに恭しく頭を下げると、ほとんど音も立てずに戸口のほうにすさった。そこで立ち止まると、またお辞儀をして（にやりとしたようにも思う。私がそう思うだけの話だが）、それから闇のなかに消えた。犬が飛びかかって、あいつが悲鳴をあげて助けを呼ぶのを待った。待ちながら、助けになぞ行ってやるものか、と意地悪く心に決めさえした。しかしいくら待っても無駄だった。犬は吠えださず、人間どもがぶらつく時刻によくそうするように、唸り声も立てなかった。静寂があたり一面に広がっていた。そこにいないみたいに、犬が吠えないのが訝しかった。すぐにその謎を解きたかった。

ランプを取って、中庭に走り出た。口笛を吹き、名前を叫んだが、答えはなく、鎖さえいつものようにジャラジャラと鳴らなかった。門のほうに二、三歩あゆむと、そこに首をのばして横たわっていた。舌を鼻面から突き出して、目は血走っていた。死んでいた。絞め殺されたのだ。恐ろしい死にざまだった。力ある手の仕業だった。私は恐怖のあまり目を大きく見開いて、部屋に戻った。朝方まで目を閉じることができなかった。その日の朝、アンナが血塗れ(ちまみれ)の姿で発見された。

夜の訪問者は、話を終えて黙りこんだ。話しているあいだに吸い終わったパイプから、灰を叩き落としはじめた。

いろいろわからないことがあったが、訊ねるのは憚られた。黙っているのも気詰まりなので、口を開いた。

「それであんたを?」

「そうだ……」

それからわしらは、ずいぶん長いあいだ黙ったまま座っていた。男はあいかわらずパイプを叩いては灰を落とし、わしのほうはじっと義足を見つめていた。なんて不格好で、不細工で、下手くそな代物なんだろう。太めの切り株を、膝にくっつけたような案配だ。どうして、もっとましなものを作れないんだろう、削ったり切ったりして、もっと本物そっくりにできないものか。しげしげと義足を眺めては、どうあるべきかを思案しはじめた。これまで考えたこともなかったが、あの時はそれがとても大事だった。すくなくともそう思えた。そのことで頭がいっぱいになった。

でもしばらくすると、すべては風で吹き散らされた。ふたたび訪問者に目を向けた。

「裁判の時に話したらよかったのに」

「話したさ」

「それで」

「信じてもらえなかった。降り積もった新雪のうえに、私の足跡が見つかった」

男はどうでもよさそうに言いながら、パイプを間近から眺め、きれいに灰を叩き落とし、ほじくり出したかどうかを確かめていた。

わしは呪縛から逃れるように、この男から視線を引きはがした。せかせかと炭火を掻きあつめだした。火のことを忘れていたのだ。消えかけていた。あたりは暗く、突風が吹きこむたびに、残り火だけが赤く燃えていた。わざと仕事を引きのばした。ほかにすることもなかったし、かといって男を見るのは怖かった。訊ねたくて舌がむずむずしていた。おそろしくむずむずしていた。結末が気になっていた。そんなはずはなかった。そんな結末なんてあるものか。視線を合わせなくてもいいように、仕事をしながら訊ねた。

「どうやって彼女を？　やはり庖丁で喉を？」

男は答えなかった。これ見よがしにパイプを炭火のほうに放り出すと、立ち去った。

男は夜の闇に飲みこまれた。

夜の闇に飲みこまれたと言うのは、上手へ行ったのか、それとも下手だったか、なんとも言えないからだ。


（長與進訳）

静寂

レンチョ

◆ヤーン・レンチョ

Ján Lenčo 1933-2012

中部スロヴァキア出身の散文作家。ブラチスラヴァのコメンスキー大学を卒業後、故郷のジリナで中学校教師、映画館の館長などを務めつつ執筆活動に入る。短編集『海底への旅』(一九六六)でデビューし、歴史小説や現代風刺小説をはじめとする幅広いジャンルの作品をコンスタントに発表している。最近作は、歴史小説『王たちのあいだの女』(一九八五)と自伝的長編小説『ほほえみ映画館での年々』(一九八七)。訳出した「静寂」は、短編集『ヴィーナスの像』(一九八八)からとった。

静寂は人間に似ている。生きているのもあれば、死んだのもある。これまではそれがわからなかった。今やっと、はじめて気がついた。この奇妙な、ふだんとは違った朝のことだ。彼を包みこんでいた静寂は、これまでとはまったく違っていた。

それは、彼が探し求めていた静寂ではなかった。あんなに憧れて、そのために大都会の喧騒からここに逃れてきた静寂でなかった。これまで心を癒してくれていたあの静寂ではなかった。違ったたちの静寂だった。死の静寂だった。

気配を感じたのは、今朝起きてすぐのことだった。山小屋の外に出て、ふかぶかと深呼吸するのを日課にしていたのだ。

もうその時に、ぼんやりした予感に捉えられたが、まだたいしたことだとは思わなかった。毎朝やっているように、しばらくの間、心を和ませてくれる草地の緑と、あたりの森々に目を走らせてから、山小屋のなかに戻った。慣れた手つきで入念に顔を洗ってから、いつものようにナイトテーブルからトランジスターラジオをとって、スイッチを入れた。しばらく朝の音楽に耳を傾けるのが、彼の休暇の欠かせない日課になっていた。

ラジオは沈黙していた。数秒たっても、山小屋のなかにメロディーが流れ出さなかった。いったいどうしたんだ？　いまいましそうに黒い小箱を手に取った。どうやら電池が切れたんだな、替えを持ってこなくて惜しいことをした。忘れていたのはミスだった。ラジオを開けて、なかから電池を取り出し、途方に暮れたように玩んだ。それからつまらなそうにわきに置いた。しかたがない、ここ二、三日はバックミュージックなしで我慢するか、諦め顔でつぶやいた。

ふたたび小屋の外に出た。するとまた奇妙な静寂が吹きよせてきた。山小屋のなかでラジオをいじっていた時には忘れていたが、様子は変わっていなかった。あの奇妙な静寂と暗い予感が漂っていた。

草地の緑と森々に目を走らせた。しばらくたってから、自分が耳を傾けていることに気がついた。静寂にじっと耳を傾けていた。しかしどんなに耳を澄ませても、いつもの朝のように、遠くのざわめきのこだまも、草のさらさらいう音も、虫の声も聞きとることができなかった。今、この瞬間になってやっと思い当たったのだが、これまでも目覚めつつある自然の静かなざわめきを耳にしていたのに、一度だってそれを意識したことがなかった。いっそう耳を研ぎ澄ませて、物音を聞きとろうとした。

彼を捉えた悪い予感はふくれあがった。でもすぐ後に、彼を取り巻いていた静寂のなかから、ひとつの物音が飛び出してきた。山小屋の近くを流れている小川のせせらぎだった。それが、この静かな朝に優しく響いていたたったひとつの物音だった。昨日までは、さまざまな朝のざわめきのなかに溶けこんでいたのだ。彼は不安になった。この音が、この静かなせせらぎが、今はまるでたったひとつの……　長いあいだ、じっと注意深くそれに耳を傾けていた。

向きなおって、山小屋のなかに戻った。しばらくのあいだ本棚をひっかきまわした。毎朝、朝食を準備する前にそうするのが習慣だった。きょう一日の休息の友にする本を選んでいた。しかしなにか一冊に決めるまえに、電話のほうに歩み寄った。ここに引き籠もった時、郵便局に頼んで電話番号を変えてもらった。他人に邪魔されたくなかった。彼のほうからも、だれにも電話しなかった。電話はいちども鳴り出さなかった。今はこちらからかけるのだ。なぜだかわからなかったが、むしょうにだれかの声が聞きたかった。どの知人にかけようか思案した。しかし結局、知人にかけるのはやめることにした。彼らに煩わされたくないというのが、ここに引き籠もったおもな理由のひとつだった。適当に番号をまわそう。かんじんなのは、だれが出るかではなくて、とにかく他人の声が聞きたいのだ。受話器をとって耳にあてた。

電話はうんともすんともいわなかった。沈黙していた。彼のまわりの静寂と同じように沈黙していた。

きっと故障だな、彼はつぶやいた。しかし暗い予感はますます大きくなった。電話は沈黙していたが、適当な番号をまわしてみた。だれも出なかった。電話が不通なのに、だれかにかけたって仕方がない。

無意味だな、と彼は思った。きっとなにかの故障で、すぐに修理されるだろう。台所に行った。アルコールバーナーから陽気な炎が舞いあがった。じきに朝食の準備がととのい、まもなく腹ごしらえもできた。

すこし心が落ち着いた。食器を洗った。洗っている最中に、蛇口から落ちる水音に貪るように耳を傾けていることに気がついた。小川のせせらぎを思い出した。ふたたび彼のなかに不安が頭をもたげた。すばやく食器を洗い終わった。

そしてまた、この朝でもう三度目だったが、山小屋の外に出てみた。いまいちど静寂と向かいあって立った。なんて変わった静寂だろう、とあらためて思い、人間の声か自然の音をむしょうに聞きたくなった。なんて奇妙な静寂なんだろう、心のなかで思った。まるで完全に死に絶えてしまったような……

彼を捉えた声と音への渇望は、思いがけず荒々しい力を持っていた。つかのまそれに逆らった。でもほんのつかのまのことで、それ以上は逆らえなかった。湿った草のうえに身を横たえて、地面に耳をつけた。なんといっても大地はざわめいていて、いつだって数知れない音に満たされている。大地から発するざわめきは、多彩で多様だ。ところが今、地面は沈黙していた。彼は耳を傾けていた。大地から立ちのぼっていた静寂に、長いあいだ耳を傾けていた。突然はっと我にかえった。

たったひとつの物音は、近くの小川からやって来ていた。それは小川の歌うようなせせらぎだった。

飛び起きてあたりを見回した。頭のなかを奇妙な考えが横切った。晴れ渡った青い空を見上げた。なにかの鳥が飛び過ぎるのを、長いあいだじっと待った。これまでは、昨日まではとにかく毎朝、空から鳥のさえずりが降ってきて、頭上を飛び過ぎていく鳥たちの群れを、しばしば眺めたものだ。奇妙な考えは、はっきりしたかたちを取った。ひょっとしたら彼が浸っていた静寂は、これまで彼を包みこんでいたあの生きた静寂は、昨夜のうちに突然、死に絶えてしまったのかもしれない……

ふたたび山小屋にとってかえして、もう一度電話を試みたが、あいかわらず沈黙していた。カレンダーに目をやった。心のなかで日数を数えてみた。今日で休暇の期限が終わっているのに気がついた。ほっと息をついて、時計を見た。二、三時間もしたら、頼んでおいた車がやって来て、町に運んでくれるだろう。

安堵感が彼を包んだ。山小屋の外に出て、草のうえに腰をおろした。本を読もうとしたが、ことばの意味が頭に入ってこなかった。遠くからエンジンのうなりが聞こえてくるのを待った。待ち焦がれた。しかし車はやって来なかった。もう着いてもいい頃なのに、やって来ないのはどうしてだろう？

夕方になるまで待って、それから疲労に勝てずに眠りこんでしまった。目が覚めたのは翌朝だった。最初に切実に感じとったのは、立ち去りつつある夜の冷気でなくて、静寂のほうだった……

それから小川のせせらぎも、気味が悪く、耳障りで、しつこかった。迎えの車が来なかったことを悟った。

電話はあいかわらず故障していた。なぜ車が来なかったのか、問いあわせられない。なにが起こったのか、問いあわせることができない。

慌ただしく朝食を準備して、急いでかきこんだが、おいしくなかった。不安は、予感から生まれた不安は、ますますふくれあがった。とにかくここを出なければ！　山小屋から走り出ると、ふたたび死んだ静寂に包まれた。

小川のせせらぎが聞こえる。彼を呼び、誘い寄せ、招いているような気がした。たったひとつの物音、残されたたったひとつの物音だった。

突然、どうすればいいのかわかった。急いでリュックサックに何日分かの食料を詰めこんで、小川のほうに歩み寄った。せせらぎに耳を傾け、しばらく岸辺にじっと佇んでから、それに沿って歩きはじめた。

小川に沿って歩いて、その声に耳を傾け、流れにしたがって森のなかに、小高い木々と緑の死んだ沈黙のなかに足を踏みいれた。小川に沿って歩いて、森の音を、虫の音と鳥たちの歌声を捉えようとしたが、なにも聞こえなかった。小川に沿って歩いていくと、森の端で川に流れこんだ。目の前に広がった風景を見渡したが、やはり沈黙していた。遠くに村落や家々が見えると、じっと目を凝らしたが、なんの動きも見てとれなかった。それからさらに川に沿って歩いていったが、川は穏やかにざわめきながら、村や集落のかたわらを前方に押し寄せていった。いくどか脇に逸れて、家々の戸口を叩いてみたが、なんの返事も返ってこず、無断でなかに踏みこんでも、人影はなかった。それからまた川のほうに引き返して、それに沿って先に進んだ。

何日かたって川幅が増すと、潮風を感じた。足をはやめた。

海が近いことがわかった。そのとおりだった。まもなく目の前に、果てしない大海原が広がった。

その時彼は、驚きと戦慄のあまり立ちすくんでしまった。海面に、海原一面に、動かない人間のからだが、死んだ大魚のように漂っていた。海は穏やかに波うって、それらを静かに軽く揺すっていた。

彼はわけがわからなかった。

でもやがて悟った……

（長與進訳）

この世の終わり

プシカーシ

◆ヨゼフ・プシカーシ
Jozef Puškáš 1951-

学生時代に短編集『生と死の遊戯』(七二)でデヴュー。「プラハの春」後に登場したスロヴァキアの若い世代を代表する作家の一人となる。一貫して、単調な日常に潜む荒々しさ、凶々しさに不意打ちされた際の人々の心の揺らぎをテーマに書き続けている。緻密で分析的な文体を基調に据えながらも、現実のディテールが歪み変貌するさまを、時にグロテスクな誇張を交え幻想的に表現する。『魅惑的な失望』(七七)、『告白』(七九)、『四次元』(八〇)、『庭』(八四)、『子供、夢、愛人』(八五)、『ポケットの迷宮』(九三)などの小説のほかに、テレビドラマの脚本も手掛けている。

その年の列車の遅れはかなり早くから始まっていた。急行列車から刺々しい秋の夕暮れのなかへ降り立った時、私が乗り換えるはずだったディーゼル列車はもうとっくに発車していた。空っぽの線路の上では、枯れ葉が風に舞っていた。

百回は塗り替えられているのに、いっそう醜悪に見える古ぼけた駅舎が、私とさらに何人かのむかっ腹を立てた乗客を待ち受けていた。そこにはテレビや新聞を備えたような場所はもちろん、簡易食堂すらなく、待合室ときたらひどく汚れていて、なにやら甘ったるい匂いが漂っていたので、ホールのベンチに座るほうがまだましに思えた。切符売り場の窓口が目に入った。半開きになっていて、向こう側は暗かった。誰かがまもなく切符を買いに来るなどと考えていないことは明らかだった。私は動揺した。無慈悲な二時間が待ち構えていることを否応なく思い知らされた……。無意味な会議に出席したことを心のなかで呪った。そのせいで私は、せめて気分転換のために飛行機で帰ることができなかったからだ。何ともいえない惨めな思いが脳裏をよぎったが、それが周囲の様子のせいなのか、退屈な私の職業のせいなのか、それとも要するに、いっさいの味気ない人生や人々やこの国全体のせいなのかは分からなかった。慰めようもない二時間が、一瞬のうちに降りかかってきたのだ。眠りこんで、馬鹿げた待ち時間を無意識のうちにやり過ごそうというはかない望みを抱いて、私はベンチの隅に身を縮めた。

外で緩衝器がぶつかって音を立てた。車両が駅の構内に沿ってその響きを伝え、ポイントの向こうで鳴りやんだ。機関車が短くうなった。冷えこんできて、縮めた手足がしびれだしたので、眠ろうと努めるのは諦めて、同じ災難に遇っている人々を眺めることにした。一番近くには、ひだの入ったスカートをはいた農家のおばさんが腰を下ろしていた。膝の上に膨れあがった手提袋を抱えていたが、なかから広げられた紙の端が飛び出していた。袋からつぎつぎとブドウの粒を取り出しては口もとに運び、陰鬱そうに噛んでいた。まったく同じ帽子をかぶった三人のおじさんたちがトランプに興じていた。煤だらけの窓の下では、不機嫌そうな少年がトランジスターラジオを組み立てていた。おそらく間の悪いことに、たった今ばらばらになってしまったのだろう。残りの一団を形成していたのは、私を含めた急行列車からの上品な乗客たちだった。

まるで犬が一声だけ吠えたみたいに、機関車が短くうなった。駅員が入ってきて明かりをともした。帽子のひさしに隠れた目で、招かざる訪問者たちを眺めまわした。

「待合室には暖房が入っているよ」――駅員は言った。

意地悪い口調ではあったが、それでも、待ち合わせと晩秋の冷えこみに見舞われた乗客たちにたいする驚くべき気配りの表現だった。誰一人として反応する者はいなかった。駅員はしばらく立っていたが、やがてきびすを返して憮然と立ち去った。帽子のおじさんが投げたカードがぱちんと音をたてた。なにげなくそちらの方を見たが、悪いような気がして目を伏せた。とにかくまだそれほど寒いわけじゃないと心のなかでつぶやきつつも、自分自身に腹を立てていた。なぜ立ち上がって、駅員の後について行かなかったのだろう。暖かい場所でなら眠れたかもしれないのに。ふたたびまどろみに落ちるまでに数分かかった。その時、切符売り場の窓口に明かりがつき、ほとんど同時に激しい雨が降りはじめて、駅の裏手で停車するバスのエンジンの音が響いた。後ろのドアから、荷物を体に吊るしたほろ酔いかげんの兵隊たち、仕立て直しのオーバーを着こんだ労働者たち、包みを手にした土地のおばさんたちや、何人かの都会風の奥様連がどっとホールに入ってきた。待合室には誰も行かずに、全員が我々に混じって座りこんだ。喧騒は頂点に達すると静まり、話し声もやんだ。みんな普通列車でも待っているのだろうと想像した。もう誰もやって来ないように見えたが、男がもう一人入ってきた。なにやら長々とドアと格闘していて、その隙間から雨と不快な風が室内に吹きこんだ。最後にはドアをそのままにし、なかに入ってきてしまった。怒りの視線が一度に男に集中し、頭のてっぺんから足の爪先までじろじろと見回したが、やがて当惑したように脇に逸らされた。誰かが立ち上がって行って、ドアをばたんと閉めた。

男の衣服は、いましがた転倒したらしい痕跡をはっきり留めていて、粘土と泥で汚れていた。頭には紺のベレー帽をかぶり、その下からは色あいのはっきりしない灰色がかった長い髪が八方に飛び出していた。同じ色の頬髯が、顔を頬骨のところまで覆っていた。頭をちょっと動かした時、口もとによだれの筋が光った。動きをやめた後も、窪んだ目を長い間ぎょろつかせていて、その際けいれんが二度ほど全身を走り抜けた。ひどく力なく佇んでいたが、突然荒々しく頭から帽子をもぎ取り、ズボンのポケットから小ぶりなブリキ製の十字架を引っ張り出すと、いちばん近くにいた乗客に歩み寄った。まったく意味不明のくぐもった音を発して、十字架の肩で用意したベレー帽をさし示した。その乗客はたまたま急行列車で私と一緒だったが、不機嫌そうにそっぽを向いた。男は喉を鳴らして懇願を繰り返し、しつこく十字架を振ったが、乗客があいかわらず気づかないふりを装っていると、帽子を手にしたまますこし先へ進んだ。奇妙な新参者が物乞いに変身してしまったので、彼にたいする私の関心は薄らいだ。なぜこんなに落ちぶれてしまったのだろう——なにか別の動機があってというよりは、ほとんど反射的に私は自問した。もっとも口がきけず、耳も聞こえないようでは……。聞き取りにくい呟き声のせいで、男はまだ成果をあげていなかった。ベンチに沿ってのろのろと歩きまわり、座っている待ち客たちにブリキの十字架で十字を切っていたが、人々はそっぽを向くか、話に気を取られている風を装って男を無視した。それでも何人かは彼のほうをちらりと眺めて、口もとに薄ら笑いを浮かべた。物乞いが脇に立ち去ると、彼らはたがいに意味ありげに目配せしあって、ついにはあからさまに笑うのだった。私は好奇心をかき立てられた。何をしているのだろう？　ようやく気がついたが、男が振っている十字架には、硬い紙でできた書きつけが留めてあった。その書きつけは、ふつうキリストの磔刑像が置かれている場所を覆っていた。

　物乞いが得るところなく向かいのベンチを回って、こちらの方に向きを変えた時、私はインク筆で書かれた意味あり気な文句を読んで、ぞっとした。——**今日は裁きの日である！**　なぜだか分からないが、この滑稽なほどに大袈裟な文句が、愉快な気分や皮肉っぽい冷笑のかわりに、まったく名状しがたい恐怖心を私のなかに呼び起こした。でもそうなってしまったのはもう仕方がないとしても、さらにいっそう不可解なのは、物乞いが即座にそれを見抜いて、順番を無視してまっすぐ私に向かって近づいてきたことだ。間近から私の目を覗きこみ、果てしない絶望を湛えた視線で私を射すくめた。

「お恵みを、だんな」——物乞いははっきりと言葉を発して、私の手もとに帽子を差し出した。——「裁きの日が訪れたのです」

「だったら施しをしたって何になるんだ」——私は嘲るような刺のある口調で口走った。ブドウのおばさんとトランプに興じているおじさんたち、背後に座っていた二人の兵隊が、驚いたように私のほうを見た。しまった、こいつは口がきけないはずだったじゃないか——今になってベンチの上で思い当たった。

「旅に出たいんで」——男は言った。——「せめて、ここから一駅目までの切符を恵んで下さい」

私は身近に座っている人々をすばやく見回した。まるで物乞いの言葉などまったく耳に入らないかのように、皆はあいかわらずじっと私を見つめていた。私はどぎまぎした。顔にはたえず男の食い入るような視線が感じられた。なぜだか分からないが、それから逃れることができなかった。熱に浮かされて灼熱した、石炭のように燃える瞳に、私が張りついていた。もう口などきいてやるものかと心に決めた。片手で能弁な仕草をした——あっちへ行け、もう話すことなど……。

「この世の終わりが来たら、南極にいたって逃れられやしないさ」——奇妙にくぐもった声で私は言っていた。

男は私の目のまえで不意にけいれんを起こして身を屈め、顔は苦悶に歪んだ。身をすくませて屈みこみながら、彼の目はさらにいっそう私の目に近づけられた。

「なんて酷い人だろう」――やっとのことで彼は言った。――「この世の終わりを座って待てと言うのかね」

突然、私は気分が悪くなった。背中に悪寒が走り、体が震えはじめた。男のけいれんが私にも乗り移ったかのようだった。

「そんなふうに見るな」――私は吐き出すように言った。

「私は妻を捨て、酒を飲んでは怠惰に浸り、無意味に生きてきた」――物乞いは早口に呟いて、私の顔に息を吐きかけた。

私は恐怖にとらわれた。

「やめてくれ、放してくれ」――執拗に迫ってくる目に、私は根気強く懇願した。

男はさらに身を屈めて、片手を私の太腿に置いた。彼の頬髯の幾筋かが、私の頬に触れた。顔を引く気力も私には残っていなかった。

「逃れるすべはないんですよ、だんな」――彼は言った。

目のまえが霞んだ。というより渦巻く霧がホールをいっぱいに満たして、身近な事物の輪郭すら覆ってしまった。皆が忌まわしそうに私の傍らから身を引いて、ことりとも音を立てずに立ち去り、私を恐怖と無力のなかに置き去りにしたように感じられた。歯を食いしばり、超人的な力をふりしぼって私は立ち上がった。上等な黒革製のカバンが私の足もとに落ちた。バランスを失って、私は背中を物乞いに、額を壁のほうに向けた。壁には、以前にはなかった広い裂け目が、不規則に曲がりくねりながら下方に広がっていた。私は茫然としてその裂け目を見つめ続けた。「欺いていたんだ」——私は乾いた唇をやっとのことで動かした。——「自分自身を、人々を、身近な者たちを……」

さらに何かが、消化不良の食べ物のように舌の上に込み上げてきたが、それは会議での私の馬鹿げた報告の一節にすぎなかった。その文句に助けられて、すこし身を起こすことができた。壁から体を引き離し、ホールを横切ろうと足を踏み出した。

「我々は神を信じていません。誰も信じてはいない」

物乞いはもう私の傍らにいなかったのに、その声は以前のように耳もとで響いていた。

「人間はこんな恐怖に一人で直面しなければならないのか。ああ！」

呻いたのが彼なのか、それとも私なのかは分からなかった。耐えがたい痛みに、頭と胸がほとんど引き裂かれるようだった。私は身を屈めて縮こまったが、その時に意識下で感じていたのは、自分が、けいれんに襲われた時の男と同じ動作をしていることだった。

「分かっているぞ、おれの中にいるんだな」——私はしわがれ声で憎々しげに言った。——「おれに催眠術をかけたのか、それとも……」

「この世の終わりは人々の終わりです。あなたはもうあなたではないし、私はもう私ではない。見てごらんなさい。他の人たちがどこへ消えてしまったかを。誰もがたがいに入れ替わり、それから同時に無へと流れこむのです。災いなるかな、神はいない！」

「いやだ！　放せ……」——私は叫びながらドアのほうに突進した。

熱が血管の隅々にまで広がった。これは何の病気なのか？　癲癇？　癌？　それともすべての病がいっぺんに？　全人類の病が？

私は倒れた。物乞いはよろめきながら私を追い越して、ホームに通じるドアを開けた。私は泣いて、涙が石畳の床にしたたり落ちた。外へ、外へ出なければ。生涯に一度も見たことのない黒髪の女の顔が、ふいに私の幻視のなかに現れた。両手のてのひらで私の顔を包みこみ、何事かを執拗に語っていた。私には何も聞こえなかった。何も。ああ、その時のなんと長かったこと！なんという恐怖！　外では地獄が荒れ狂っていた。私は這いずって敷居を越え、嵐の助けで両足で立ち上がった。そう、つまり終わりだ。私は口がきけず、その美女に話しかけたかったのだが、不意にすべての光景が記憶から飛び去った。線路か何かが、梯子のように垂直に上へ持ち上がった。一枚の枯れ葉が顔に貼りついた。頭のなかは完全に空っぽだった。私の記憶は、私の人生はどこにあるんだ？――私は叫びたかった。この混沌のなかのどこに私はいるんだ？　私もやはりここで死にかかっている。屋根のブリキ板が轟き、羊皮紙のようにまくれて闇のなかに飛び去った。二時間の待ち合わせ。地面は逆さまにひっくり返り、ブドウの粒がホームの上を跳ねている。ハートの十。同志諸君、三か月後には新しいセメント工場が完成する。お恵みを、施しを与えたまえ。ああ……意識が……。私は皆であり、我々は何者でもない……。

いきなり最後の映像のように、私の幻視のなかに切符が現れた。次の急行列車の切符だ。しかし私には胸のポケットに手を伸ばすだけの気力は残っていなかった……。誰かが私の体を揺さぶった。私は目を開けた。

「お客さん、列車が来ていますよ」――聞き覚えのある駅員の声だった。

意識が戻るまでに長いことかかった。やっと気がついたのは、自分があいかわらずまだベンチに、始めと同じ場所に座っていることだった。足もとにはカバンが落ちていた。左右を見回してみたが、誰もいなかった。外の闇のなかでは、機関車が音高く息を吐いていた。

「どうするんです?」――じりじりした様子で駅員が訊ねた。――「夜の急行をお待ちなんでしょう」

「いや、ちがいますよ」――私は大声で答えて、心のなかで呟いた。――「まったく、もう」

私はネオン灯に照らされたホームに出た。興奮した人々の群が、二番線の線路脇で何かを取り囲んでいた。声が聞こえてきた。

「急行列車に轢かれた?」

「そうじゃない。列車が駅の構内に入ろうとした時、この男がばったり倒れたんだ」

「心筋梗塞にちがいない」

「そうじゃなかったら? 意識を失っただけなら?」

「できるだけの手は尽くした。これが私の身分証明書です。私は医者です」

「とにかくじきに救急車が来る」

私は閉じられた輪のなかに分け入った。物乞いが大きく目を見開いたまま、仰向けに横たわっていた。その目にふたたび射すくめられることを恐れて、私は顔をそむけた。乗客たちは、すでに動き出した急行列車のほうに走っていき、死体の傍らには私と二人の駅員だけが取り残された。

しばらくしてから私は向きを変えて、ゆっくりと駅舎に戻っていった。一番線の線路の枕木のあいだに、物乞いの十字架が投げ捨てられていたが、書きつけの文句は地面の側を向いていた。私はそれをそのままにして先に進み、手のなかで切符を折って丸めた。

ベンチの後ろの壁に、私は長い曲がりくねった裂け目を見つけた。

（木村英明訳）

ドーディ

カリンティ

◆カリンティ・フリジェシュ

Karinthy Frigyes 1887-1938

ハンガリーの作家。大学で、数学・物理学、医学などを学ぶが、旺盛な好奇心と、規則的な生活を嫌って、中退し、新聞記者となる。ユーモア作家として出発した後、作家の文体をパロディ化した『君たちはこう書いている』(一二)を文学のカリカチュと名づけ出版、一躍有名作家となる。『ガリバー旅行記』の続編『ツァピラーリア』(二一)、自身の脳手術を描いた『頭蓋骨周遊記』(三七)などの長編の他に、テーマ、ジャンルも多岐にわたる膨大な数の短編を描いた。

病気になって五日目、死の二時間前、ドーディは、ベッドに起きあがって、茶色の熊の縫いぐるみがほしいと言った。部屋を暗くしてあるので、母親の白い服が薄暗闇で見えなかったドーディは、部屋の中に誰もいないと思った。最初、小声でねだっていたが、そのうち、誰も返事をしなかったので、ぐずるように、べそをかきながら、声を高めた。この五日間にわたる混乱のうち、自分の要求がすべてはねつけられることだけはわかって、彼は、疑い深く、頑固になり、何かどうしてもほしいものがあれば、すぐに機嫌を悪くして泣いて要求するのが最善だと気がついた。ドーディの声に、母親が彼の上に身をかがめた。おびえて口を開いたまま、見つめる母親。首が奇妙に引きつれ、しゃくりあげるように波打っているのを、ドーディはしばらくびっくりして眺めていた。「何、何がほしいの、おまえ」という言葉さえも、嗚咽で三度も初めから言いなおすほどだった。ドーディは、ひどく真剣になり、「いったいどうして泣いているのだろうか」と考えをめぐらせながら、母親を見つめた。それから我慢できずに、後ろ向きになり、茶色の熊の縫いぐるみがほしいと言った。

彼の手に渡された。再び、目を閉じ、重苦しく、麻痺した心で熊の縫いぐるみをなでた。指ではじっこをつかもうとしたが、うまくいかなかった。そのとき、母親が彼の額に手を置くのを感じた。

「母さん、出てってよ」とドーディは言った。

「出ていかなきゃ、だめ?」と、心が張り裂けるような声がした。

目を開けずに、うなずいた。なぜ母親が出ていかなければならないか、説明できないのは気がとがめたが、できなかった。熊を渡さなければならない悪い子は、ドーディからでないと受け取らないし、母親に言いつけたり質問したりすることを許さないのだ。母親が部屋の中にいるうちは、渡すこともできない。母親か父親が近づくと、悪い子は、ベッドから跳び去り、数歩離れた部屋のすみか、たんすの後ろに隠れ、ドーディだけにしか見えなくなる。彼は、もじゃもじゃの乱れた髪をし、裸足で、いたずら好きで、へらへら笑いながら、秘かに母親の背後で威嚇するように、ロバの耳の格好をするのだった。

心がどれほど痛もうと、ドーディは、茶色の熊を悪い子に渡さなければならないことを言い出せなかった。今度は、熊が約束だったのだ。悪い子は、この世の誰でもなく、ただドーディだけに用があり、母親も父親もその手助けができないことが、ドーディには今や、とてもよくわかっている。最初に、恐ろしい、ずる賢いしかめっ面をして公園に現われ——自分が公園で、まだまっすぐに歩け、このベッドに寝ていなかった日々が、なんと奇妙で、昔のことに感じられたことか——、おもちゃの自動車に目を止めたとき、彼を追い払うか殴るかするなりして家に連れ帰り、ドアを閉めてしまうように、母親に言ってみた。だが、母親と、やがて父親も、悪い子なんていない、自分たちには見えないと、ドーディに言った。ドーディは、抱かれ、走って部屋に連れてこられ、ベッドに入れられた。だが、悪い子は、彼らの数歩後を追い、へらへら笑い、父親に向けて何度も舌を出した――父親は、そっちの方を向いたけれど、やはり、見えないと言った。後で二人が部屋を出ていくと、悪い子は、寄ってきて、拳で胸にパンチを浴びせ、ドーディに、そら恐ろしいしかめっ面をして、こう言った。「おまえ、ばかだな、おまえの父さんだって、母さんだって、おれのこと怖がっているのがわからないのか？　おれの方を見たくせに、見えないって嘘ついたのがわかったはずだ。二人には、これからだって、あかんべをしてやるぜ」

そして、悪い子は、恐ろしい動作をし、ドーディの父親と母親をあざけりつつ、汚い言葉を吐き、それから、またさらに強くドーディの胸にパンチを喰らわせたので、息がつまってしまった。ドーディは、今度は、泣くわけにも、両親を呼ぶわけにもいかなかった。悪い子が二人の頭をぶん殴り、二人の腹を刺すとおどかし、ポケットから汚れた、錆びたナイフを取り出して見せたからだ。

ドーディが誰も呼ばないのを見てとると、静かに、仔細にドーディを見て、ナイフをわきに置き、ドーディが何を持っているか、鷹揚な態度で興味を示し始めた。ドーディは、不安げに彼の顔を見、白い鼠のことを知っているかどうか探ってみた。だが、悪い子は、そのときはまだ知らなかったようだったので、ドーディは、静かにうなだれ、従順に、部屋のすみに別のブリキの自動車、小鬼、絵本、ムーア人の兵士があると、挙げていった。その際、茶色の熊のことは、悪い子に聞かれないことを願って、ほとんど聞こえないほどの小声で言い、それから、心臓をどきどきさせ、じっと動かず、目を細めて、彼が部屋のすみで手探りし、おもちゃをぶちまけていく様子を眺めていた。しゃがむたびに、たくましい茶色の素足に筋肉が盛りあがり、箱から次々におもちゃを取り出す。すべてをひとまとめにすると、ドアの方に駆けだした。ドーディは、ムーア人の兵士の頭が包みからぶら下がり、頭に血が逆流するのを震えながら見ていた。心から大事にしていたムーア人の兵士には、毎夜、ふとんをかけてやり、水をあげ、看病し、頭に湿布をしてやっていたのに。小声で悪い子の後ろ姿に声をかけたが、彼は、兵士の頭を壁に叩きつけ、ドーディの胸にもう一度、パンチを喰らわせ、しかめっ面をして、自分がどんなに悪党であるかを示すと、駆け去っていった。

その後で——ただもうろうとした状態で覚えていたのだが——その後でやっとお医者さんが来て、湿布、体温測定、薬とつづいたようだ。お医者さんにはもう悪い子のことは言わなかった。声を聞いたとたん、父親や母親とまったく同じで、悪い子を恐れていて、それが恥ずかしいものだから、わざと機嫌よく、何でも知っていて、勇敢なふりをしているだけで、話題が彼のことに触れそうな気配になると、すぐに別のこと、キャンディ、湿布、薬の話を持ちだすのに気がついた。悪い子のことなどまるで知らないかのようにふるまい、冗談を言い、それで臆病さや無力さを克服しようとする。そうして、悪い子を敵にまわして、誰もドーディを助けられないこと、そして自分で悪い子について、何もかも処理しなければならない、たとえば、白鼠が見つかったり、その存在が知られないように、自分で画策しなければならないことを、思案の末に、静かに了解した。ベッドを出ることは禁じられていたのだが、ベッドに持ちこんだ白鼠が、彼の胸のところで、静かに息をはずませてひそんでいられるようにすることぐらいの芸はやってのけた。大きな声で話しかける勇気はなくて、一本の指でなでてやるだけだったが。それも気づかれないように。

　この午後もまた、お医者さんが部屋から出ていった瞬間に、悪い子がベッドのわきに現われ、寄ってきた。何も言わず、皮肉に、いたずらっ子の顔で、沈黙したまま、ドーディの方を眺め、爪を嚙んでいる。ドーディは、苦しい、死にそうな不安に襲われた。すばやく行動しなければならない。気づかれないように、悪い子の注意を何か他のものでそらさなければならないと、かすかに身ぶるいして思った。そのとき、ベッドのわきには、柄が編み目の鞭があった。とても気にいっていたのだが、これまでまだ話題にできずにいた。鞭はいらない、と思い込もうと努めた。醜い鞭、よくない、毒入りだ——と、心の中で機械的に数回繰り返した。それから勇気を出して——持ち上げ、そっと悪い子の方に押しやった。彼の気をひくように、うっすらと、ずるそうにほほえみも浮かべた。

「鞭、きれいな鞭だよ」と、恐る恐る、ご機嫌をとるように言った。

　だが、悪い子は、鞭の方に手を伸ばさなかった。お腹をふくらませ、脚をぶらぶらさせ、鼻をほじくり、頑固に沈黙を守った。ドーディの心は、重くしめつけられた。鞭をさらに向こうに押しやり、手を離した。

「鞭、きれいな鞭。ドーディにはいらないんだ」と、懸命にうなずいた。

　悪い子は、鞭をわきに押しやり、鼻をすすり、なまいきにドーディの顔にニヤッとした笑いを向けた。

「白鼠」と言うのだった。

　ドーディは、身を固くし、ぼうっとして聞いていた。

「さあ、どうする?」と、悪い子は言い、間近に寄ってくる。

「鞭」と繰り返すのだが、唇が動くだけで、喉から声が出なかった。

「やい、鞭ごと失せろ!」と、悪い子は、乱暴に叫び、鞭を折り、放り投げた。それから、ニヤニヤ笑いながら、ベッドの縁に腰かける。

「白鼠の代わりに何くれる?」ときいた。

ドーディの心臓は、熱をおび、どきどきしだした。目を閉じて考えこんだ。

「茶色の熊」と小声で言った。母親がドーディの上にかがみこんだのが、このときだった。悪い子は、その瞬間、跳びのき、すみで待機した。ただちに熊を持ってくるように言い、それから母親を送り出すようにと、合図した。

ドーディは、もう一度、熊をつかんだ。

「汚ない熊だ、汚なくて、嫌な熊だ」と心の中で言った。

「さて、まだ他に何があるんだ?」と悪い子はきいてくる。

ドーディは考えこんだ。公園、木々が思い浮かんだ。ベンチ。一度、そこへ砂場の砂をのせ、砂を次々にこぼし、小さな水差しを持ってきて、砂に水を注ぎ、だんごを作ったっけ。だんご作りで、手がどろどろになってしまった。

「汚ない砂のだんご」と言うと、だんごを差し出した。

「で、まだ何があるんだ?」

まだ何があるだろうか? 一度、大きな家並をぬってマールタと散歩した。マールタが彼の手をひいてくれた。大きな、きらめく窓の数々。ある窓の向こう側に、真っ赤なピエロ人形があった。ずっと見ていて、買ってくれると約束するまで、そこを離れなかった。でも、その人形を差し出した。まだ何がある？　一度、どこもかしこも大雪だったことがある。そのとき、ビロードのコートを着せられていた。首のところにビロードのへりがついていて、それを何度かぎこちなくなでてみた。いい気持ちだったし、ふわふわしていた。自分ではもうそれもできないから、悪い子になでさせよう。まだ何があったか？　ロウソクやきらめく星、飴でいっぱいの大きな緑の木。ロウソクの火は消した方がいい。飴は、どうせいたんでいて、毒が入っていて、食べると、お腹が痛くなる。飴もチョコレートもいらない。おいしくないチョコレートで、苦い。公園も、木立もいらない。御者も、電車も、サーカスもいらない。何もかも差し出した、気前よく、無言で。すみから何もかも次々に持ち去った——通り、環状道路、窓、家の前の巡査、監理人、動物園とつづく。象、キリン、シマウマ！

象……キリン……シマウマ……

急にもう一度、口を開けて、しゃくりあげている母親を目にした。涙が次々に、ぽろぽろと鼻のわきをこぼれていった。目をしかめたドーディは、しずくが生まれ、ゆっくりと蛇行し、大粒になる様子を観察した。鼻のわきで急に速度を速め、トカゲのように、陽気にジグザグを描いて下降する。つかもうと手を伸ばしかけて、しっかりはさんでいる腋の下から白鼠が飛び出しはしないかと、ひやっとした。

「かわいい坊や、何がほしいの？」と、もう一度、奇妙で、見知らぬ人のような、母親の声を耳にした。「絵本を持ってきてあげようか?」

ドーディは、押し黙っていた。絵本はすでに差し出してしまっていたから。ゆっくりと手で掛け布団をいじっていた。何か言いたかった。その瞬間、再び悪い子が目に入った。何かの合図を送ってよこしたが、すぐにはドーディに理解できなかった。それから不意に、彼の望みがわかった。

「母さんはきれいじゃない、悪い母さんだ」と心の中で唱えた。それから声をあげて言った。

「母さんなんて嫌いだ!」

重苦しい、あえぐ叫びが聞こえた。母親の顔が間近に来て、その目は、びっくりするほど大きくなった。抱こうとしたのだろう。ドーディは目をつむり、手で押しやった。

「母さんなんて嫌いだ」と、もう一度、腹を立てて言った。

ベッドの頭の方に、もう一つの頭が現われた。

「父さんなんか嫌いだ」とドーディは言った。自分の言葉にどんな効果があるかが感じられ、二人が号泣するさまを、荒涼として、奇妙な思いをめぐらす楽しみを感じながら観察するのだった。悪い子がやっとドーディに満足しているかのように、その一瞬思われた。もう一度、大きな声で繰り返した。

「母さんも、父さんも嫌いだ。出てってよ」

そして、静かになると、不意に、まだ差し出せるものがあることを思いついた。

「ほら、ドーディの手だ」と言った。——その瞬間、手が消え、どこにもないと感じた。

悪い子は、息をはずませ、今やもう欲望をむき出しにして、荒々しく、すべてを山のような品物のてっぺんにのせた。

「ほら、ドーディの脚。ドーディには脚はいらない」とドーディは言った。そうするともう脚は感じられなかった。

「ほら、ドーディの髪の毛と、歯と、口と、耳。ドーディにはいらない」と言った。

「それから、ここにドーディの目がある。それもいらない」と言うと、その瞬間、闇がおとずれた。

いまや静かに無言で立ち、注意を払い、待った。だが悪い子は、このときになってもまだ立ち去らなかった。ドーディは考えこみ、それから不意に静かにほほえみだした。少し前、喉のところで手足をばたばたさせていた白鼠が、びっくりしたせいで、胸まで下がってもがいているのが感じられた。つかんで、なでてあげ、静かに、おとなしく悪い子の手にのせた。彼は大きく叫んで、あわててひっつかむと、駆け出していった。ドーディは、ずっと静かにその後を見ていた――それから、もう一度、考えこむように、何もない手のひらを一瞥した。

誰か、見知らぬ男の人が手を取り、道先案内人となった。ドーディは、おとなしく歩き始め、どこへ行くのかたずねようともしなかった。


（岩崎悦子訳）

蛙

チャート

◆チャート・ゲーザ

Csáth Géza 1888-1919

ハンガリーの作家、音楽評論家。子ども時代から多彩な才能を示し、最初の音楽評論が活字になった時、十四歳だった。従兄の作家、コストラーニ・デジェーの勧めで短編を描き始める。医学部を卒業し、一九一〇年から、神経クリニックで助手として働く中で、モルヒネを打つようになる。人間の心理の闇に潜むグロテスクな面を短編にまとめた。短編集に『魔術師の庭』（〇八）、『午後の夢』（一一）等がある。第一次大戦で負傷した後、モルヒネ中毒が進み、妻を銃殺した後、毒薬で自殺した。

蛙は大嫌いだ。どの動物も好きだし、どれも自然のみごとな創造物であることはわかっているのだが、蛙はものすごくむかむかする。

その理由をあなた方に語るとしよう。あのことを思い出すだけで、身震いする思いに囚われ、胃は恐ろしいむかつきに悶え、目の前と喉に、冷たくぬめった蟇蛙が這い回り、耳には、蛙の唾の臭いがこもった、しわがれ声が響き、背骨に痙攣性で、氷のように冷たい恐怖が走るのだが。そして、私は今晩、眠れなくなるだろう。それでも、なぜ小さな蛙に恐怖を感じるのか、蛙の目のまばたき、腐った光が私の脳を過去から照らし出す時、なぜ筋肉が死の緊張にこわばるかを語るとする。

蛙は、私の人生の最大、かつ最も意味ある数分をもたらした動物なのだ。ただ、その数分は、私にとっては、喜びでなく、身の毛もよだつ数分だった。私の語ることすべては、目がくらんだ、ある哀れな、不運な人間があなた方に語ったのだと思うであろうし、私の出来事をせいぜいおもしろいと思うぐらいなこともわかっている。でも、そうするのは、非人間的なことだと、思ってほしい。なぜかといえば、その時私は、多くの人の代わりに、その人生では誰も知りえない、狂気に満ちた、呪われた恐怖を徹頭徹尾苦しんだからである。あなた方が知ることはないだろう。ただ、思いを馳せ、私のことを呆気にとられて見るのでなく、私と一緒に感じてほしい。

ある四月の雨の夜、夢に揺り起こされる。体の向きを変え、眠り続けようとする。のたうち回り、枕を整えるが、眠りに戻ることができない。外で四月の雨が降り、私のわきの妻の寝息を耳にしている間、苛々した、熱っぽい震えが全身をつたい、何か未知の恐怖が静かな暗闇の中で私の上におおいかぶさる。

未知の恐怖はさらに強くなり、それに対しどこにも身を守る場がないと感じる。最初、恐怖から脱け出そうとして、他の出来事を考えてみる。数を数え、九九を唱え、古い学友の名前を次々に挙げる。無駄だ、うまくいかない。恐怖は、さらに強くなり、血管という血管に浸透し、心臓が強く鼓動を打ち、頭に圧迫を感じ、体のいたるところが冷たい。冷汗が額に浮かぶ。

そして、その瞬間、ある声が耳を打つ。子どもの泣き声か、苦痛を与えられた動物の呻き声に似ている声が。頭蓋骨の中の脳髄がよどみ、すさまじい痙攣性の震えが背骨を貫通するような声。耳をそばだてる。

声が繰り返される。前よりも強く、さらに強く。その声が耳に入るや、神経がすみずみまで、脅えと苦痛にふさがれる。何か唸るような、訴えるような、呼びかけるような、威かすような声、それは、無限のかなたに、あるいはすぐ近くに聞こえ、まるで私のベッドの木の枠から、あるいは部屋の家具から私の方に溢れ出てくるかのようであった。

まるで、小さな子どもが死の苦痛に呻くようでもあり、何か翼をもぎとられた、老いた梟が夜更けに死について鳴いているようでもあった。

そして、声はやまない。短い間隔をあけて。やがてひっきりなしに強くなり、さらに恐ろしく、苦痛をおびたものになる。

全身、これ冷汗。ベッドから飛び起き、ろうそくをつけてから、ろうそくを手に部屋から部屋を駆けめぐる。立ち止まり、耳をそばだてる。声はある時は遠くから、またある時は近くから聞こえる。震え、かつ耳をそばだてながら、再び部屋越しに走る。あたかも声は台所から来るように聞こえる。事実、台所に入ると、その呻くような、地獄のように唸る、しゃがれた声が充満していた。

その声がどこから来るのか、急いで探し始めた。タライの置いてあるすみから聞こえた。タライをわきに寄せる。そこには、小さな猫ぐらいの動物がいる。脂肪のようにまるまるとうずくまり、緩慢な動作で私の方を向いた。

蛙だった。でも、なんという蛙か。これまでこんなのは目にしたことがなかった。体に毛が生えていた。目には悪霊の光が宿っていた。体からは死臭が漂っていた。忌まわしい大きな口から恐ろしい声の洪水がほとばしっていた。まるで何か上層部の命令によって、地獄のうたを遂行しているかのようだった。

目にした瞬間、心臓の鼓動が一瞬止まるような何かが心をよぎった。

私たちの住んでいる田舎では、家にこうした毛の生えた蛙が夜中に現われると、まもなく誰かが死ぬという信仰が流布していた。当時、いくつかのこうした出来事を耳にしていた。隣人——裕福な人だった——が、自分の目で、呪われた、毛の生えた蛙を見、十八歳の美しい娘のアーグネシュがしばらくして亡くなったと、私に言った。

その時の私は、一瞬たりともその出来事を信じなかった。人はお伽話は信じないものだし、それに、博物学だってそんな蛙の存在を認めていないのだから、私がどうして信じえよう。

だが、その蛙と対面した時、血のことごとくが、その恐怖の意味を信じた。電光石火、身を投げ出し、冷たい、忌まわしいその体の上に膝をのせた。

巨大などよめきが起こり、そのどよめきは、馬のいななきになぞれるほど低く、大きかった。妻が目を覚ますのではないかと脅えた。それで、蛙をつかみ、全力で台所の三和土（たたき）に叩きつけた。蛙は、銃弾のような音を立て、不意に起き上がると、一メートルも跳んですみに急いでかくれようとした。私は無力感に囚われつつも、あちこち殴りかかり、起き上がらせまいとした。その体からは緑色の蟇蛙のぬめりが噴き出し、そのねばねばして、汚臭を漂わせた体液が動き回る跡を示した。そのおかげで、私は考えるだけの時間を得、木を切る斧が目に入ったので、斧で妖怪を殺そうと決意した。それで、斧が置いてあったすみに身を寄せていき、素速く始末をしようと道具をつかんだ。機を逸したかどうかわからないが、蟇蛙は起き上がると、電光石火、私に、まさに私の首ねっこに跳びかかり、嚙みついた。

歯があったのだ。

私は払い落とし、つかんだ。再び、その上に膝をのせた。また、あの強力な、唸るような声を響かせた。――その後で、斧の刃先で頭に切りつけた。緑色の血が私の顔に飛び散り、なす術（すべ）のない動物が逃げのびようとする時、何と巨大な力を発揮するものかと感じた。再び、打ちつけ、切りつけた。切りきざんだ。足、頭を切り落としたので、終には、形の定かでない、ねばねばの、汚臭のする緑色の断片の数々が私の目の前に横たわっていた。

恐ろしい作業を終えた瞬間、大きく深呼吸し、あたかも、おそらくは威嚇的な死の危機から私の家族を守ってあげられたかのように感じた。体が震え、寒気を感じ、でも心は軽くなって、寝室に戻った。妻は、静かに、穏やかな寝息を立てて眠っていた。ほの白い顔には、穏やかな微笑みが浮かんでいた。彼女の傍に行き、口づけすると、弱々しくため息をついた。しばらくの間、心をしめつけられて、その顔を眺めていたが、疲れた私は、深い夢の中へと落ちていった。

翌日、朝早く、目が覚めると——朝が早い性質なので——恐ろしいことに、蛙の死体、血塗られた斧、夜更けの格闘の跡を片づけるのを忘れていたことを思い出した。ベッドを跳び出し、小間使いか子どもたちが何かを目にしたり、気づくのを——できることなら——阻止しようと、台所に急いだ。

驚いたことに、何の痕跡もなかった。斧は元の場所にあった。台所の三和土は汚れていず、小間使いはまだ自分の部屋から出てきていなかった。

あなた方は、私が夢を見たのだと、言うだろう。私の妻が、その日から二週間後に、死の床に横たわっていたことを知ってほしい。

（岩崎悦子訳）

骨と骨髄

タマーシ

◆タマーシ・アーロン

Tamási Áron 1897-1966

ハンガリーの作家。高校卒業後、イタリアの前線に送られ、復員後、経済学を学ぶ学生時代、懸賞小説に入賞。生まれ育ったセーケイ地方（現・ルーマニア）の貧しいハンガリー人たちの苛酷な暮らしを民族バラード調の文体で描き出した。二三～二六年、アメリカで働く。主著は、長編三部作『森の中のアーベル』（三二）、『祖国のアーベル』（三四）、『アメリカのアーベル』（三四）。三〇年代後半から一時期、民族主義の色濃い、神秘的な作品を描いた。

1

老憲兵は座りこんでいる。緑色のマントを身にまとい、周囲の世界を監視している。時折、若々しい春風が襲うが、それをものともしない。隠退してからも、彼は勇敢だったから。そうしている間も、沈みゆく太陽が彼の胸に光の勲章を溢れるほど飾りつけ、芽ぶく大地は、彼があたかも角(つの)の大きな雄羊であるかのように、さまざまな草でおびき寄せようとする。

春の襲来を迎え、彼が新たな、そして多分最後の愛人を渇望していたとしても驚くに値いしないが、彼の内部では、その景色は静寂に満ち、荒涼としている。彼の考えは、世俗の喜びでなく、世俗の大いなる苦痛の上を行きつ戻りつしている。つまり、長々と、男らしくつきつめて考えこんでいるのだ。再び春が巡ってき、すべてが再びよみがえったのは、誰の目にもわかるが、いずれは、それも終わりとなり、今、存在しているすべても終局を迎えることには誰も思いを馳せない、と。

「で、世界はいったい、何をもって、そしてどのように終わりを迎えるのだろうか」と、自問する。

それに対する答えは、あれこれを目にし、経験してきたとはいえ、容易には現われない。現われ方は、ガーシュパールにさえ先を越されるほど、簡単ではない。納屋や豚小屋がいったんガーシュパールを呑みこむと、何時間も吐き出すことはないのに。

「明日、清めを受けますか?」と、少年は中庭の真ん中から尋ねる。

老人にはガーシュパールの姿がよく見えるし、言葉も聞こえるのに、こう答える。

「どこかで叫んでいるのは誰だ?」

ガーシュパールは、結局、十五歳の頭で、六十五歳の近くに行くのが妥当だろうと、思う。ポーチの間近に行き、繰り返す。

「明日、何か清めを受けるのか、ヤーノシュご主人に訊いてみようと、さっき思ったんです」

「去年は、清めを受けたのか?」と、主人のヤーノシュは尋ねる。

「はい、卵十二個と、プレッツェルを」

老人は考えこみ、こう言う。

「今年も、そんな具合でいいだろう」

ガーシュパールはちょっとブツブツ言ってから、こう言う。

「肉もあったほうが」

二人は話し合うが、ガーシュパールは肉を諦めようとしない。しきりに、冬につぶした子豚のせめて肩甲骨のあたりの肉の一片を明日、教会に持っていきたいと言いつのる。主人のヤーノシュが承知し、肩甲骨のあたりの骨の一片の清めを受けてもかまわないと言い出すまで、古(いにしえ)の習慣や宗教的きまりを持ち出して根拠を示そうとする。

ガーシュパールは夜のうちに、燻製室から燻製のハム肉を降ろし、調理し、編んだ籠の二個のプレッツェルの間に入れ、赤い卵を周りに並べる。朝、彼は一番に、手に籠を持ち、復活祭の祭壇の前に現われた。神父が籠の中のたくさんの食べ物に祝福を与え、清めを施すと、家へ一直線に走って帰り、大きな声で言った。

「温いうちに、早く食べましょう」

主人のヤーノシュといえども、霞を食べて生きているわけではないので、清めを受けた食べ物は早々と食卓に並んだ。まず、各々、卵を二つずつ食べ、その後で、夜明けの後、太陽が昇るように、ハム肉がつづいた。

主人のヤーノシュは大きく一切れ切り、清めを受けに行って疲れただけでなく、四年来、その他もろもろのことで疲れているガーシュパールに差し出す。

「それで充分かな？」と尋ねる。

「何ごとも、前もってはわかりません」と、ガーシュパールは答える。

太陽はすでに天高く昇り、ポーチの彼ら二人に照りつける。

だが、突然、そこへ、犬のヴィテーズも現われる。ガーシュパールと同じ年月奉公していて、断固として宴席への参加を主張する。

主人のヤーノシュとガーシュパールはただ犬を見ただけで、犬が口を挟めないほど競り合って食べている。

「ウ、ウウウ！」ヴィテーズは今や唸り始めているが、何ら効き目はない。

終（つい）に、ガーシュパールの前から肉がなくなると、彼は犬の方を見る。唸り、ねだるように犬にけしかけ、彼自身、喉を鳴らし、じっと物欲しそうな視線を堂々とご主人に浴びせかける。主人のヤーノシュは事態を呑みこみ、再びハム肉の一片を切り、ガーシュパールに与える。

「もうこれで充分だろう」と言う。

「神様は、私たちが未来を知ることを禁じられました」と、ガーシュパールは答える。

今度も、ヴィテーズにくれてやらない。清めを受けた肉の意味を考えれば、それは正しいとも言える。だが、だったら、今は駄目だとか、この肉はあげられないとかぐらいは、せめて犬に言ってあげるべきなのだ。それすらも言わず、二人は互いに目を見交わし、肉を食べる。神はハム肉全体を祝福したようだった。ガーシュパールのために、三度目もハムを切らなければならなかったし、残りは、主人のヤーノシュが前にも増してむさぼるようにたいらげていったから。

彼らの目は大食のためにせり出していて、顔や額の血液は、徐々に血管を膨張させている。ゴール目前の短距離走者のようだった。

ただただ食べている。

歯のぶつかる音がする。

そして、ヴィテーズのよだれがだんだんと溢れ、たれ始めている間、彼らには、もはや何も目に入らないし、耳に入らない。魂は、清めを受けた肉から浮遊し、肉体は完全に泥酔状態でライオンのような快楽から浮遊している。

終に肉がなくなり、まるで魅惑から解き放たれたように、二人とも喉を鳴らした。主人のヤーノシュは、喉を鳴らしながら伸びをし、面倒くさそうな様子で、自分が何をしているか無自覚な人のように、清めを受けた骨を犬に投げ与える。

ヴィテーズがスイッと跳びあがっただけで、その歯は骨に食らいついている。そしてもう一度スイッと跳びあがるや、ポーチを駆け降りた姿は、大きな白い星だったのか、犬そのものだったのか見極めることもできないほどだった。

最初にガーシュパールが正気を取り戻し、叫び声をあげる。

「聖骨をくわえていく！」

主人のヤーノシュはひどい恐怖に打たれ、顔面が蒼白になり、不意にその力強い顎をガクッと落とす。恐怖に囚われた目は、犬の後を哀願するように見、その間に続けて三度息を継ぐ。それからポーチの柱のところにすりより、両腕を高く上げ、こう叫ぶ。

「犬をつかまえろ！」

ヴィテーズはすでに、中庭にいて、与えられたのは骨ではなく、すばらしい翼でもあるかのように、前庭の方に跳んでいく。そして、近くのどこにも犬を連れ戻せるような人はいない。ただ、主人のヤーノシュとガーシュパールの二人しかいなかった。

「追跡しろ！」と、老人は怒鳴る。

ガーシュパールはポーチから跳び降り、犬の後を追って、疾走し始める。

「生きたままでも、死んでもかまわん。ただし、骨は犬から取りあげろ！」と、ガーシュパールの背に主人のヤーノシュが叫んでいるうちに、彼の額には、望んだわけではないとはいえ、カトリックの宗教を冒瀆したための茨の冠が刻みつけられていった。

ガーシュパールは何も答えを返さず、躊躇なく柵を越え、春の水たまりを越え、走った。犬を追って、全速力で走る。主人のヤーノシュはポーチの柱を何度も叩きつける。こうして、ガーシュパールがもっとよく走れるように励ますのだった。それから徐々に犬も、少年も見失った。ソロソロと椅子に戻って座り、掌に顔をうずめる。

鐘が鳴っているのが聞こえる。春の鳥がさえずっているのが聞こえる。でも彼には今、鐘の音も、春の鳥も必要ない。なんの宝物も必要ない。権力も、国家も必要ない。ただ、清めを受けた骨だけだ。

骨なしでは、世界が崩壊するから。

2

時が過ぎ、すでに正午を回っている。

主人のヤーノシュは、ポーチでむなしく行ったり来たりしている。座ってるのも、むなしく、待っているのも、むなしい。清めを受けた骨が犬の生贄(いけにえ)を、やがては人間の生贄も求めるという考えが今や彼の中に根をおろし始める。もうこれ以上待っていられず、決心して、彼も後を追い出す。だが、まさに杖を取ろうとすると、やわらかく弾む音が耳を打つ。素速く柵の方を見ると、なんとヴィテーズが柵を越えて、野原のどこかからやってきたのだ。脚はどこもかしこも泥だらけで、毛からさえも、汚れた春の露がポタポタ落ちている。それ以外は、ヴィテーズはとてもおとなしく、主人のヤーノシュが間近に来るのを、目を細めて待っている。

「骨はどこにある?」と、老人は尋ねる。

ヴィテーズは、罪を悔んでいる婦人のように、彼の方を何度も見るが、骨についての答えは返ってこない。

「ガーシュパールはどこだ?」と、再び老人は尋ねる。

ガーシュパールについても、犬は関心を示さず、柵のそばに横になり、休息の姿勢に入る。主人のヤーノシュは犬から目をそらさず、杖を手にしたまま、ことの道理はわかっていないが、賢げにまばたきする犬を打擲(ちょうちゃく)しないですますそうかどうか、考えこむ。最終的に、ガーシュパールがひょっとしたら骨を持ってくるかもしれないので、彼が戻ってくるまで待つことにする。歩き出し、柵を越えて野原の方に向かう。前庭のはずれで、非常にゆっくりと、静かに足を運ぼうとすると、にしきぎの茂みの根元に誰かが横になっているのが目に入る。さらにしのび足になって、誰だかわからない横になっている人に近づこうとする。さほど近づかないうちに、微笑みが浮かび、独り言を言う。

「なんだ、ガーシュパールじゃないか」

すくっと立ち止まり、少年が何をしているのか観察する。彼が手の中で何かを何度も回し、回している最中、じっと見つめているのを目にする。しばらく観察をつづけるが、ガーシュパールがひっきりなしにただ手の中で何かを回しているだけで、他に何もしないので、枯葉を少しガサゴソさせ、それと同時にせきばらいをする。

「私をつかまえたというわけですか?」と、ガーシュパールはびっくりして尋ねる。

「そうだ」と、主人のヤーノシュは答える。

「それで、どんなふうに?」

「わしは、このとおりにだ」

わずかに話が途絶えるが、主人のヤーノシュは近くに身を寄せ、再び話しだす。

「さっき、手の中で何を回していたんだ?」

「私ですか、骨です」

「どういう骨だ?」

これを聞くと、ガーシュパールも上体を起こし、不思議そうに言う。

「そんなに早くお忘れになるのがわかっていたのなら、もう朝のうちから、ここへ休みにきていたかったぐらいです」

そう言って立ち上がり、平らな骨を一つ主人のヤーノシュに差し出す。

「そうだと思いますか?」と、わきにいる主人に尋ねる。

主人のヤーノシュは長いこと、骨をグルグル回している。朝のよりも、いくぶん小さいような気がする。それに、骨に亀裂も入っているし、土の汚れがついていて、古そうに見える。

「そうだとは、思わぬ」と、終に言う。

「どうしてですか?」

「古くて、傷ついているように見えるからさ」

ガーシュパールは自分が優位に立っていると強く思った。

「この骨は朝からケース棚に納まっていたわけじゃなく、あちこち引き回され、いろんな冒険を経てきたんですよ。古びて、泥だらけで、ひびが入っているのは、そのせいですよ」

主人のヤーノシュは、信じたい気持ちでいっぱいで、こう言う。

「くわえているのを取り出したのか？」

ガーシュパールは優位に立っていると強く思った。

「口じゃなく、木の上からです」と言う。

主人のヤーノシュは安心し、結局は骨が見つかって幸せだと思う。

すぐにガーシュパールに言いつけ、シャベルを持ってこさせ、清めを受けた骨を埋葬することにする。ガーシュパールは、直ちにシャベルを探しに行き、主人のヤーノシュの望みどおり、ヴィテーズや他の野良犬がまたくわえていかないように、骨を埋めるために深い穴を掘る。

きちんと埋葬したことで、再び世界は明るくなる。

美しい春の日々が過ぎていくが、骨は墓の中で冥福が得られず、毎夜、ガーシュパールに伝言を送ってくる。骨だって、人間同様、みな同じというわけでないと彼に伝えてくる。なのに、骨を同一視する人には、災いを！

九日後、ガーシュパールはメッセージを伝え続ける骨のところに行き、墓から掘り出す。再度、ためつすがめつ調べる。心は信じたいのに、理性が絶え間なく、さいなむ。地面に腰をおろし、骨を前に置き、まるで人が本から何かを読みとるように、見つめる。考えが考えを呼び、最終的に、ある適切な考えが勝利を収める。

骨を上手に隠し、数日後、街へ持っていった。そこで、まっすぐ獣医のところへ行き、骨を取り出す。

「これは、何の骨でしょうか、先生？」と尋ねる。

医者はグルグル回して見、それからガーシュパールの方を見て、こう言った。

「なんで知りたいのかな？」

少年は、すでに呼吸するのも覚つかず、緊張で喉が締めつけられるようだった。

「すぐに言っていただかないと、気が狂いそうです」と、真面目な顔で言う。

医者は再度、骨を調べる。

「犬の骨だ。何か犬の股の骨だ」と宣言する。

ガーシュパールは急に座り込み、椅子の上で医者を無言で見つめているうちに、目は涙でいっぱいになる。

「これ以上最悪なことをおっしゃることはできなかったでしょう」と、不満をもらす。

医者はあれこれ質問しようとするが、ガーシュパールをさほどせっつく必要はなかった。メッセージを伝え続ける骨が彼に与えた充分すぎるほどの苦悩の後では、言葉が溢れるようにほとばしり出てきたからだ。この間の出来事のすべてを初めから終わりまで語る。野原の場面については、犬の後を追って、この骨を見つけたと言い、また、ヴィテーズが彼の目の前で地面に置いたという点に関しては、宣誓さえしかねなかった。

「もう一度、見てください！　ひょっとしたら犬の骨じゃないかもしれない」と、ガーシュパールが哀願するので、医者は拡大鏡まで持ち出し、念入りに調べる。

「確かに、犬の骨だな」と、再度、断言する。

ガーシュパールは素生知れずとなった骨を包んでしまい、悲しみに打ち沈んで家路に着く。道すがら、これからどうすべきかを考える。真実を主人のヤーノシュにも知らせようと、決心した。嘘がさいなむものは、人生とは言えないから。家に着くと、まっすぐ主人のヤーノシュの許に行き、彼の前に骨を置き、こう言う。

「どうぞ」

主人のヤーノシュは、骨のことなどすでに忘れていたので、大いに驚いて彼の方を見る。ガーシュパールは、すぐにすべてを思い起こさせ、出来事をくまなく語る。話が終わると、互いに見交わし、まるで何かすさまじい危険が世界にふりかかったかのように、驚怖にかられて、二人は立ちつくす。

「これからどうしたらいいんだ?」と、主人のヤーノシュは言う。

「調査を続けなければならないでしょう」と、ガーシュパールは答える。

二人はまた沈黙し、静けさの中でおののいている。恐怖にかられた二人の子どものように、お互いの体に顔をうずめたいと思ったが、清めを受けた骨を呑みこんだ世界の内部を見ているだけだった。

すべては、とても特別なことだった!

神が、小さいのや大きいの、大天使や普通の天使といった、あらゆる天使を確実に総動員し、清めを受けた骨を探しに行かせるという期待がなければ——その期待がなければ、世界は、救いようもなく崩壊するであろう。

3

翌日は、晴々と夜が明けたのに、主人のヤーノシュは、ベッドから起きてこなかった。九年来、初めてのことだった。

「ご主人様はひょっとして病気なんですか?」と、ガーシュパールは尋ねる。

老人は何も言わず、自分は病気じゃないと、頭で示すだけだった。ガーシュパールは、悩みについて話すようにと、彼を困らせることもなく、杖を持っていき、ベッドに立てかけた。

「杖など持ってきて、何が言いたいのだ?」と、主人のヤーノシュは尋ねる。

「私は、私と一緒に野原まで行ってみましょう、とお誘いしているんです」

老人は、野原へ行くことは、今日はやめにするが、ガーシュパールが犬を連れて、二人ですでに行った方角に出かけるように、と答える。

「それで、その方角で、何をしたらいいんですか?」と、ガーシュパールは尋ねる。

主人のヤーノシュは、黄色になりかかっている髪をかきながら、こう言う。

「犬にあたりを嗅がせるのだ、ひょっとしたら何かが手に入るかもしれん」

「それに、私も目をキョロキョロさせるんですね?」と、ガーシュパールは言葉を継ぐ。

「確かに、それも悪くない」

そうやって、二人とも骨の話題に触れることを避けているが、とはいえ、互いの言わんとすることはわかっている。ガーシュパールは指示どおりに出かけていき、あたりに素早く目をやり、犬に臭いを嗅がせる。

「何か見つかったか？」と、夕方に戻ってきたガーシュパールに主人のヤーノシュは訊く。

ガーシュパールは、袋から五個の骨を彼の前に取り出し、順番に五個とも老人に見せる。主人のヤーノシュは、骨がよく観えるように、カーテンも開けさせるほどだった。どれも彼は気にいるが、特に五番目が気にいった。

「この形がいやに目を惹く」と、言う。

ガーシュパールも、五番目のが復活祭の骨の形をとてもよく示していると思ったので、他のとゴチャ混ぜにならないよう、別にしておく。ひょっとしたら清めを受けているかもしれないので、と告げる。

翌日も犬とともに出かけ、再び骨を持って戻ってくる。それらの中にも、期待を持たせる形が見つかり、またガーシュパールは別にしておく。こんなふうに調査は九日間にわたって続けられた。その頃には、袋が骨でいっぱいになり、二人は、他のことはせず、調査にのみ明け暮れた。十二日目にガーシュパールは再び、袋を持って医者を再訪するのも悪くないと思う。老人は、彼の計画に同意し、ガーシュパールは、ためらわずに医者の許に出かける。

夕方、とても陽気な顔付きで戻ってき、まっすぐに主人のヤーノシュのベッドに赴く。

「いい知らせを持ってきました」と、言う。

老人はうなずくだけだった。

「獣医は肩甲骨を三つ、豚の骨を三つ探し出しました。そして、三つのうちどれも、あの復活祭の骨であってもおかしくない」と、言葉をつづけた。

主人のヤーノシュは、この時も口を利かず、ただうなずくだけだった。

「どこか痛いんですか？」と、少年が尋ねる。

再びうなずく。

ガーシュパールは大きな袋をベッドの側に置き、肩甲骨三つは紙に包み、テーブルに置いた。それからベッドの側に座り、不動の姿勢をとる。何度もしげしげと、ますます髪の毛が黄色になり、さらにはげしく息を継ぐ老人を見つめ続けた。

時刻がすでに真夜中に到る頃、主人のヤーノシュは再度、三つの骨を取り出させる。それらをずっと眺めつづけ、やがてガーシュパールに戻して、こう言う。

「わからない」

「何がですか、ご主人様」

「どれが復活祭の骨か」

ガーシュパールにしても決めかねたので、黙っていた。

「三つの中にないかもしれない」と、老人はしばらくして言う。

その後、二人の間に沈黙がしのびよる。やがて明け方になると、主人のヤーノシュは突然、頭を上げ、ガーシュパールに顔を近づけるように示す。そして、復活祭の骨が確実に見つからないうちは、この世でも、あの世でも冥福が得られないから、骨はすべて、いずれ彼の棺に入れるようにと、言葉も絶え絶えにガーシュパールに言い残すのだった。

「犬もわしの傍に埋葬しろ」と、最後に言う。

「犬ですって、なぜですか?」と、ガーシュパールが訊く。

「もしかしたら、骨を食べたかもしれないからだ!」と、主人のヤーノシュは答える。

それ以上は、一言も口を利かない。

さらに一日生きて、この世に別れを告げた。

ガーシュパールは、天に召された老人の望みどおり行動する。骨はすべて主人のヤーノシュの棺に入れ、やがて半年後、犬も彼の傍に埋葬する。

老人と犬は地中で静かに横たわり、清めを受けた骨がそこにあるのか、あるいはどこか別のところで発見されるのを待っているのか、決して伝えてこなかった。決して何も言わず、何も伝えてこなかった。

ガーシュパールはしばしば墓に出かけ、何か確実なことに到達するようにと、数時間、そこに座りこんでいたのに。雲一つない本当のこと、雲一つない真実を知りたくて、毎日、毎日出かけ、毎日、毎日悩みを深めていった。

確実なことがわかるなら、何でも差し出したことだろう!

思いわずらい、渇望した。心を熱くし、待ち望んだ。本当のことを知りたかったから!

そして、とてつもなく渇望する中で、徐々に変貌を遂げていった。真の人間になろうとして、人間の姿を脱いでいく。天と地を結びつける光のように、浄化し、再生する。一本の弦のように、延びたり、縮んだり、延びたり、縮んだりし、永遠の姿を身につけていくのだった。

主人のヤーノシュの墓と星々の間に立ち、間断ない渇き（かわ）の中にゆらめく。彼の周囲では、民族が興亡し、言語が生まれ、新しい山々が隆起した。

すべてが変わっていくのに、失せた骨がどこにあるのか知ろうとする彼だけが変わらないまま。

なぜなら、彼は骨髄だから。


（岩崎悦子訳）

ゴーレム伝説

ペレツ

◆イツホク・レイブシュ・ペレツ
Itskhok Leybusz Perets　1852-1915

　ロシア領ポーランドの都市ザモシチに生まれ、ユダヤ人正統派の家に育つが、弁護士の道を歩むにつれて世俗にふれ、一八八〇年代後半よりイディッシュによる執筆を開始。メンデル・モヘル・スフォリム、シャロム・アレイヘムと並んで、近代イディッシュ文学草創期の作家のひとり。西ヨーロッパのモダニズム文学的な技法を応用した実験的な作風を確立し、とりわけ東ヨーロッパ・ユダヤ神秘主義の代表的セクトであったハシディズムの寓話の技法を用いて、カフカにも間接的な影響を与えた。短編では「おとなしのボンチェ」や「みっつの贈り物」などが知られ、他に「黄金の鎖」や「市場の夜」などの戯曲もイディッシュ演劇のレパートリーとして有名。「ゴーレム」は『おとなと子どものための寓話集』（Far Kleyn un groys）の中の一編で、アーヴィング・ハウとイーライザー・グリンバーグ編『イディッシュ文学の宝物』に収められた英訳によっても知られる。翻訳の底本には、ブエノスアイレス版『ペレツ全集』（Ale Verk fun Y. L. Perets; Far lag “Idisch”, Buenos Aires, 1944）第六巻を用いた。

大人物と言えば、昔は偉大な奇蹟を披露してみせる人物と決まっていた。

かつてプラハの民衆がユダヤの女を凌辱し、ユダヤのこどもを焙り肉にし、残りは皆殺しにしようとユダヤ人に襲いかかってきた時代のことだ。ユダヤ社会は「絶体絶命」の危機においつめられた。偉大なるマハーラールは、読んでいたタルムード法典の注釈書（ゲマラ）を放り投げ、やおら外に飛び出していった。そして近くの学校教師の家の前に粘土の山をさがしあて、なんと粘土をこねて人形を作りあげたのだ。粘土の塊の鼻のところから息をふきいれると、泥人形は動き始めた。次に、耳元で名前をささやくと、われらの泥人形はゲットーから出撃した。マハーラールはシナゴーグへ戻り、読書を再開したが、そのあいだにも泥人形はゲットーを占領していた敵に襲いかかり、われらの敵はまるで蠅たたきで蠅を落とすようにバタバタと倒れた。

プラハ全市に死体の山が築かれ、水曜日が過ぎ、木曜日が過ぎた。伝説はそう伝えている。そしてとうとう金曜日がきた。時計は十二時を告げたが、泥人形はまだ仕事を止めない。

ゲットーの長が呼びかけた。

「ラビ！　泥人形は、プラハを全滅させにかかっています。このままでは、安息日の晩に明かりを灯してまわる異教徒がひとり残らずやられてしまいます。」

マハーラールは読書を中断し、祭壇の前に立って詩篇の「安息日の詩」を歌った。

土の塊に戻った。するとすると泥人形は仕事の手をやすめ、ゲットーへと退散した。シナゴーグにあらわれた泥人形の耳元で、マハーラールがふたたびなにごとかささやくと、泥人形は眼瞼をとじ、生気の抜けた粘土の塊に戻った。

この泥人形は、いまでもプラハのシナゴーグの天井裏に安置されているが、四方の壁から張りめぐらされた蜘蛛の巣に被われて、だれも見ることができない状態にある。女性席の妊婦がそれを見ようものなら、それこそ一大事だ。この蜘蛛の巣に触れたものは死ぬしかないのだ。そんなわけで、プラハの長老たちもおおかた泥人形のことは忘れていった。ひとりだけ泥人形のことで頭を悩ませている男がいて、それはマハーラールの孫にあたる賢者ツヴィーであったが、ゴーレムをユダヤ共同体の構成員に含めてよいのかどうかとなると、これは難問だった。

その後も泥人形は完全に忘れられてしまったわけではない。それはいまでもそこにある。ところが、いざというときに生命を甦らせるための呪文、そのほんとうの名前の何であったかは、水の泡のように消えてしまった。蜘蛛の巣は広がるばかりで、さて、わたしたちがいまなすべきは何だろうか?

（西成彦訳）

バビロンの男

バシヴィス

◆イツホク・バシヴィス（アイザック・バシヴィス・シンガー）

Itskhok Bashevis（Isaac Bashevis Singer）1904–1991

ポーランドのユダヤ人ラビの息子に生まれ、一九二〇年代後半から、ワルシャワで活動を開始。さらに兄のイスラエル・ヨシュアの感化により小説を書きはじめ『ゴライの悪魔』で本格的に文壇に登場。一九三五年に渡米後、ニューヨークのイディッシュ新聞に論説などを寄稿。一九四〇年代からふたたび小説執筆を再開し、その短編「ギンプルの馬鹿正直」がソウル・ベロウによって英訳されて後、イディッシュで書く米国ユダヤ作家としての国際的な作家として知られるようになる。長編に『ムスカト一族』『ルブリンの魔術師』『敵／ある愛の物語』、短編集に『短い金曜日』『カフカの友人』『メトセラの死』、童話集に『お話を運んだ馬』『よろこびの日』などがある。一九七八年にノーベル文学賞を受賞。「バビロンの男」の初出は、ワルシャワのイディッシュ文芸誌『クロプス』（一九三二）。英訳は『メトセラの死』（一九八八）に所収。翻訳の底本には、『両大戦間期ポーランド・イディッシュ小説選』（Antologie fun der Yidisher Proze in Poyln, tsvishn beyde Velt-Milkhomes ; cyco New york, 1946）を用いた。

1

ルブリンからビウゴライに向かう夜道を、男が連れもなく馬車に揺られていた。ひと呼んで「バビロンの男」とは、この男のことだ。小柄で肩幅が広く上げ底の靴を履いた馭者が、横を眠たげに黙ってとぼとぼ歩いていた。馭者の頭が揺れるのと、馬の歩みとが不思議に同調している。歩いても歩いても、すぐに立ち止まってしまう牝の痩せ馬は、人間の耳には感じとれない気配を感じるようにできているかのごとく、いきなり耳をピンと立て、飾り気のない大きな眼でふり返る。その目は、人間の知恵を宿しているように見える。その目にいびつに歪んだ月影が映った。馬にも旅人の不気味さはお見通しのようだった。毛皮のついた繻子のコートにくるんとしたトルコ帽。こいつはなにものなんだろうというような、いぶかしそうな目だ。黒ずんだ上唇を軽く持ちあげて長い歯を覗かせると、馬なりににやっと笑ったように見える……　バビロンの男はぶるっと身震いをし、咳ばらいしてから呪いめいた言葉を呟いた。馭者は思わず縮みあがった。なにせ乗客はただものではない。悪夢に取り憑かれたように、寒気が走った。上着の袖でせまい額の汗を拭い、左右を見まわすと、霧の世界にすいこまれるようだった。鞭で馬を打ちすえながら、馭者はしわがれ声でいまいましそうに叫んだ。

――行かないか、こん畜生め！

収穫の終わった畑に、明るい色の藁塚が点在する。高くそびえる風車は、絞首台のようにつきまとって、視界から消えたように見えても、また思いがけないところから顔を出す。いったん地中に沈んだ風車が頭をもたげるようだ。腕のように伸びる翼は道しるべに見える……どこからかフクロウの声が聞こえる。空を引き裂くように気ままな流星が流れては落ち、流れたあとに炎の棒が残る。バビロンの男は毛皮でできた鞄を覗きこみ、毛織りの襟巻きに首を埋めながら、ため息をついた。

ああ、母さん(マーメ)、いつまでこんなことがつづくのだろう？……ぼくはもうやぶれかぶれだ！……

バビロンの男は、別世界の存在たちを思い浮かべた。護符や呪文の力にすがりながら、宿命的な戦いをいどみつづけてきた魑魅魍魎(ちみもうりょう)が、今こそ復讐の時だとばかりに一斉に攻めかかってくる……

ひょろ長いからだに黄と白の縞模様の上着をまとい、腰に白い帯を巻き、嫂婚*を望まない寡婦が脱がせるようなサンダルを履いて、男がポーランドにお目見えしたのは、かれこれ三十年も昔だ。ヨイェッツ・バール・マツリャーフとみずからを名告(なの)った男は、アラム語と聖なる言語(ヘブライ語)を話した。バビロンの長老からカバラー伝承を教わったと吹聴する男は、身体の傷であれ精神の傷であれ、ひとびとの傷をいやし、ひとびとの悪霊(ディブク)を落とし、ひとびとの憂鬱をはらった。遺族の前で死者の霊を黒い鏡に映したり、人間の病気を鶏に転移させたり、さまざまな魔術を用いた。沐浴(ミクヴェ)の戒律や断食の戒律を忠実に励行していた彼であったが、ラビや義人(ツアデク)たちはきびしく彼を断罪した。おまえは異界の住人だ、おまえは妖術や穢れた名前を用いていると、じかに手紙を書いてよこしたし、男と関わるべきでないという禁令が広く発せられた。ヨイェッツは改宗者(ドンメ)の出だとか、金曜日になるとあいつは贋物の救世主(メシエフ)**の到来を待つために野に向かうのだとか…… こいつは悪霊の一味で、女悪魔とのあいだに子どもまでもうけているとか…… 周囲の蔭口はとどまるところがなかった。彼が出没するユダヤ人集落(シュテトル)では、妊婦は近づけるな、女が近づく時にはかならず前かけを前と後ろに二枚かけろ、初等学校(ヘデル)の子どもたちを子どもだけで歩かせてはならない、そんなデマが飛び交った。

そのヨイェッツも七十歳を越した。いつのまにかイディッシュ語を話すようになって、ルブリンの町外れでひとり暮らしをしている。学びの舎(ベイスミドラシュ)への出入りは禁じられ、隣人たちは顔を見るのもこわいと言って徐々に越していった。面長の顔は煉瓦のように赤く皮がむけ、鼻は歪んで先端が尖り、髭は風にあおられたように捩(よじ)れて、右目は膠(にかわ)で封をしたように瞑(つむ)ったままで、そのぶんぎょろりとして濁った左の眼であらぬ方向を睨みつけ、恐怖によどんだ感じがする。両手は震え、ぐらぐら揺れる頭はノーと言うかのようだ。

静かな夏の終わりの夜だった。男が座席でからだをまるめると、追いかけてくる影法師も縮んでいく。

――だれもぼくをゆっくりと休ませてくれない!…… このままじゃあ全身がぼろぼろになる。あいつは火をもてあそび、最後には悪魔にさらわれて死ぬだろうと何年か前に予言した義人(ツアデク)たちの言葉は、まんざら口から出まかせではなかったのかもしれない。スファラディ(スペイン系ユダヤ教徒)の血をひき、しがない集金人の子として生れたヨイェッツは、ペルシャ、イエメン、エジプト、モロッコを転々とし、バグダッドやブハラ(現在はウズベキスタン)に暮らした経験もあった。いくつもの言語に習熟した彼は、魔王や女悪魔の魔力から守る護符をひとびとに授け、難病からひとを救った。花嫁との初夜が不首尾に終わった花婿。しゃっくりの治まらない女。難産に苦しむ妊婦。失語症に陥った子ども。助けを求めて呼びにくる患者はさまざまだった。その鞄の中身がまためずらしかった。オオカミの牙。猫を焼いた残灰を入れた瓶や死んだ人間の着ていた衣裳。抹香やもつれ毛をまるめた球の入った壺。「悪魔の糞」と呼ばれる香辛料（和名、阿魏のこと）。旅先で何度か結婚生活を試みたこともあったが、そのたびに花嫁たちは恐れをなし、彼を引きずっていきなりラビに離婚を願い出た。おかげで彼は女を疵物にしただけだった。彼は金を貯めこみ、胸にぶら下げた小さな袋には真珠の玉が入っている。いずれ贖罪を済ませて、イスラエルの土地に落ち着いて、悪魔にも悩まされず、のんびりと過ごせたらいいというのが老後の夢だったが、からだが衰えたら衰えただけ、小鬼たちはここをせんどと攻めかかってくる。ここ数年はぐっすりと眠れたためしがなく、夜になると鵞鳥の足を持った黒い人間たちがヴァイオリンを鳴らしながら壁の上を踊りまわり、くすくす笑うのだ。やっと眠れたと思ったら、側髪をひっぱる者がいる。夜間に盗難に遭ったことも一度や二度ではなく、からだによじのぼってきた連中に胸ポケットをまさぐられてぞくっとしたこともある。それはけっして錯覚ではなかった。いつのまにか家具の位置が変わり、ランプが床の上に置いてあったり、窓ガラスをかたかた叩かれたり、耳元で笛を吹くのがいたり、連中のいたずらには手を焼いた。素裸の女がおさげを臀までぶら下げてはだしでうろつきまわり、ベッドに座って淫らににたっと歯をむいてきたり、髪の毛を巻きつけられて、絞め殺されそうになったこともあった。あんたには来世の希望なんてないんだから、堅いことを言わずに仲間におなりなさいよ！　と執拗に口説かれて、気を失ったこともあった。

小鬼どもは、どうやらヨイェッの死を心待ちにしているらしい。罪深い男の魂を食い物にしてやろう、八つ裂きにしてやろう、その魂胆は見えすいていた。門柱の御守箱（メズザー）（玄関の枠の背丈の位置にある）を開けたら、文句がでたらめにされていた。たいせつにしている書物はネズミや紙魚（しみ）に喰いやぶられ、ついこのあいだも祈禱のたびに額にくくりつける聖句箱（テフィリン）を開いたら羊皮紙がぼろぼろに腐っていたという怪現象があったばかりだ。だだっ広い平屋の家は、小さな窓がさびれた教会の崩れかけた壁に面していて、室内は地下室のように暗い。現金や護符など、たいせつなものは床に固定した大きな金庫に蓄え、革の帯をかけた上に銅の金具で厳重に施錠してある。ユダヤの女中は雇ってもすぐに辞めていくので、家の管理は異教徒（ゴイ）の老婆にまかせるしかなかったが、女は耳が遠く、台所に十字架のイエス像をいくつもぶら下げ、おまけに毛の長い犬やら小動物を飼い始め、こうなったら台所の清浄を保とうにも保てない。やむなく自炊を始めたが、悪魔たちが鍋のなかに塩を足すせいか、食べられたものではない。女中の犬はヨイェッを見るや、けたたましく吠えたてて、咬みついてくる。ちょっと横になっただけでじゃれついてきて、顔にひっかき傷をつくるマーモットも、その厚かましさには閉口した。

わざわざ遠い町まで出かけていく出張生活に見切りをつけようと考えてもみたが、病人がいる、狂人がいるということでお呼びがかかると、むげには断れず、よそいきをはおってすっとんで行く。居場所もないようなわびしい人生ではあるが、せめて人間のひとりくらい救ってやらなければ、と自分に言い聞かせる。

そんなわけで、いまもちょうどビウゴライまで呼ばれていくところなのだ。ファルク・ヘイフェッ氏という町の名士から、新築したばかりの家が腐り始めたといってお呼びがかかった。奇怪なキノコが床を這い、壁には黄色の黴(かび)が広がって皮膚病のようだという。疲れきったヨイェツはうなだれ、歯抜けの口を閉じて大鼾をかき、その鼾にぴいぴい雑音が混じる。東の空に浮かぶ雲はそのへりがもう明るくなり始めている。あたりの草原には霧がたちこめ、海が近いような空気があふれていた。バビロンの男と口を利いてはならない、ビウゴライのラビからもらった魔除けの硬貨をシャツの裏側にひそませている。アナグマの毛皮の襟も魔除けのつもりだ。目を合わせてもならないと厳重に言い聞かされている。馬車に乗ろうともしないで、徒歩で歩くのも同じ理由からだ。馬が二本脚で立っていないた時だけ、いやな夢から目を醒まして、鞭を振りまわす。

——鹿毛！　ハイド！　てめえはサーカスの馬じゃねえんだぞ！

2

ファルク・ヘイフェッ氏のがらんとした屋敷に腰を下ろして、バビロンの男は朝から厄落としに余念がない。麻の小さな袋に魔除けの護符を入れたのを部屋の隅々に吊るし、そのつど蒼ざめた唇で呪文を呟きながら、目に見えない魔物が隠れてやしないかと四方に目を凝らす。地下倉庫の点検が終わると、今度は蠟燭を点して薄暗い屋根裏に上がって蜘蛛の巣を焼きはらい、焼け焦げた糸を伝ってするする逃げだす大蜘蛛を見つけるや、やわらかい腹部に火を近づけて焦がす……ふたりの若者に黒猫をつかまえてこさせ、縛りあげて金盥（かなだらい）に入れ、その上に薪を並べ、灯油を流して火をかける。若者はすぐさまその場を離れ、もう戻ってきてはならない。そのとたん、金盥のなかから人間の声がとぎれとぎれに聞こえ、重たい盥が回転して空中に浮かびあがらんばかりになる……　盥のなかから女のうめきと罵り声が聞こえ、部屋には獣脂くさい黒煙がたちこめ、渦を巻いてこもる……　バビロンの男の開いた片目には火の影がめらめらと映って輝き、男はいきなり熱病にうなされるように手足をばたばたさせ、口から泡をとばし、杖にしがみついてどうにか立ち上がる。黒焦げになった猫はいつのまにか二倍の大きさに膨張して、焼けたしっぽをぴんと立て、前脚と頭を地面にこすりつけて、最後の跳躍を試みるように身構える。長い牙と牙のあいだから焼け焦げた舌がだらりと覗く……　ヨイェツは跪き、まるで口論のあとのように息せききって、「わたしは闇を恐れない」云々と、早口のアラム語で呪文を唱える。

ファルク・ヘイフェツ氏とのあいだでは、ヨイェツの来訪についてはだれにも漏らさない約束だった。だというのに、ヘイフェツ氏の家の前にはいつのまにか人だかりができた。癲癇（てんかん）の発作をおこして眼をひんむいた子を背中に担いでやってきた父親。近在の村から身体に障害のある子どもを連れてきた女ども。みんな患者連れだった。ヨイェツは、頼むからひきとってほしい、自分にはもうあなたがたを治せるだけの余力がないと泣きついたが、人だかりは膨れあがる一方だった。扉を叩き、口々に怒鳴りちらし、とうとうヨイェツは窓から顔を出して、直訴するしかなかった。

——ユダヤの同胞諸君。後生だから静かにしておくれ！……

しかし、それでも結局は断りきれず、患者たちの診療を始めたら深夜までかかった。そして、そろそろ退散しようとしたところ、シナゴーグから堂守(シャメス)が来た。ラビが面会を求めているのだという。しぶしぶ出向いてみると、厳重に戸締まりをしたなかからランプを持った迎えがあらわれた。魔術師の噂は、町の厳格な老ラビの耳にも届いていた。ラビは大きなたっぷりした長衣をまとい、腰には帯紐を巻いて、毛皮の帽子を被って待ち構えていた。書庫の扉はまるで後ろからラビをガードするかのように開け放してあった。ラビは毅然とした高圧的な目で、バビロンの男の頭のてっぺんから爪先までを舐めるように見た。

――ヨイェッツ・バール・マツリャーフだね。

――ええ。わたくしです。ラビ。

――マツリャーフ(「繁栄」の意)とは、めでたいお名前だが、とんだことだな!

ラビは大声で言った。

――世界をみくびってはいけない……きみは死者と交わっている。

――そんなことはありません。ラビ。

――わたしの言うことを信じないのか!

ラビは足を踏み鳴らし、大声で怒鳴った。

――きみは魔法に取り憑かれている!……そんなきみを野放しにはしておけない!……

――それは。

――いいか、きみはきっと後悔することになる!

そう言って、ラビは煙管（きせる）を手にし、ヨイェッツの頭を打つそぶりを見せた。

——きみは百年間魔界を放浪し、地獄に入ることさえ許されないだろう。手に負えぬ賢者め！

バビロンの男は身ぶるいをして、なんとか答えようと口を歪めた。人命救助のためなら悪徳も許されると、苦しまぎれの弁明を試みようと思った。スファラディの賢人やアシュケナージ（ドイツ・東欧系のユダヤ教徒）のラビたちから受け取った何百通もの手紙を胸ポケットから取り出して、人命救助の実績を示そうとも考えたが、やっぱり指先がいうことをきかない。ラビの威厳のある髭がまるで生き物のようにひらりと舞う。そして、ラビが握り拳をふりあげながら、つっかかってきた。

——退がれ！　死穢（しえ）にまみれた悪党め！

ヨイェッツはおぼつかない足どりで、外へ出た。まわりからはひそひそ声やくすくす笑いが聞こえた。すぐにでも町を出ようと思ったが、夜遅くに二人っきりはいやだと、馭者が辞退してきたから、昼間と同じがらんどうの屋敷のなかでひとり夜を明かすしかなかった。寝具を借りて、明かりを灯してもらった。窓辺でぽつぽつ雨だれの音がした。葬儀屋から遣いが二人、湯と皿を運んできた。ヨイェッツは鞄から乾パンを取り出してちぎってはみたが、咽喉を通らない。首から上が砂でいっぱいになったような感じだった。窓は閉まっているはずなのに隙間風を感じた。蠟燭の炎はめらめらと揺れ、煙がにおい、部屋のなかがぐらぐらして影が蛇のようにのたくった。床の上には蛆（うじ）が這い、地下室のような黴の臭いがたちこめた。ヨイェッツは着衣のまま寝具にくるまり、何分か目をあけたままで夢を見た。バグダッドにいる夢だった。イエメン人の浅黒い美人の妻が跪き、彼の靴をぬがせ、足を洗ってくれる。とたんに身震いして目が醒めた。さっきまでの明かりはどこかに消え、今度は闇のなかで壁が動き始め、屋敷全体が大きくふくれあがって、洋上に浮かぶ船のようになった。窓ガラスの向こう側に、角を生やした黒い髭もじゃの顔が大口をあけているのが見えた。床の上を足の長い野犬が何匹もぶつかりあい、鼻づらを尖らせて走りまわっている。まるで檻のなかのオオカミの群れのようだ。壁が罅割(ひびわ)れをおこしたように軋みをたてた。身を起こして両手でからだを支えようとしたが、雲をつかむようでたよりない。あわてて呪文を唱えようとしたが、なかなか言葉が出てこない。心臓は止まったかに思え、爪先は冷たかった。

――もうおしまいだ……

そう呟きながら、それでも懸命に立ち上がったヨイェッツは、玄関に向かい、闇のなかを手さぐりで進んだ。くねくねとした狭い廊下がつづき、玄関の柱に頭をぶつけた。手をやってみると、どうやらこぶができたみたいだ。首にかけた袋の口がゆるんで、真珠の粒がばらばらこぼれる音を聞いた気がした。やっとのことで門から外に出たときは全身がぐっしょり濡れ、服は鉤裂きだらけになっていた。町はすっかり眠りこけていた。ウナギか、ナマズか、鱗のない魚のような雲の向こうがわを月が走りぬけ、新月のようなくすんだ光を放っていた。野犬が吠えながら追いかけてきて、長衣の裾に咬みついた。息を殺して、何とかふりはらおうと、服のボタンを外し、急ぎ足に駆けた。それでも犬の吠え声、足音は遠くならない。追われていくうちに、突然、通りの両側に立ち並ぶ家々が消え、突風にあおられた長衣はふくれあがった。はるか彼方に分離の蠟燭(ハブダラー)（蠟燭を灯して、さまざまな儀式上のケジメをしるす）の明かりが見えた。にぎやかな笛や太鼓の音が聞こえてきた。人だかりが前方からやってくるみたいだ。竹馬に乗ったような変な背高(せいたか)のっぽが後ろ向きに踊っている……花婿バンザイ、花婿バンザイと、みんなが囃したてる。悪魔たちはヨイェッを魔女の花婿として迎えようとしているらしい。ヨイェッは立ったまま、しわがれ声で叫んだ。

——神よ、魔王を退け給え！　助け給え！

いくら道をひき返そうとしても、膝がいうことをきかない。ヨイェッは人だかりの中心にいた。長い幻の手が延びてきて、四方からヨイェッにつかみかかり、蜘蛛の巣のようにやわらかな毛におおわれた生き物が、今夜の主役はおまえだといわんばかりにからだをこすりつけ、にやけた風に笑いながら首玉にしがみついてくる。その笑いはからだにまとわりついて離れない。そこに音楽が響きわたり、松明に火が灯されて空は真っ赤に染まる。まるで火事のようだ。ヨイェッはからだをふりほどこうとして、一歩を踏み出しかけたが、地面がぐらぐらして、頭上にはいつのまにか結婚式の天蓋(フパー)が用意され、気づいてみたら白衣をまとわされている。巨大な女が一糸まとわぬ姿でヨイェッを抱き寄せ、剥き出しの乳房にからだを押しつけた。そして、体重をかけて彼にのしかかり、おねだりをするのだった。

——ヨイェッ、わたしに恥をかかせちゃいけないよ。さあ結婚の誓い(ハレイ・アト)をあげようよ。幸福な門出を祝って……

ヨイェッは耳をふさいだ。それでも音は聞こえてくる。婚礼のワイングラスを足で割る音。太鼓を打ち鳴らす音。足踏みの音。やんやの喝采。祝福のねじりパン(ハラー)を運んできた老婆は、足どりも軽快に、くるんととんぼ返りをしてみせた。とたんに地面が揺らぎ、結婚式の舞台全体が空中にあって、下界に煌々と明るい町が歪みながら広がっているように思えた。下界では群衆がいりみだれ、この空中ショーを見上げていた。なにかを叫んでいるのだが、その中身は聞きとれない。転落するのが恐ろしくて、目をつぶったまま、ヨイェッツは最期にこう思った。

——おれもとうとう一味の仲間入りをしたんだな。

＊

翌日、町の城壁から遠くない荒れ野に、うつ伏せに倒れているヨイェッツが発見された。大の字になって、頭は砂のなかにめりこませ、まるで高い空から墜落したような死にざまだった。

（西成彦訳）

＊　レビラト婚とも言うが、子を残さずに死んだ夫の代わりにその兄弟と結婚する風習。

＊＊　一七世紀のシャブタイ・ツヴィは救世主を名告ったが、イスラム教に改宗し、贋物の救世主とされる。

象牙の女

アンドリッチ

◆イヴォ・アンドリッチ

Ivo Andrić 1892-1975

旧ユーゴスラヴィアの作家。一八九二年ボスニア生まれ。処女詩集『黒海より（エクス・ポント）』（一〇）で叙情詩人として出発。一九二三年オーストリアのグラーツ大学でボスニア史の研究により博士号を受け、やがてユーゴスラビア外務省にはいる。第二次大戦開始まで西欧諸国で外交官生活を送り、その間いくつかの短編集を出版し、作家としての地歩を固めた。第二次大戦中ナチのベオグラード占領により、自宅蟄居を余儀なくされ、長編の執筆に専念。戦後、その成果である『ドリナの橋』（四五）、『トラーヴニク年代記』（同年）を発表。一九六一年度ノーベル文学賞を受賞。

これは友人から聞いた話だ——。

ぼくに彼女を売りつけたのは、まるで小鳥がさえずるような話し方をする、慇懃無礼な中国人だった。夜の帷がおりかけていたことを、いまもよく記憶している。ぼくがこの息苦しい都会に住み、怏々として楽しまぬ日々を送るようになってから、数えてちょうど七か月目の日のことで、その日もぼくは一刻も早く街路を通り抜けてしまおうと家路を急いでいた。秋の夕闇につつまれたこの街路を歩いていると、思うことはいつも同じで、いつかここの人間がひとりのこらず骸骨になってしまう、そんな気がしてならなかったのだ。しかし人波と雑踏は無限に続き、ぼくの歩みを遅らせていた。

こんなふうに、毎晩ぼくは、家路を急ぐ若い人々と同様、不愉快になりながら歩いていたものだ。しかしその晩は、なんと言うか、いつもとちがってうきうきしたような気分になり、孤独感もあまりなかった。右のポケットに象牙の女がはいっていたのだ。

家に着いてみると、火は消えていた。炭の臭いが部屋のなかにたちこめていた。ブザーを鳴らして女中を呼んでみたがむだだった。なにからなにまで侮辱的で、なにひとつまともな状態にない、そんな晩だった。オレンジには水気がなかった。女中は水を汲み忘れていた。その時ぼくはポケットのなかの女のことを思い出した。彼女を取り出して、机のうえのスタンドのもとに置いた。影が美しくその場所を占めた。

彼女の肩と頰がきらきらと輝いた。その顔は笑みを浮かべているようにみえた。それは中国人たちが売っている仏像や、竜や、猿と同じように、たくみに彫刻されていた。ぼくはなんとなく、悲しいような、いやな気分になっていた。

ベッドのなかで本を読みながら、ときどき顔をあげては、スタンドのもとの光の円のなかに立っている、彼女の小柄な、明るい、均斉のとれた姿をながめてみた。ぼくはながいあいだ本を読んでいたが、そのうち本が重くなり、活字の行が乱れて、ごちゃごちゃになってきた。ぼくは本が落ちる音を聞いたような気がして、明かりを消さなければならないと思ったが、あまりにも疲れていて、すべてのものが重く、遠いように思われた。ところがその時、思わず目を瞠(みは)るようなことが起こったのだ。

青白い光のなかから小さな象牙の女が大きくなってゆき、だんだんこっちへ近づいてきたのだ。ついに女はベッドのうえにぼくと並ぶように腰をかけると、にっこり笑った。あいさつぬきのその様子は、まるで、つい先刻までここにいて、ほんの一時間ほど外出し、いままた帰ってきたこの家(や)の人という感じだった。

ぼくはどんなことがあろうとも驚くような男ではなかった。枕のうえにぼくは居ずまいを正した。女は、やはりほほえみながら、口を開いた。

「こうならなければならないってことはわかっておりましたのよ。すべては運命ですもの。わたくしがいなかったら、あなたはどうなるとお思いになって?」

ぼくは狼狽しはじめた。

「まあなんていうことでしょう」と女は言った。「あれほどわたくしたちは引き離されていて、いちどもことばを交したこともないというのに、心は満たされているんですもの。でもわたくしね、ずっとあなたをお待ち申し上げているあいだ、いつかはお会いする日の来ることと、あなたがわたくしのためにつくられているお方で、わたくしはあなたのためにつくられているっていうことを信じておりましたし、知ってもおりましたのよ」

「しかし……」

「いいえ、なにもおっしゃらないで。あなたは心がかたくなになっていらっしゃるのですわ。どうしてそんなにいつまでもためらっていらっしゃいますの！」

「しかし……」

「しかし、いまはすべていいのです。これからはなにもかもふたりいっしょですのよ。生活も仕事も死も。これからずっと！」

「しかし！」

だが、女はいよいよ情熱の炎につつまれて、言った。

「そうよ、これからはいっしょに生活し、仕事をし、苦しむのよ」

狼狽と不快が絶望に変わりはじめていくなかで、ぼくはもっとも言うつもりのなかったことを口に出してしまったのだ。

「だって、あなたは骨でできているんじゃありませんか！」

「な、な、なんですって、わ、わ、わ、わたくしが?!」

そして女は髪の毛を逆立てて癇癪を起こし、彼女全体が気違いじみた芝居の舞台、スキャンダルに似た様相を呈してきた。

「わ、わ、わたくしがなんでできているですって?!」

「象の……その……」

女は大怪我でもしたように悲鳴をあげた。ぼくはもっとちゃんと起きあがろうとして、中腰のような格好になった。最初の悲鳴のあと、女はむせび泣いてばかりいる。

「ああ、ああ、世の中があなたを台無しにしてしまったのだわ。あなたはすっかりにぶってしまったわ! ああ、あなたは愛や善を理解することができないのね、あなたは人をしあわせにすることができないかたなのね」

ぼくは、まったくそのとおりだ、と言わんばかりにうなずいてみせ、この思いもよらぬ災難が去ってくれるようにと願ったが、女はぼくのほうには目もくれず、興奮して話し続けた。

「だからこそ、あなたを放っておくことができないのよ。わたくしはこの身を捧げて、あなたのおそばに居なければならないのよ。あなたはほんとうに悪いかたで、病気なのですもの。わたくしは母親として、姉として、あなたのお世話をしたいのです。永遠に……」

いまや事ここにいたっては、救いも助けもないことがはっきりした。そして、めったと見ない恐ろしい夢のなかだけで経験したような恐怖がぼくを襲った。人間の愚かさやエゴイズムが感動的な、高尚な外貌の仮面をかぶるとき、われわれがそれらに対していかに無力であるかをぼくは知っていたからだ。しかしそれでも、ぼくは姿勢を取り直して、自分の力でこの災いを追い払おうと決心した。だが、女があまりにも早口に、たて続けにしゃべるので、ぼくはもうなにもかもわからなくなっていた。「永遠」とか「いつまでもおそばに居る」というようなことばが繰り返されるのを耳にするたびに、目の前に灰色の深淵がぽっかり口を開き、ぼくは恐怖のために意識が遠くなり、啞になったようにものが言えなくなってしまうのだった。ぼくは女を外へ追い出すつもりだったが、手足がもぎ取られたような感じだった。それでもやっとどうにかことばが口から出るようになった。

ぼくは、自分の生命を守るために戦っている人のように、話した。彼女が象牙製の人形で、自分が正当に得た金で買い求めたものなのに、いまやぼくを苦しめていることを一気に話し、彼女が滑稽な、白色の、中国女であることを嘲笑してやった。最後は声をふりしぼって叫んだ。

「それであなたは、白の世界から突然ぼくの家にやって来て、自分の感情をぶちまけたんだ！　あなたはぼくに格好なはけぐちを見つけたんだ！　あなたの愚かしい永遠とやらをぼくと分かち合って、ぼくがどうにか自分の力でやり終えようとしている仕事を手伝ってくれるってわけか?!　さっさと消えてくれ！　出てってくれ！」

あの恐怖の瞬間ぼくが彼女になにを言ったか、いちいち覚えてはいないが、ぼくのこの最後のことばに彼女が腹も立てず、出て行きもしないなんてことがあろうか。しかし彼女は悲しげに首を振るばかりで、動こうとはしなかった。

ぼくはベッドから這い出そうとしたが、その時、女が大きくなりはじめたことにはっと気がついた。ぼくはだんだん壁ぎわに追いつめられ、押しつけられて、やっと逃げはじめた。だが、女はますます大きく広がり、ついに姿形が崩れ去って、灰色のなまぬるい煙のようなものが部屋に充満した。ぼくは家のなかを逃げまわったが、煙はついに家じゅうに充満し、町の通りという通りにまで溢れ出た。恐怖のために気が遠くなり、走り疲れて息が切れたぼくは町はずれのとある古い壁に身をもたせたが、その時、煙がおそろしい速さで、津波か溶岩の流れのように、ぼくに向かって広がってくるのを見た。ぼくは締めつけられ、ぐったりとなって天を仰いだが、空はおおい隠されていた。ぼくのうえも周囲も重苦しい、息づまるような煙の厚い雲におおわれていた。永遠に。

戦うことも逃げることもできないことを知ったぼくは、やけっぱちで最後の力をふりしぼって、声の限りに叫んでみた。すると、なにかの奇跡のように、あたりのもやがうすれはじめ、うすい煙をとおして青味がかった光の輪が見えたみたいだった。そこでぼくは目が覚めたのだ。

目をこすったが、まだ恐怖と疑惑のなかにぼくはあった。心臓が首のすぐ下にくっついているみたいだった。空気が重たく、息苦しく感じられた。全身びっしょり汗をかいていた。ぼくは起きあがった。消し忘れていたスタンドの下には象牙の小さな女が立っていた。彼女のうえには美しく影が憩っていたが、光に照らされている部面は薄笑いを浮かべていた。

背すじに戦慄が走り、女を摑んだぼくの手は震えた。窓を開けた。この女を花崗岩の石畳に叩きつけ、彼女が大きな音を立てて、粉みじんに砕けるのを聞かないかぎり、悪夢からさめないような気がしたのだ。

都会の夜はしんしんと更けていた。星はなく、陰湿な闇と無気味な静寂とが織りなす形象もなかった。ぼくは手を振りあげると、女を力まかせに街路に投げつけ、彼女が落ちて砕けるのを確かめようと、じっと聞き耳を立てていた。ぼくは待った。自分の心臓のうつろな鼓動が聞こえ、短い、頻繁な、秒を測ったような息づかいが聞こえたが、象牙の女が石畳に落ちてこわれる音は聞こえなかった。再び戦慄が走った。待っていたのに、女は落ちて行かなかったのだ。頭髪が霜柱のように凍りつき、痛かった。ぼくは静かな電灯の光をながめ、それから暗い通りを見た。彼女はどこへ飛び去ったのだろう？　妖精たちが人間の目には見えない遊戯をしたのだろうか？　ほんの一瞬ぼくはそんなことを思ったが、すぐまたもとのはっきりした意識が戻ってきた。妖精などというものは存在しないのだ、われわれの身に起こる唯一の偉大なる現実、これこそすべてなのだ。ぼくは全身が痺(しび)れたみたいになり、窓を閉め、スタンドをまえにして腰をかけると、頭をかかえて考えこんでしまった。きっと、またどこかで彼女に会うことだろう。

これはほんとうのことで、ぼくはいまでもあの夜の悪魔の仕業に身震いするのだ。

（栗原成郎訳）

ルカレヴィチ、エフロシニア

『ハザール事典』より

パヴィチ

◆ミロラド・パヴィチ

Milorad Pavić 1929-2009

ベオグラード生まれのセルビア詩人、小説家。生地の大学で主として中世および近世スラヴ文学を講じる。本作は彼の最初の本格的長編小説で、事典形式に模した『ハザール事典』(八四)の一節。七～十世紀にかけてクリミア半島の大半を支配した遊牧の民、ハザール人の改宗の謎を探ると見せて、縦横無尽に現実と空想をないまぜにするバロック的奇想の書である(東京創元社刊)。本書で一躍国際的に知られるようになったパヴィチは、その後も、クロスワードパズル形式の長編『お茶で描かれた風景』(八八)や、二つの独立した物語が本の真中で出会う長編『風の裏側』(九一、邦訳は東京創元社)等の楽しい仕掛けを持った作品を次々と発表し、二〇世紀末ポストモダン小説の旗手として活躍を続けている。

十七世紀　ドゥブロヴニクの地主貴族、ゲタルディチ－クルゥホラディチ家に生まれ、貴族ルッカーリ家に嫁ぐ。その館の鳥籠には懸巣(かけす)一羽を飼っていたが、これは薬効ありとの理由からである。壁にかけたギリシャ製の大時計は祝祭日に限ってさまざまな聖歌を奏でた。「人生の新しい扉を次つぎと開ける不確かさは、トランプのカードを配るのと同じ」というのがエフロシニア奥方の口ぐせだった。また彼女の裕福な夫については「うちの人の夕食は沈黙と水ばかりなの」と洩らした。彼女は大胆不敵な行動と際立つ美貌をもって知られたが、本人はにんまりと微笑を浮かべつつ「肉体と名誉とは両立しません」とみずからを弁護した。

　エフロシニア奥方は両手に親指が二本ずつ付き、四六時中、手袋をはめたまま、たとえ食事の際にも決して脱がなかった。食べものは赤青黄色のものを好み、衣裳の色も同様である。一男一女の子どもをふたりを設けた。

　その娘が七歳のある晩、自室と母親の部屋とを隔てる窓から見ていると、母親の出産が目撃された。鳥籠の懸巣の付き添う産褥の床でエフロシニア奥方が産んだちいさな赤ん坊は、あごひげを垂らした老人で、むきだしのその足にはけづめが生えていた。産み落とされるなり、その子は「飢えればギリシャ人は天国へも出かける」と第一声を発し、それから臍(へそ)の緒(お)を自分で嚙み切ったあと、すごい勢いで駆けだしてきて、途中、服ならぬ帽子をひっつかみ、一声(ひとこえ)、姉の名前を呼んだ。その衝撃以来、娘は口のきけぬ、始末に負えない子となり、このため人目につかぬようにと幼女はコナヴリエへと移された。

エフロシニア奥方は〈パンの上に坐っていた〉女とされ、ドゥブロヴニク・ゲットーのサムエル・コーエンなるユダヤ人と密通を重ねていたと噂された事情がその背景にある。奔放な身持ちを責められたるたびにエフロシニア奥方は、説教など聞きたくない、と冷たく突っぱねた。「本当の話、もしも百人もの貴族の青年がいて、そろいもそろって魅力も生気も金力にも溢れ、みんなが黒い髪の男で、そのうえ、時間に余裕のある人ばかりとして、そのなかから選ばなくてはいけないなら、誘惑に負けたかもしれない。でもドゥブロヴニクでは百人もの伊達男になんて百年経ってもお目にかかれやしない。だいいち、だれが百年も待てますか」

これとは別の悪口には、彼女は答えるそぶりも見せなかった。巷の噂では——あの女は嫁入りまえはモーラ（人の屍を食べる女）だったのが、結婚後には魔女となり、死んだあとでは三年のあいだ吸血鬼になると言われたのである。この噂はだれもが信じていたわけではない。吸血鬼になるのはたいていがトルコ人、ずっと少ないがその次にギリシャ人、ユダヤ人は絶対にありえないとされていたからだ。エフロシニア奥方は秘密ながらモーシェの教えを信仰している——と人々は耳打ちし合った。

それはともかく、サムエル・コーエンのドゥブロヴニク追放は、奥方の平穏を乱す事件となった。これも噂だが、悲痛のあまりどうやらこの先、長くは生きまいと言われ、両端の親指を折り曲げて石のような拳を握り、夜ごとそれを胸にのせて嘆き悲しんでいると評判された。ところが、死ぬこともなく、ある朝、彼女はドゥブロヴニクから姿を消し、その後、コナヴリエで見かけられ、しばらくしてダンチェでは真昼時、お墓の上に腰かけて髪をくしけずるところが目撃され、やがて北へ向けてベオグラードへと旅し、そこから愛人を捜しあてるためドナウ地方にくだった。クラドヴォ付近でコーエンが死んだと聞かされたあとも、ドゥブロヴニクへは戻らなかった。彼女は髪を切り落として、それを地面にうめたとまでは伝わっているが、その後の消息はだれも知らない。死に至るまでの彼女の心情は悲哀に満ちた長篇の民衆詩に歌われ、それが一七二一年、コトルで文字に記録されたが、こんにち遺るのはそのイタリア語訳のみである。タイトルの訳は『ラテンの若き乙女とワラキアの領主ドラクゥラ』となる。

翻訳はかなり原詩を歪めているが、長詩のヒロインのモデルはエフロシニア奥方、ドラクゥラは十七〜十八世紀の交、エルデーイ*（トランシルヴァニア）に実在した人物ヴラド・マレスクゥに基づくものと信じられている。

以下、長詩の内容はこんなものだ。

白葦のはや芽吹く季節、悲しみの麗人は、戦に出された恋人を求め、ドナウの畔に旅をつづけた。愛人の死を告げられた女は、領主ドラクゥラのもとを訪ねた。領主は先を見抜く明日の目をもち、悲嘆を癒す療法の名手として巨額の謝礼を取ることで知られた。ドラクゥラの頭髪の下には真っ黒に近い頭骨が見透かせ、その面には緘黙の一本の皺が走り、そのペニスの大いなること比類を絶し、休日ともなればそこに括(くく)りつけた絹糸に花鶏(あとり)をつなぎ、先立って飛ぶ鳥にそれを支える役を務めさせた。

彼はベルトの下につねづね一枚の小さな貝の殻をたばさみ、この貝の殻で生きたまんま男の全身の皮をそっくり剝ぎとる技(わざ)を心得ており、しかもそのあと、同じ男の髪を握りしめておいて、剝いだその皮を元のとおりにすっぽりと着せることもやってのけた。甘美な死をもたらす秘薬の調合にも通じていたから、城館の周りには吸血鬼の群れが引きもきらず押しかけ、蠟燭の火を吹き消しては、もういちど死なせてほしいとドラクゥラにせがむのだった。吸血鬼にしてみれば、死だけが生との繫がりなのである。

領主の居室へと導くドアの把手は、自分からくるりと回るようになっている。一方、館の正面ではちいさなつむじ風が舞い、風は近づくものを手当たり次第にぶち壊した。このつむじ風はもう七千年の昔からここにくるくると回っていて、目と呼ばれるその中心にはやはり七千年来、月明かりが衰えることなく昼間のごとき光を放っていた。

うら若き乙女が着いたとき、領主ドラクゥラの召使らは、つむじ風の陰に腰をおろして酒を食らっていた。そのひとりは相手の男が歌のような音を長々と発しているあいだじゅうぐいぐいと飲みつづけ、相手が息をつぐときにやっとやめ、それからたがいに番を替った。到来の客に敬意を表して、召使らはまず夜の声で、次に野の声で歌い、最後に〈頭と頭を向き合せ〉て、こんな意味の歌を歌った。

小鳥らがドナウの魚を数え始める春ともなれば、海へとそそぐ川口に白葦が茂る。茂るのは真水と塩水の混ざるわずか三日のあいだ、その種の成長はすべてに優り、花ひらく速さは這う亀の歩みをしのぎ、伸びる茎はよじ登る蟻のつねに先をゆく。

乾いた土に落ちた種は二百年でもそのまま眠り、ひとたび水気に恵まれれば一時間を経ずして芽ぶき、三、四時間のうちに一メートルにも伸び、ぐんぐんと太さを増して、その日の暮れるまでに片手で握りきれぬほどとなる。朝がくれば太さはもう人間の腰ほど、高さは屋根と同じくらい、川の茂みに漁師の張る網は伸びた葦が持ちあげ、水面高く張り渡されてしまう。

白葦はおなかに入っても成長する。鳥もそれを知っていて種や若い芽を飲み込まぬよう気をつける。それでも時おり空中で腹のはじける鳥の最期が、舟漕ぐ人や羊飼いの目にとまる。人々は知っている、それは鳥が、狂気の発作か、あるいは人間の嘘にも似た嘆きの果てかに、白葦の種をついばみ、種の芽ぶきで体が裂けたのだと。

白葦の根本近くに必ず歯形の跡らしいものが見える。羊飼いの話では、白葦の生えるのは土からでなく、水中に隠れ棲む悪魔の口からなのだという。悪魔はその口で口笛を鳴らし、また話しかけて、鳥やらほかの食いしんぼの生きものを魔性の種に招き寄せる。

それゆえ白葦の茎で笛は作らない。他人の笛は吹くものではないからだ。ある漁師たちの語るところでは、つれあいを孕ませるのに鳥は自分の種を使わず、その代りに白葦の種でごまかし、こうして地上には〈死の卵〉が再生される……。

歌が終ると、乙女は狐を追いに猟犬どもを放ってやり、ひとり館へ足を踏み入れた。悲しみを癒すためのお礼としてドラクゥラに渡したのは金貨の詰まった袋であった。ドラクゥラは彼女を抱き締めると、そのまま寝室へ導き、犬が狐狩りから引きあげてくるまで片ときも女を放さなかった。夜が明けてきぬぎぬの別れのあと、ふたたびその日も暮れようとする夕べ、ドナウのほとりで犬どもの悲しげな吠え声を羊飼いらが聞きつけた。

近寄って見ると、そこにはみずみずしい美女が、白葦の種を孕んだ鳥のように、引き裂けた身で横たわり、女の絹の衣裳ばかりが、高い葦の茎にまつわり、そして早くも深く根をひろげた葦が、彼女の髪のあいだに葉をそよがせていた。女は早産の娘——それは彼女自身の死である——を産んでいた。彼女の美しさはこの死のなかにあり、それは乳漿と凝乳とに分れていたが、その底には葦の根をくわえたひとつの口がひらいていた。

（工藤幸雄訳）

＊　これは異説である。通常、ビフクゥラ（ドラキュラ）のモデルは十五世紀の残虐の聞え高いワラキア領主ヴラド・ツェペシュとされる。

見知らぬ人の鏡

『死者の百科事典』より

キシュ

◆ダニロ・キシュ

Danilo Kiš　1935-89

旧ユーゴスラヴィア北辺、ハンガリー国境に近いスボティッァ（ハンガリー名サバトカ）に生まれる。ハンガリー系ユダヤ人の父をアウシュヴィッツで失う。ベオグラード大学卒。工夫を凝らした斬新な物語構成と独自の文体をもって生と死の世界を抒情的に描く、「見知らぬ人の鏡」を収めた『死者の百科事典』（八三、邦訳は東京創元社）のほか『庭園、灰』（六五）、『若き日の哀しみ』（六八）、『砂時計』（七二）が代表作。

この話は突然に“in medias res”（「いきなり本題にはいって」）はじまるのではなくて、夜の帷が森の中におりていくように、徐々にはじまるのだ。それは鬱蒼たる樫の森で、樹々があまりにも密に生い茂っているので、ほんのところどころにだけ落日の光線が梢から洩れたかと思うと、そよぐ木の葉の気まぐれによって、一瞬のうちに地の上に落ちて血痕のような染みをつくって、またたくまに消える。その少女はそれには気がついていない、日が暮れかけて、黄昏がゆっくりと迫っているのに気がついていないのと同様に。少女はほかの事に没頭している、――少女は一匹の栗鼠のめまぐるしい跳躍を目で追っている、栗鼠の長い尻尾は樹の幹に沿って滑り、すばやいので、動きと速さは似ているけれども実際には異なる、二匹の動物が競争しているかのような印象を与える。先を行くのは本物の栗鼠で、毛はつややかで、栗色、後を追うもう一匹は毛がもっと長く、もっと明るい色をしている。双子ではない（少女はなんとはなしにそう考える）、あの栗鼠は双子ではなくて、血を分けた姉妹だ、同じ父親と同じ母親から生れた姉妹だ。彼女ら三人姉妹のようだ、ハンナとミリャムとベルタ（それは彼女自身だ）、同じ父と同じ母から生れた血を分けた三人姉妹、互いに似ているが、それでいてちがっている。例えば、ハンナとミリャムは髪の毛が黒く、烏の濡れ羽色なのに、彼女、ベルタは明るいにんじん色の赤色、三つ編みにして垂らした髪はちょっぴり栗鼠の尻尾に似ている。湿った落葉を踏み分けて歩きながら、夕闇が森の上にたれこめるまで、少女はそんなことを考えている。それから、少女は、まるで夢の中にいるかのように、何か得体の知れない首の長いマッシュルーム、ひと叢(むら)の柄の長い茸(きのこ)に出会う。それが毒茸だ、と誰かが教えてくれたわけではないのに、少女にははっきりそうだと分かった。（少女は間違ってはいない、少女の考えは正しい。それは毒茸だ、*Ithyphalus Impudicus*［ミダラインケイダケ］だ、そんな名を少女は知る由(よし)もない、知らずともよし。）少女は茸をエナメル革の靴で踏みつけ、まるで怒りの発作に駆られたように踏み砕いた。少女の靴は、見れば、泥にまみれてはいない、絨毯(じゅうたん)の上を歩くように落葉を踏んで行くからだ。ただ、エナメルの光沢のある表面には、林檎(りんご)の皮の表面にできるような、あるいは鏡に息を吹きかけた時にできるような、薄い曇りの膜がかかっている。その時、少女は思い出して、父親がセゲド（ハンガリー南部のセルビア［ヴォイヴォディナ自治州］との国境にある都市）の定期市で、あるジプシーから買った小型の丸い鏡をポケットから取り出す。（それは口髭をたくわえた若いジプシーで、片足が跛行、金歯がずらりと並び、銅製の鍋を売っていた。この鏡は彼が持っていた唯一の鏡であった。ジプシーは、旦那(だんな)さま、「ご慈悲とおぼしめして」これを買ってください、お安くしておきますから、と懇願した。今日はなにひとつ売れませんでした、うちの子供(がき)が病気で、死にかけております……〝ジプシー商法〟というやつだ。）

少女は鏡を顔に近づけるが、一瞬なにも見えない。ただほんの一瞬のことだが。

西に通じ、マコーに至る田舎道は（そこからさらに、少し北東に方向を転じれば、ブダペストに至る)、この季節には通りやすい。河川の氾濫期までにはまだ少し間があり、マロシュ川はまだ満水していなかった。その道はアラド(セゲドの東方、マロシュ川右岸の商業都市、現在はルーマニア領)のすぐ郊外からはじまる。舗装道路は煉瓦工場のところで突然おわり、夏は土埃が立ち、秋には、洪水になるとは言わないまでも、泥水が溜まり、ぬかるみになる田舎道がはじまる。しかし雨が降れば、土埃はどろどろの黄色い沼と化し、泥が車輪や輻にべっとりと付着し、馬の蹄は捏ねた粉の中に落ちたように粘土の中にはまりこむ。軽量の二輪馬車や副知事の黒塗りの四輪馬車でさえぬかるみに深い轍を残すほどだから、二頭の図体の大きい、鈍重な馬に曳かせた、重い手製の荷馬車については言うにおよばない。

無蓋の馭者台には、四十代の、大きな黒い眼をした、疲れたまぶたが重たげの紳士が座っている。硬い鍔のついた、ややすりきれた帽子を被っている。紳士は、老練な馭者のように、手綱を片手にゆるく握っている、鹿革の手袋をはめた大きな手のひらに両端の革紐を一つにまとめて摑んで。もう片方の手に鞭の柄を握っているが、それは真新しい、立派な代物で、竹製の柄の先端に銅細工の装飾があり、細い革紐がついており、それは組紐になっている部分の終りに付いている赤い房飾りの先では強靭で鋭い鞭紐に変じ、毒蛇の声のように鋭い音を発して空気を切る。

鞭の持主は、それをさしあたり一回だけ、アラドを発つ時に、あの舗装道路が田舎道に変じる所で用いた。本当は、正確に言えば、二回だ。最初は店の前での、虚空を切っての試しのひと振り。猟銃の品定めをするのに似ており、買手は銃を肩の上にしっかりと据え、頭を傾け、左目をつぶり、柱時計の中からちょうどとび出してきた郭公に狙いを定め、「バーン、バーン」と言って射撃し、銃を肩からおろし、銃身を開いて筒口を覗き、彫刻（疾駆のさなか突然急停止した鹿）のほどこされた銃床を調べ、銃の重さを手で測り、そうこうするうちに郭公は赤い薔薇と緑の葉の絵の描かれた観音開きの扉の陰に消える、双銃身からほとんど同時に（バーン、バーンと）発射された散弾によって粉砕されたかのように消える、なぜなら狩人は郭公が蔓薔薇の生い茂った扉の陰にまさに隠れようとする直前の一瞬を狙って撃ったので、郭公はかろうじて三回鳴くことができたからだ。——時計の針は正確に三時を示し、アラドの商人ローゼンベルグの店はたったいま開いたところで、件の客は、あるいは偶然の客は、その日の午後の第一番の客として店の中にはいった。

　そこで彼は銃を置いて（しぶしぶという感じで）、店の隅に置いてあった同じ種類の、柄が竹製で、長さも値段も全部同じという数本の鞭のうちから一本を手に取り、両手に力をこめて柄を握り、撓わせてみた——乾燥した竹はばりっという音を立てたが、しなやかに曲がった。それから二、三度自分の長靴の脚に鞭を当ててみたが、それでは満足できず、店の前の通りに出て行って、手慣れた馬丁がするように、頭上で鞭を振った。鞭は毒蛇の声のように鋭くうなり、その鞭の幸運な所有者はその時急激に鞭の柄の動きの方向を変え、柄をぐいっと手前に引っぱったが、それは漁師が竹製の釣竿を、大きなチョウザメかスズキが餌に食いついた時に、ぐいっと引き戻す仕草に似ており、あるいは、森の中から馬車の前にいきなり熊がとび出してきたり、または二人組の追剝がとび出してきて、一人が馬の端綱をわしづかみにし、もう一人が二連銃を馭者の胸先に突きつけて手綱を奪うというような突発的な危険に際して、馭者が手綱をぐいっと引く仕草に似ていた。猟銃を撃ったように強烈な、あるいはほとんどそれと変らぬぐらいに強烈な鞭の音が人気のない通りに響き、谺となって返った。

　鞭の買手が二度目にして最後に鞭を振ったのは、アラドの舗装道路を離れて泥んこの田舎道に出た時のことである。これこそ本当に最初の鞭の試し打ちであり、もはや虚空を打つものではなくなった。彼は鞭を自分の馬たち（ヴァルデマルとクリスティーナ、そう呼ばれていた）の頭上でただの一回だけ振りかざして、耳のすぐ上の空気を打った。馬たちはけだるさをふっとばされて、図体が大きく、鈍重であったにもかかわらず、ぬかるみの中を疾駆して、後部座席の少女たちを大喜びさせた。少女たちは、この狂ったような馬車の駆けりをずっと面白がっていたにもかかわらず、まるで恐怖にとらわれたかのように互いにしがみついて金切り声をあげていた。

　紳士はイギリス製のツイードの背広を身につけており（買ったばかりの新しい鞭に気をとられてこのことを言い忘れてはならない）、型は違うが、同じくツイードのコートをその上に羽織っている。紳士は、見るからに疲れているにもかかわらず、大いに満足しているような印象――そのような印象は人を惑わすものであるかも知れないにせよ――を与える。彼の満足が買ったばかりの鞭（それは瑣末なことだ）のためばかりでなく、首尾よくなしとげられた仕事のためであることは疑いを容れない。なぜならば（いやはや！）、その仕事というのは「良家の」娘たちが通うと言われる女子高等学校に娘たちを入学させることだったからだ。もちろん、それにはある関係をつけなければならなかったし、それにともなうなにがしかの金額と、ちょっとした贈答品も必要だったが……。しかし、ありがたいことに、いまや万事うまくいったのだ。ハンナとミリャム――上が十四歳、次が十三歳――はアラドのゴルドベルグという婦人の家に住むことになる。ゴルドベルグさんは厳格で、貞潔な女性であるが、ただ貞潔すぎて結婚しないでいる。正直に言って、貧しくないばかりでなく、彼女を幸せにしてくれるような、誠実なユダヤ人男性が見つからないほど「魅力のない」女性であるわけでもないのだ。おそらく、そんなことをブレンナー氏(彼の名はこうである)は、車輪が泥道を進むあいだ、模造の軽二輪馬車の座席で揺られながら、考えていた。セゲドまではまだ遠く、少くとも二、三時間の道程はあるが、彼には急ぐ気はない。彼は鞭を一回使っただけでそれ以上は使わず、手綱を引っぱることもない。馬はこの道をよく知っており、アラド―セゲド間の道程をしばしばこの同じ軽二輪馬車(こう呼んでおこう)を曳いて往復したからである。ブレンナー氏は少くとも月に一回は商用でアラドまで(また、マコー、テメシュヴァール、ケチケメート、スボティツァ、ノヴィ・サド、ソルノク、ときにはブダペストまでも)馬車で行く。それで彼は自分の馬の本能のために馬車を断念し、自分の考えのために自分自身を断念する。中央ヨーロッパの一ユダヤ人商人が自分の死の日に際して何を考えているかは、ただ推量するほかない。それは、中央ヨーロッパの一ユダヤ人商人の娘たち(十四歳と十三歳の)が高等学校(ギムナジウム)に入学した最初の日に、また大いなる外の世界との最初の出会いの後に何を考え、何を夢見ているかは、ただ漠然と予測できるにすぎないのと同様である。異界との出会いの。

娘たちが母方の遠縁に当たるゴルドベルグさんが好きではなかったことは、疑いないところである。それは彼女の口もとにうぶ毛が生えていた(ハンナは妹の耳もとに「口髭」と囁いた)ためばかりでなく、彼女が最初の時から厳格ぶりを発揮したからである。つまりは、まったく無意味な厳格さなのだ。その日の昼食の時、彼女は娘たちに皿に残ったレンズ豆をパンで「舐めるように拭き取る」よう強制したのである。娘たちを子供扱いして、なにをするにもいちいち忠告する。これはしなければいけない、これはしてはいけない。これは hoch「上品」。これは下品。そんなわけで、この婦人の人柄についての娘たちの母親の話、正確に言えば、ゴルドベルグ嬢は「女性の鑑（かがみ）」という話は、虚しい。もし彼女が「女性の鑑」なら（とハンナは妹の耳もとに囁く）、どうして彼女は結婚しないのかしら、どうして「豆料理」のお皿を舐めてくれるようなお婿さんを見つけなかったのかしら。ミリャムは無言で同意し、ただ目配せで賛同のサインを送った——本当にそのとおりだわ、ゴルドベルグ嬢はうんざりするようなオールドミスだわ。まったくそうよ。ところで、学校の印象はどうだろう……。結構、担任の女性教師は若くてきれいで、愛想がよい。セゲドでは誰も見たこともない帽子を被っている、リボンと羽根がついた帽子、それに服は、ウィーンからではないにせよ、ブダペストから注文で取り寄せたものに違いない。しかし、高等学校（ギムナジウム）そのものはどうかというと、いささか娘たちを失望させた、と言わざるを得ない。外見は立派で、まったく申し分がない。壮大で、黄土色の塗りで、屋根も新しく、四方を庭園で囲まれている。ところが内部ときたら……机は（それぞれが座るクラスの席を見せてもらったのだが）、セゲドの小学校の机と似たようなもので、おそらくそれよりも一、二センチは高いが、どういう訳か、色は同じように暗く、ダークグリーン、表面がすり減っていて、インクの染みや、名前、絵、公式などの消すことのできない落書で汚れていた。黒板も似たようなもので、ダークグリーン（かつてはその色だった）がさらに黒ずんでいるうえに摩滅しており、かつては碁盤の目を印していた赤い線は、端の部分を残して、ほとんど見えなくなっていた。高窓には小説の中の修道院のように格子がはまっていた。これが「女子」高等学校（ギムナジウム）なのだ！

その朝、夜明け前に出発した時の娘たちのあの歓喜と歓声は、だから、もはやない。人生の大きな転機を意味する時に子供たちの心を満たしていたあの喜びは消えた。娘たちに残ったのは、それぞれが秘密として自分の心に秘めた悲しみだけだ。娘たちは自分が幻滅を感じたことを、歓喜と感激の長い日々のあと、ついに「その日」がきたという興奮で心が躍るのを感じたその日の朝が過ぎ去ったあと、突然、なにもかも回復できないものになってしまったことを、互いに告白することを恥ずかしく思っていた。

娘たちは、幌を上げた座席に毛布にくるまって座り、それぞれの思いに耽けりながら、まどろんでいる振りをしている。樫の樹の枝が風にざわめく。娘たちは、ときどき、互いに気づかれないように、そっと目を開けて、父親の肩が樹々の葉のアーチの下を、トンネルを抜けるように、通っていくのを見つめていた。ときおり風が木の葉を彼女たちの革製の座席に吹き落とした。木の葉は、鼠の動きのように、かさこそと微かな音を立てて舞い落ちた。

母親に何を話したらよいのか――娘たちは明らかにそのことを考えていた――意気消沈してしまった気持をどうやって母の前に隠そうか。娘たちを、婚礼に送り出すかのように、あるいはまた、縁起でもないが、野辺の送りをするかのように、あの朝、見送ってくれた母を、なんとしても失望落胆させるべきではない……ああ、そんなことはとてもできない。黒板に失望した、机に幻滅を感じたなんて、母に言えたものではない。それは子供じみており、母を傷つけることになる。ゴルドベルグ嬢はどうかというと、これはまた次元のちがう話だ。本当に、学校生活の期間中ずっとパンの柔らかな部分で皿を「舐めるように拭う」ことをさせられるのかしら。あれにいったいどんな意味があるというの。確かに、彼女たちの部屋は「小箱のよう」にきちんと整っていて、ベッドは広く、シーツは糊が利いていて、羽毛ぶとんは柔らかくて温かく、窓は花壇のある庭とライラックの茂みに面しており、なにもかも立派で美しい。しかし、母といえども、手紙でゴルドベルグさんに、独自の「躾の方法」をおやめください、と巧く、丁重にお願いすることはできないだろう。確かに、部屋の机の上には切りたてのアイリスを活けた花瓶があり、カーテンはボール紙のようにごわごわしていて、雪のように真っ白で、すべて申し分なく、風呂はピンクの陶磁器のタイルが張ってあり、タオルには、ハンナ用にはHの、ミリャム用にはMのイニシャルの縫取りがあった。しかし……いや、どうしても母には言えない。すべて事が成就した今となって、アラドに行くこと、高等学校に行くことを、夜就寝前に六か月もの長い期間語り合ってきたのに、いまさら、自分の無関心、忘恩をさらけ出すことは、厚かましい、子供じみた言動だろう。

外は、太陽がまさに沈もうとしていたが、まだ明るかった。ブレンナー氏だけにはその日没が馭者台から、まるで玉座から臨むかのように、見ることができる。おそらく彼はある詩の一節を思い出していることだろう――ブレンナー氏は詩の愛好者であり、商業によって美に対する感覚を完全に奪い去られていたのではなかった――それは落日をうたった詩で、日輪は、どこかの国の君主の首が断頭台から血に染まって転げ落ちたように、地平線のかなたに落ちた。
ブレンナー氏は、物思いに耽って内ポケットから葉巻を取り出す。

ちょうどその時、まさに同じ時刻に、森の中の少女はポケットから螺鈿の縁のある小型の丸い鏡を取り出して、顔に近づける。最初に少女は自分のそばかすのある鼻を見て、それから目と、栗鼠の尻尾に似た赤毛を見る。そのあと少女の顔が消える。ゆっくりと、順々に、最初に鼻のそばかすが消え、次に鼻そのものが、次に目が。青い林檎の表面に薄膜がかかったように、鏡の表面に少女の息がかかった。しかし少女は鏡を顔の前に持ちつづける、いま、鏡の中に森と樫の樹の揺れる葉が見えるからだ。小鳥が一羽茂みの中から飛び立った、突然に、音もなく。錆色の朽葉のような小さな蛾が樫の樹の幹にはりついて見えなくなる。一頭の鹿が疾駆の途中びっくりしたように急停止するが、それはただちにまた矢のように走り出すための姿勢だ。朽ちた枯枝が樹から落ちる。露の雫を載せた蜘蛛の網が落日の血の色の光線を屈折させて震えはじめる。松かさがふわりと落ち、枝が、灰でできているかのように、音もなく折れた。

少女は鏡を覗きこむ、まるで近視眼であるかのように(眼鏡をかけているハンナのように)、それを目のすぐそばに近づけて。それから少女は自分のすぐ背後に、と言うよりは鏡の背後に——なぜなら、彼女の後ろにはなにもなく、いかなる道もないからだ——泥んこの田舎道を軽二輪馬車が走っている光景を目にした。前席には少女の父が座っている。父はポケットから葉巻を取り出したところで、鞭を膝の上に置いて、火のついたマッチを葉巻に近づける。マッチを投げ棄てると、それは大きな弧を描いて、水溜りに落ちる。突然、父は手綱をぐいっと引く。父の目に恐怖の色が浮かぶ……。二人の男が二輪馬車に襲いかかる。

少女は夢の中で悲鳴をあげ、それからベッドの上に身を起す、汗ばんだ手に、枕の下に大切にしまっておいた、小型の螺鈿の縁のある鏡を握りしめて。その夜は子供を自分の部屋に寝(やす)ませていたブレンナー夫人は（ふだんは三人の娘たちは一緒に隣の子供部屋で寝るのだが）、びっくりして目が覚め、寝ぼけまなこで、燭台を手探りでさがした。少女は発狂したようにわめいている。それは血を凍らせるような、人間のものとは思えない、獣の叫びである。燭台をひっくりかえして、ブレンナー夫人は娘のところへとんで行き、娘の頭を胸に抱き寄せたが、彼女自身なにも言葉が言えず、言葉が声にならず、いったいなにが起っているのか、誰かが娘を絞め殺そうとしているのか、斬り殺そうとしているのか、なにがなにだか分からない。その喚き声と支離滅裂な叫び声のなかから、なにか不明瞭な、なにか恐ろしいことが聞き分けられ、自分の娘たちの名が呼ばれるのと、「いや！　いや！　いやああ！」という、ぞっとするような絶叫を聞いた。

やっとナイトテーブルのそばにあった燭台を見つけて、言うことをきかない手でやっとマッチに火をつけた。少女は依然わめきつづけ、獣じみた目で、手に握りしめた鏡を覗きこんでいる。ブレンナー夫人は娘の手から鏡をもぎ取ろうとしたが、娘は死後硬直の手で握ったように鏡を離さない。ブレンナー夫人は燭台を高くかかげて、娘をベッドの上に座らせる。蠟燭のほの暗い、揺れる光のもとで一瞬、ほんの一瞬だけ夫人は末娘の怯(おび)えきった目を見る（彼女の持前の怯えたような目でなければ)。それから夫人は戸棚のほうへとんで行く。クリスタルがちりんと鳴る音が聞こえる。それにつづいてガラスが割れる音がする。

ブレンナー夫人は手になにかの小壜を持って戻ってくる。酢かオーデコロンか気付け薬の壜。娘は、体を痙攣させ、目は虚空を睨んで、ベッドの上に座っている。娘のそばの床の上には割れた鏡がころがっている。娘は母を、生れてはじめて見るかのように、見上げる。

「みんな死んだわ」、娘はほとんど別人のような声で言う。


村長のマルティン・ベネデック氏はナイトテーブルの上の燭台に火をともして、時計を見た。十一時を回っていた。しかし中庭で犬が猛烈に吠え、鎖が引っぱられ、鎖の紐がぴんと張られ、空滑りするのが聞こえる。誰かがこぶしでドアを激しくノックする。ベネデック氏は部屋着を引っ掛けて、片方の耳のところまで垂れさがっている玉房飾りのついたナイトキャップを被ったまままで、部屋を出る。蠟燭を高くかざして見ると、ドアの前に少女を抱いたブレンナー夫人が立っている。子供はしゃくり泣きをこらえて震えている。ブレンナー夫人が物を言おうとしてもなかなか言葉にならない様子なので、村長は止むなく夫人を入口の間に通す。

犬は、子供の泣き声よりも老人の号泣に似た、恐ろしげな獣の鳴き声をあげて、吠えつづける。ブレンナー夫人は死人のように蒼ざめ、獣のような声で泣きじゃくる子供を抱き、うろたえながらも、村長に来意を告げようとする。

「この子の状態は御覧になってお分かりと思います」と夫人はやっと聞き取れる声で言う。「確かに、拝見はしておりますが」、村長は言う、「しかし、失礼ながら、私にはなにがなにだか、さっぱり分かりませんな」

その時、子供は村長のほうをくるりと振り向いて、村長がいままで一度も見たことのないような目付で彼を見る。

「みんな死んだの」と少女は言う。そして再びわっとばかりに泣きだす。少女の体はわなわなと震える。

ベネデック氏は子供の母親の顔を訝しげに見る。

「娘は、みんなを手鏡の中で見た、と言うのです。みんな殺された、と言うのです。この子がどういう状況にあるかは御覧のとおりです」

「手鏡の中ですと?」、村長は尋ねる。

長い説明がそれに続く。ベネデック氏は人生経験の豊かな人間として（二十年とはいかないまでも、十五年ぐらいの人生相談の経験はある）、奇蹟なるものは信じない。彼は科学だけを信頼する。この少女は、と彼は内心考える、ヒステリーか癲癇（てんかん）（しかしこの言葉は口には出さない）の発作に襲われたのだ。明日の朝、医者に連れて行く必要がありましょう、便秘かも知れませんから、とだけ言う。しかし、いまは——もう真夜中に近い——家にお帰りになるのが一番よろしかろう、すべて良くなりますよ。お子さんはなにか悪夢（コシュマール）に襲われたのですな（これは声に出して言う、ある種の病名の診断が下される時にラテン語が用いられるのと同様に、cauchemar（コシュマール）というフランス語を用いることによって、自分の話に一層の説得力をもたせるために)、お子さんは瀉痢塩が必要でしょう(ほら、どうぞこれを壜ごとお持ちください)、しかしですな、ブレンナー夫人、こんな真夜中のいま、病気のお嬢ちゃんの悪夢を検証するために私が警官たちを引き連れて森にくりだすなんてことは、どうぞお考えにならぬよう願いますよ。そうですなあ、お子さんは、「重病」ではないにせよ、熱病に罹っておられますな、耳下腺炎に罹ったことは?おありで?では、百日咳は?そら御覧なさい……百日咳の疑いがありますな。その最初の症状です。神経過敏になる、身体の器官が一般に興奮状態になるのですな。疲労困憊する。なぜならば、体が苦しむ時は、魂も……。ここでベネデック氏は精神現象と肉体現象との相関関係についての理論を展開するが、それはヴァイス博士とトランプをした際に博士から聞いた話に相違ない。さもなければ、なにかの本で読んで得た知識だろう。あるいは Aradi Napló「アラド日報」に載っていた話かも知れない。(万事良い方向に向うでしょうから、どうぞご心配なく。)

この物語の結末をこの「アラド日報」の一八五八年度分の合本の中に見ることにしよう。ベネデック氏が「アラド日報」の定期購読者であったことは確かなことであり、ブレンナー夫人も結婚や死亡や山火事や犯罪のニュース、材料・革・穀物の価格についての情報をそこから得ていた(この新聞は公報のほかに、牧師の手紙、農業教育の論文、法律相談、ブダペスト競馬の情報、ギリシャにおける武装蜂起、セルビアにおける宮廷革命などの記事を載せていた)。フランツ・

ヨーゼフの治世の初期に属する号の一つには、当のベネデック村長の誓約のもとに行われた証言、本人自ら認めているところによれば、迷信にとらわれていない、「実証主義」の信奉者によるものゆえに一層価値のある、証言が掲載されている。

「それは凄惨な光景であった」(「アラド日報」によれば)、ベネデッド氏はそう語っている。「購読者への配慮から、被害者が発見された悲惨な状況を記述することは差し控えておこう。ブレンナー氏は、ナイフか斧で、文字どおり、首を斬り落とされており、娘たちは……」そのあとに、娘たちが二人の男たちに暴行を加えられたあと、同じように惨殺されたことを、慎重な表現で暗示した文章が続く。

この陰惨な悪行(「アラド日報」の記事を要約すれば)の犯人の割出しは困難ではなかった。なぜならば、少女が鏡の中で人殺しの顔をはっきり見ていたからである。犯人の一人はフックスという名の二十八歳の商店の手代で、もう一人はメサロシュという失業中の男であった。二人とも前の年まではブレンナー氏の店で働いていた男たちであった。二人はフックスが勤めている店で血痕のついた札束と共に発見された。「証拠をつきつけられて、二人とも犯行を認め、自分たちの犯罪の摘発には〝神の指〟が働いた、と言った。彼らは懺悔したいので、神父を呼んで欲しいと頼んだ」

他のヨーロッパの新聞も自分たちの購読者にこの異常な事件を報道したが、そこには進歩的な市民階級から出た実証主義の蔓延の結果にほかならない不健全な懐疑論が散見する。心霊現象を論じる立場の刊行物――その影響力はそれなりに大きい――は、この事件を人間の心霊的磁力の確かな証拠として引用した。心霊術の領域における紛れもない権威者であり、闇の諸力に通じていた、有名なカルデックもこの出来事に言及している。

（栗原成郎訳）

吸血鬼

アンドレエフスキ

◆ペトレ・M・アンドレエフスキ

Petre M. Andreevski 1934-2006

一九三四年六月二五日、マケドニアのスロエシュティツァ生まれ。スコピエ大学卒業。詩作、散文作品の両方に於いて高い評価を受けてきた。また、スコピエ国立劇場やテレビのための戯曲作品も手がけるなど、幅広い活躍でも知られている。代表作としては、詩「空にも大地にも」（六二）、散文詩「デニツィヤ」（六八）、小説「不実な日々」（七四）、同「ピレイ」（八〇）等がある。いずれも、第二次世界大戦後のマケドニア文学の優れた結晶として、あらゆる世代に支持されている。

ナイデン・ストイコイチンの葬式が済んで、一晩もたたないうちに、死人は村に戻って来た。どうやって戻ったのか、どうしてなのか、誰のせいなのか、何か忘れものでもしたのか、死んでから思い出したことでもあるのか、誰にもわからない。

女房のナイデニッツァのせいに違いないという者がいた。あの女が悲しみのあまり、埋葬の後ノチエスキの水場で身を清め、肩ごしに水を振りかけるのを忘れたんじゃなかろうか、というのだ。参列者の誰かが、墓地を出る時あんまり悲しそうに振り向いたので、きっとそいつに取り憑いたのさ、という説もある。その他ああでもないこうでもないと、さまざまに原因が取り沙汰された。けれども、戻って来たのが生きていた時のナイデンそのままの魂を持ったやつなのか、それとも全然別ものなのか、それさえ誰にもわからない。

やつの姿をこの目で見た者はひとりもいないが、そばに来ればすぐにわかる。ある家では、むっとする中の空気を嗅ぎまわるような気配が感じられた。影のようにすーっと現われた所もある。一番多いのは、背筋がぞくっとしたかと思うと、風のようにさっと吹きつけて来て、裾や袖をまくっていくことだった。

とにかく、思いがけなくぽっくりいく前に出歩いたとおぼしき場所には、どこにでも現われた。塀を壊して牛を畑の中に追い込み、野菜をめちゃめちゃにしたり、そこらの馬を引っぱり出しては山を駆け回るなどという悪戯はしょっちゅうだ。戻って来た馬は、どいつもこいつも脇腹にぐっしょり汗をかき、鼻の頭に泡を吹いているので、誰が乗り回したのかすぐにわかるのだった。全く、とんでもない年になったものだ。村中の住民にとって、長い、長い災難続きの毎日だった。例えば家族で夕飯の席についたとする。スプーンが一本、誰も手を触れていないのに食卓の上に跳ね上がり、料理をかき回し、空中をふらふら飛び回る。誰もがその場に凍りつき、しばらくは食べ物を噛むのも忘れて、口をあんぐりと開けたまま金縛り、という始末。

こんなことが続いたので、とうとうたまりかねた年寄りたちがナイデニッツァを呼び、これ以上皆をおどかさないよう亭主を宥めてもらうことにした。女房は言われるままに懇願してみた。年寄りたちはそれでも安心できずに「もっと、言ってくれ。もっと!」とせっつく。「お前さん、頼むからお前さんを埋めてきた所に戻っとくれよ!」女房が何度も繰り返す。「神様、どうしてうちの人をちゃんと引き取って下さらなかったんです。お願いですから、そっくり持ってって下さいよ」ナイデニッツァはもう必死である。

一同はその場におし黙ってじっと見つめ合ったままだ。恐ろしそうに互いの暗い目を見つめ合っている。まるでこの不気味な暗い夜が、年寄たちのくろぐろとしたまなざしから湧き出て来るようだ。みな川風に揺れる若木のように小刻みに震えているが、視線を交わす他はじっと動かない。その動かない体のつま先から、ぞくぞくと寒気がはい上がって頭のてっぺんへ昇っていき、ついには部屋中が冷気に震え上がった。その時、いきなり窓が開いたかと思うと、女房の懇願がこたえたものか、ナイデン・ストイコイチンが跳び出して行くではないか。と同時に、村中の犬が一斉に狂ったように吠えだした。天まで届くかと思われる程の凄まじい吠え声、馬で一日がかりの、山の向こうまで響き渡る程の凄まじい吠え声だ。

「わしらの家を土台ごとひっくり返しちまいそうだ。全く、なんてひどい吠え方だろう」人々はこう思いながら耳を塞ぎ、息を止めていた。川の流れも止まってしまった。行ってみたら本当に止まっていた。水が来なくなったんじゃない、ただ止まって、石のように固まっていたのだ。

「いったい犬たちはどうしたんだよ、お前さん。なんであんなに吠えるんだい。何が見えるんだろう。わたしらには全然お前さんが見えないのに」ナイデニッツァはつぶやいた。

この騒ぎが始まって以来、村の住民は誰ひとり安らかに眠ることができなくなってしまった。眠っている間にぶんなぐられるんじゃないか、竜巻か、さもなきゃ渦巻きのど真ん中に連れ去られるんじゃないか、目を覚ましたら人里離れた大木の上にひっかかってるんじゃないか、などと思うと、おっかなくてとても眠るどころではなかったわけだ。何しろちょっとでもうとうとしたとする。そいつはまぶたを閉じるや否や、固い鉄の蹄か、何か目に見えぬ重たいものに踏んづけられたみたいに、とんでもない叫び声を上げて飛び上がる。皆がそいつのまわりに集まって、砂糖水を飲ませたりして介抱していると、乾いた臭い葉っぱを燃やしたような煙がもうもうとたちこめてくる。人々はむせて、激しく咳き込んだ。まさに、果てしなく続く夜毎の恐怖に、むせて苦しむ姿そのままに。

それでも、ナイデニッツァの恐ろしい夜にくらべれば、まだましというものだ。この女がどうやって夜毎の悪夢に耐え、夜明けを迎えるのかが不思議なくらい、この世で最も長い夜だった。

死んだはずの亭主が毎晩しでかすことといったら、まず階段をゴトゴト上がって来る、部屋の窓をひっかく、ドアというドア、戸棚という戸棚を開けて歩く、かまどの中に丸太ん棒を突っ込んで火を燃え立たせる、といった具合。

しかしそんなのはまだ序の口だ。このかわいそうな女房のベッドにはい上がってくると、全く、どれほど苦しいめにあわせることか。女房は体の上から重たいものがどっかりとのしかかってくるようで、身動きひとつできない。それでもまずは健気に、上がけが重いせいなんだと自分にいい聞かせ、やっとの思いではねのけてみる。はねのけてみても、重たいものはやっぱりなくならない。そこであきらめて、見えない亭主に向かってまた叫び始めるのだ。

「帰っておくれよ、お前さん。苦しめないでおくれよ、頼むから。お前さんの足がちゃんとうちに連れて帰って来てた、あの頃のお前さんに戻っとくれ。今お前さんを連れて来るのは何ものなんだい、暗やみかい、風かい？」

こうして亭主を宥めようとしていると、どこからともなく声が聞こえてくる。

「どこへ帰れって言うんだ、なあ、お前。帰るところなんか他にありゃしないんだから」

ところが、なんと実際にしゃべっているのはナイデニッツァなのだ。責めているとも、宥めているともとれるような口調で。やがて体が楽になる。それでやっと、亭主の心に自分の頼みが届き、どこかむこうへ退いてくれたことに気づいてほっとするのだった。

何度か出入りしたかと思うと、ヴィーダン・シヴェスキの店から飴玉なんかを盗んで持ってくる夜もあった。「どうやって持って来たんでしょうかね、神様」ナイデニッツァは不思議に思っ

た。「手なんかもうないんだし。あの人の両手は土の下に埋めてきたんだから。ポケットだって
ありゃしない。だいいち店はもう閉まってるのに、どうやって盗って来られたんだろう」
　それでも相変わらず持って来る。持って来るだけじゃない。突然頭の上でガサッと音がしたか
と思うと、むっとするような気持ちの悪い空気の中、部屋の真ん中に飴玉のつぶてが降りそそぎ、
そこいらじゅうから飛んでくる。時々は座っているひざの上をバラバラと直撃するので、玉の汗
が女房の首筋やら脇の下から流れ出た。
「盗んできたものなんか食べられやしないんだよ、え、お前さん。怒るんなら怒ったっていいさ、
それでもあたしゃちゃんと返してくるからね」恐怖にこわばった口を必死に動かしてナイデニッ
ツァは叫び、翌朝早速返しに行くのだった。
「俺からものを盗むなんて思ってもみなかった」居酒屋のヴィーダン・シヴェスキは耳にはさん
だ鉛筆を揺らしながら、不満そうに言った。「あいつが盗みを働くなんて信じられん。生きてる
間どろぼうをあんなに懲らしめてたあいつが」
「許してやっておくれ、お願いだよ。きっと自分でもどうしていいかわからないんだ。だってど
こを歩きまわっても、誰も見てくれないんだもの。昼も夜も一緒くたになっちまってるんだ。も
うこんなに長いこと、誰もどうしたらいいかわからないじゃないか、誰にもわけがわからないく
らいじゃないか」
「そりゃそうだ。死人だって友達は欲しいだろうし。けどな、だからって、なんで盗みを働かな
くちゃならないんだ」

「許しておくれよ、頼むから」ナイデニッツァは繰り返した。「あたしが全部返すから。うちの人が盗んだものはみんな持ってくるからさ」

ところが、ナイデン・ストイコイチンはヴィーダン・シヴェスキの店からだけじゃない、村じゅうの家という家から盗み始めたのだ。

ネチュコフスキの家から麦束がひと山なくなり、そっくりナイデニッツァの脱穀場に下りたのを見たという者が現われた。とうとうみんな一斉に外に出て、盗まれたものが村の上を飛んでゆき、ナイデニッツァの家に下りていくところを眺めるようになった。

プレヴネショフスキの家でロバが死んで、死体はナイデニッツァの馬小屋に繋いであった。なんでもナイデニッツァの所で見つかった。ブブショフスキの所では煙草の葉が一束なくなった。結婚式に出すはずだったりんごも何個か消えた。クヴァチュコフスキの家ではかぶがひと山、ヨノフスキの家じゃ干してあった唐辛子ひとくくりに、玉ネギの束が三つばかり、シュヴルゴフスキの所では靴下用に染めてあった毛糸の山、果物（くだもの）や卵やどんぐりの籠が二つ三つ、という具合。

そうして、やっぱりみんなナイデニッツァの所にあった。ナイデニッツァは全部連中に返した。針一本に至るまで返した。連中の間で盗み合ったものまで返した。自分の家に無かったものまで返した。返すものがある間は。そのうち返すものがなくなってしまった。村人たちは怒った。

「村に盗人の仲間がいるのは許せん。盗んだものをどこに隠したんだ」人々はナイデニッツァの家の前に集まって叫んだ。

「あんたがたはそんなにあたしが憎いっていうんだね」女房はこう言って腕組みをし、パンと太陽にかけて誓うと言った。うちには何もないし、自分は何も知らない、と。

「今さらしらじらしい誓いをするな。神様がよっく御存じの通り、みんなこの一年眠るどころじゃなかったんだ。作物は枯れるし、食物もまずくなっちまった。もう盗みだの、おっかないことだのはたくさんなんだよ！」

「みんなそんなにあたしが信じられないんだね。そんならどうすりゃいいのか言っとくれ。どうすればあんたがたに償いができるんだね」流れ落ちる汗を拭いながら、ナイデニッツァは言った。

「どっかへ行ってくれよ、疫病神の住みかでも、亡霊どもの巣へでもどこへでも。さもなきゃ金をこしらえて、その金で俺たちが吸血鬼の見える男を雇えるようにするんだ。なにしろ吸血鬼の見える男でなきゃ、吸血鬼は退治できんのだからな」人々は叫んだ。

ナイデニッツァは、そんな金なんかどうやっても自分には作れない、亭主だって、もし死んだ後でまた殺されなきゃならないと知ってたら、きっと幾らか残していったろうけれど、などと必死で言い訳をしたが、村人たちはとうとうわずかに残った畑のことまでもち出してきて、あれを売ればいいじゃないか、とまで言い出した。

「それじゃあたしはどうやって生きてきゃいいのさ」ナイデニッツァが訴える。

「もういくら泣いたって、あいつは救えない。お前だって飢えて死んじまうがいいさ、わしらがこの一年恐怖で死にそうだったのと同じようにな」

三日後、吸血鬼の見える男というのが連れてこられた。いったいどこでそんな男を見付けて来たのか、どっから連れて来たのかわからないが、とにかく連れて来ると、すぐそいつに銃が渡された。やがて暗くなり、犬が狂ったように吠え出すと、例によってナイデン・ストイコイチンのお出ましだ。

男はナイデンを探しに外に出た。村人たちがその後について行く。暗い夜と同じに緊張して。犬の吠え声みたいに緊張して。止まってしまった川のように緊張して。水が来なくなったのではなく、ただ石のように固まってしまった、あの川のように。

「ほら、あそこだ！」吸血鬼の見える男がハアハア息をはずませながらささやいた。「もう俺を見つけて逃げようとしてる。そら、屋根に上がった。煙突に上がった。今度は納屋に隠れようとしてる。蜘蛛だか油虫だか、とにかく虫になろうとしてるようだが、わからん、うまくいかんようだ。あっ、今脱穀場を越えて行こうとしている」男はこんな具合にしゃべりまくっていたかと思うと、急に立ち止まり、さっと銃をかまえて、撃った。

弾丸は暗やみの中をあちこち飛んで畑で向きを変え、山の斜面にぶつかって、またこちらに戻って来た。戻ってきた弾丸はあたかも夜の重いとばりを呑み下し、何かの呪縛を解いてくれたかのようだった。犬の吠え声がやんだ。川がもとのように流れ、水が走り始めた。

「血はどこへ隠したんだろう」人々はそれぞれの家に帰る道すがら、話し合った。「どうやって片づけてったんだろう」血は確かに流れて、ナイデニッツァの脱穀場に飛び散ったはずなのだ。

翌朝、現場は人垣で埋まった。男も女も大人も子供も病人も乞食も、みんなナイデニッツァの脱穀場にやってきた。押し合いへしあい、足を踏んづけあい、飛び上がっている者もいれば、背伸びしているだけの者もいる。またある者は、まわりの人間をおしのけながら、しゃがみこんで、ナイデン・ストイコイチンの亡霊から流れた血をひと目見ようとしている。やつの二度目の死を確かめようと。

しかし、脱穀場の真ん中に、人垣に囲まれ血まみれで横たわっていたのは、ナイデニッツァだった。心臓をぶちぬかれて。目は天の高みに向かって大きく見開かれ、顔にはかすかに笑みを浮かべていた。こんなにきれいで幸せそうな死体は初めてだった。

「あいつを殺すには、女房も殺さなきゃならなかったってわけだ」老人が言った。

「しかしこいつの心の中にはいったい何が隠れてたんだろう」人々は話し合った。ふと顔を上げて見ると、山の向こうから、夏の奔流のようにゴーゴー音をたてて、近所の村々から群衆がぞくぞく押し寄せて来るところだった。

（中島由美訳）

一万二千頭の牛

エリアーデ

◆ミルチャ・エリアーデ
Mircea Eliade 1907-86

ルーマニアの小説家、宗教学者。首都ブカレストの大学を卒業後、インドに留学し、ヨガを中心にインドの思想・宗教を研究した。帰国後、大学で哲学を講じる傍ら、同時代の青年群像を描く長編小説を次々に発表し、作家として認められた。第二次大戦中は文化担当官として国外に滞在し、戦後も帰国せず、フランス、後アメリカに渡り、研究・執筆活動を続けた。五七年以降、シカゴ大学宗教史学科の主任教授となり、多面的な宗教史・宗教学の著作により、世界的に大きな影響を及ぼした。作家としては終始ルーマニア語で作品を書き、その中には祖国ルーマニアを舞台とする幻想小説が多い。代表作としては、『令嬢クリスティナ』(三六)、『蛇』(三七)、『セランポーレの夜』、『ホーニッヒ・ベルガー博士の秘密』(四〇)、『ジプシー女の宿で』(六三)、『ムントゥリャサ通りで』『ディオニスの庭で』(六八)などがあり、ほかに戦中から戦後にかけてのルーマニア社会に生きる人々を描いた長編『聖ヨハネ祭の夜』(執筆五五、フランス語での出版七一)や『回想録一九〇七―一九三六』(八〇)もある。「一万二千頭の牛」は六八年の短編集に収められたもので、著者にとって思い出の深い首都の中心鉄道駅「北駅」のあたりが舞台となっている。

その男は、空のコップを上にさしのべて、思わせぶりに振り、酒場の主人にぶどう酒をもっと持ってくるように合図した。それから、上衣のポケットから色柄のハンカチを取り出すと、上の空で額の汗を拭きはじめた。中年のどっしりした、やや肥りぎみの男で、丸い顔は充血していて、表情に乏しかった。

酒場の主人は、少し足を引きずりながら近づいた。

「もう、今まで来なかったのなら、今日は来ませんね」と、男の前にデカンターを置きながら言った。「もう、すぐ昼の十二時ですよ」

男はとまどった様子で、色柄のハンカチを指の間でもてあそびながら、微笑を浮かべて主人を見つめていた。

「もう来ませんよ」と、主人は一語一語区切りながら、もう一度くりかえした。

と、その時、はじめて主人の言葉が耳に入ったかのように、男はあわてて自分の時計を取り出すと、ぐっと顔をそらせ、瞬きをしないように目をこらし、分針をしばらく見つめていた。

「十二時五分前だな」と、彼は、まるで自分の目が信じられないといった面持ちで、ゆっくり言った。

男は、彼の革帯から下がっていた太い金の鎖から思いがけずはげしい身ぶりで時計を外した。

それを、酒場の主人に、いわくありげな微笑を浮かべながら、差し出した。

「ほら、これを手に持ってみてくれ！　どう思う？　いくら値打ちがあると思うかね？」

主人は、思いあぐねた風にその重さを両手でしばらく計っていた。

「重いですね」と、彼は言った。「金ではないような気がしますよ。金にしてはちょっと重すぎる！」

「皇帝の時計だよ！　私はそれをオデッサで買ったんだ。ロシアの皇帝の時計だった……」

そして、相手が、感心してうなずきながら驚きの念を表明してから、カウンターの向う側にもどろうとしたのを、片腕を取って、引き留め、言った。

「私はゴーレだ。コップをひとつ持ってきて、私とぶどう酒を飲みに来てくれ、名はヤンク・ゴーレ。これぞ頼むに足る、有望な未来の男だ。友達連中は私のことをそう言っている……」

人をいっぱいのせた一台のトラックが、酒場の前を走りすぎ、まだガラスの残っているただ一つの窓を震わせた。ゴーレはにんまりと笑いながら、あごひげを一方の掌でしごいていた。そして、酒場の主人の動作を面白そうに見守っていた。彼は、主人がカウンターの下からコップをひとつ取り出し、それを、幾度も目の前ですかしてみてから、ていねいに長い間洗うのを見つめていた。それを手にして、主人は、足をひきずりながら、ゆっくりゴーレのテーブルへ向ってきた。

そして、彼が、沈黙したまま、生真面目な表情で、デカンターからぶどう酒を自分のコップに注ぐと、ゴーレは、声をおとして、彼にたずねた。

「あんたは、パウネスクという男を知っているかね？」

「大蔵省に勤めていたパウネスクさんですかい?」と、主人はききかえした。

彼はぶどう酒を注いだコップを唇のところまで持っていった。しかし、最後の瞬間になにかを思い出したらしく、急にその手を止めた。

「そう、大蔵省の男だ」と、ゴーレがうなずいた。

酒場の主人は、コップのぶどう酒を一息にあけた。それから、口ひげを手の甲で拭った。

「このすぐ近くの十四番地に住んでいましたがね。でも、もう引越してしまいましたよ」と、皮肉な表情で目をぱちぱち瞬きながら、つけ加えた。

「大蔵省の方の命令とかで……」

そして、主人は再び思わせぶりに瞬きをした。しかし、それをゴーレは目にとめていなかった。たまたま、片手をテーブルにのばすと、色柄のハンカチに手が触れた。なにかに気をとられている様子で、再び額とほおを拭いはじめたが、それもほとんどいやいやそうしているようだった。

「そんなことは私になにも言わなかったな」と、ゴーレは突然またしゃべりはじめた。「もし、彼に用事があったら、大蔵省には来ないで、直接このフルモアサ(美女)街の自宅に来るようにと私は言われたのだ。しかし、十四番地の家にはもうだれも住んでいない。全くの空家だ……」

「空襲のあとで引越したんですよ」と、酒場の主人はカウンターの方へゆっくりもどりながら同じ言葉をくりかえした。「あれからこっち、どんなに大勢の人が死んだことか!」

その時、二人のトラックの運転手が、一言も声をかけずに陰気な顔をして入ってくると、まだ、ただひとつ窓ガラスのはまっている窓のそばのテーブルに陣取った。ゴーレは再び、時計をぐっと目から離して時間をたしかめた。

「十二時十分だ」と、彼は溜息をつきながら重々しい口調で言った。

「もう来ませんね」と、酒場の主人は言った。「今日のところも無事に生きのびましたよ。主の御慈悲と聖母様のおかげで、私たちは助かりました」

ゴーレは、あわてて時計をチョッキのポケットにおさめると、勢いよくテーブルを掌で叩いて、叫んだ。

「勘定だ、大将、急いでいるからな！」

それから、一思いに椅子から立ち上がると、帽子を手にして、ためらいがちに、カウンターに近づいた。

「私は用事がある。急いでいるんだ」と、彼はまるで店中の人間に話しかけるかのようにとてつもなく大きな声で、幾度もくりかえして言った。

いくつかの紙幣を数えて渡すと、釣銭を待たずに、酒場の主人に片手を差し出して、力をこめて握手した。

「そのうち、私の名を聞くだろうよ」と、ゴーレは相手に言った。「ヤンク・ゴーレという名を聞くことになるだろうよ」

通りに出ると、五月の昼下りのとろんとした暑気が彼を待ちうけていた。野バラと瓦礫のにおいがあたりにただよっていた。ゴーレは、帽子を深くかぶると、早足で歩き出した。

「あのペテン師やろうめ！」と、彼は十四番地の家の前を通る時に吐きすてるようにののしりの言葉を叩きつけた。

場末によくある、漆喰のあちこちはげおちたみすぼらしい家だった。

「詐欺師め！　おれを空約束でごまかして、自分はさっさとよそに疎開するとは。臆病者の詐欺師め！　おれから、三百万レイをむしり取って、自分はさっさと安全な場所に逃げていきおった。おれを、空襲下のこの町にひとりぼっちで置き去りにして！」

怒りにかられて、急にまた足を早めた。しかし、その通りの端まで来てから、不意に立ちどまり、幾度ものののしりの言葉を吐いて、ほとんど走るように逆もどりした。十四番地の家の前で、帽子を脱ぐと、掌全体を呼鈴の上にぐっとおしつけた。長い間、こうして片手に帽子を持ち、もう一方の手で身体を呼鈴に押しつけ、支えながら、人気のない家の中のどこか奥の方から、淋しく不吉な音色で投げかえされてくる響きにじっとききき耳を立てていた。彼は、大粒の汗の玉が眉毛にたまるのを感じたが、しかし、それを拭うために呼鈴から手を離そうとはしなかった。

その時、全く思いがけなく、けたたましいサイレンのひびきが聞えはじめた。ゴーレは、自分の足から力が抜けていくのを感じ、絶望の視線を空に向けた。空は洗われたように澄んだ青色に染まり、いくつかの白い薄雲が、どちらの方向に進むか思いまどっている風にちらほらとたなびいていた。『やつらはきちがいだ！　もう、十二時を過ぎたではないか！』と彼は思わずひとりごちた。彼は震える手でハンカチを探し、それで無意識のうちに額を拭いていた。近くの家々で人々の呼びあう声や、あわててドアを締める音や、一人の若い女の金切声が聞えるような気がした。

「ヨニカ!」と、その若い女は叫んでいた。「どこにいるの、ヨニカ?」

ゴーレは、四方をそっとうかがってから、あごをぐっと胸にひきつけると、通りの上手に向って走り出した。最後に、脅えたような長いうめき声を発して、サイレンは止んだ。『最高級の牛六千頭なのに』と、またゴーレはひとりでに考えつづけていた。『それに、輸出許可証も取ってあるし……大蔵省の認可さえあれば……』その瞬間、黒く塗った人差指の印のついた、『この先一〇〇メートルに防空壕』というあのなじみ深い告示板が垣根に下げられているのを目にした。彼は再び頭にかっと血が上るのを覚えながら、前よりもっと勢いよく走り出した。門の前まできて、それを開けた時、すぐ近くで、警官の短い警笛が聞えた。

黒く塗った人差指の貼紙に導かれて、ゴーレは、中庭の奥にある一種の地下貯蔵室の方へ走っていった。そのドアには、大きな文字で、『十人用防空壕』と書かれてあった。『まだ、満員にならないほど時間は経っていない。すわる場所は見つかるな』と、ゴーレは、考えて、ドアを開けた。部屋の床はセメントで、窓は漆喰で塞がれていた。汚い電灯が天井から下っていた。水の入った桶と、いくつかの砂袋が壁際に並べてあった。部屋の真中には、木のベンチが二つ置いてあった。一人の老人と二人の女が、彼の入ってくるのを見ていたが、別に不審に思う風もなかった。「今日は!」ゴーレは息をはずませ、それでも、無理に笑顔をつくりながら言った。「いやあ、必死に走ってきたよ」と、顔の汗をハンカチで拭いながら言った。「もう、今日は来ないと思っていたのに、十二時までに来なければ、もう来ないと思ったんだが……」

「私の考えでは、これは本当の空襲警報ではありません」と、老人が、思いがけないほど野太い声で言った。「私は、今朝ラジオで、今日、防空演習があると放送しているのを聞きましたよ、昨夜も、ラジオでそう言っていました。これは演習です！」

そう言いながら、見る見るうちに興奮して顔が真赤になっていた。まだ顔の輪郭の整った、気品のある老人だった。ほとんど真白に近い、豊かな髪のごましお頭で、たえず、目を瞬いていて、それが涙に濡れているように見えた。二人の女のうち、一人が振りかえって、彼を腹立たしげに見つめた。もう老婆なのかも知れなかったが、その年齢は全く見当がつかなかった。平たいあばた面で、歯が不揃いで、おまけにあちこち欠けていて、異常なほど大きい口をしていた。ゴーレを、嘲けるような視線でじっと見つめたあとで、急に自分の横の女の方をふりむいて言った。

「奥さま、私はこれ以上もうここにはいませんよ。この穴蔵の中にいるのはいやです。今朝からずっと私の左の眼はひくひく動きます。不吉な前兆ですわ……」

「ねえ、エリサヴェータ！」と、もう一人の女がその言葉をさえぎろうとした。

「奥様、私たちは家に帰った方がいいですよ」と、ますます早口でしゃべりながら、エリサヴェータが言った。「私たちの家に残っている方がいいですよ。私が思うに……」

「エリサヴェータ！」と、もう一人の女は急に声を張りあげて言った。「私を怒らせないでおくれ、また頭に血が上って、気分が悪くなるんだから！」

その女は、五十歳前後に見えた。ひからびた身体で、長い鼻と、白っぽい、冷たい目をしていた。地味だが、しゃれた服を着こんでいた。薄い桃色のショールを、神経質そうにたえず首のまわりに巻きなおしていた。ゴーレは、その女が上流社会の人間であるとすぐにさとって、幾度も首を振って挨拶しながら、向いのベンチの、老人の横に並んですわる許しを求めた。しかし、どちらの女も彼の挨拶には全く素知らぬ顔をした。

「私はビテシュティ（首都ブクレシュティの少し北方にある小都市）の者です」と、ゴーレは少しばつが悪そうな顔で話しはじめた。「私はここへ用事で来たんですよ。最高級の質の牛一万二千頭のことでね。輸出の許可証も取ってあるし、なんでも必要なものは揃っているし……私はゴーレですよ、ヤンク・ゴーレといえば少しは人にも知られた名前で」少し声を低めてそうつけ加えると、一人、一人に順々に目をやった。狡猾そうな微笑が、その顔に浮んでいた。

けれども、だれも彼の言葉を聞いているようではなかった。まるで、彼という人間が、そこの彼らのそばにはいないかのように、彼を驚くばかりの無関心さで眺めていた。エリサヴェータは、お祈りの言葉を唱えながら、たえず十字を切っていた。

「お前、薬は持ってきておくれかい？」と、女主人は腹立たしそうにたずねた。

女中はうなずいたが、あいかわらずお祈りを囁き声で唱えつづけていた。

「そんなにやたらにお祈りしないでよ、不幸を招き寄せるわ！」と、女主人が叫んだ。

ゴーレもちょうど十字を切ろうとしていたが、思いなおして止めた。

「多分、私たちにとっては有難いことに、もっと先へ、プロイエシュティ（首都ブクレシュティの北方にある石油工業の中心地。第二次大戦中はしばしば空襲を受けた）の方へ通過していくのかも知れませんよ」と、ゴーレは言った。

「ただ、私たちを脅かすためにこの上空を通ったのでしょう。やつらにとって重要なのは、プロイエシュティです。油井とか、油田とか、石油とかありますからね」

だれ一人彼の言葉には答えなかった。老人は再びなにかに怒っているようだった。

「私は今朝自分の耳で聞いたんだ。ラジオでは、防空演習をやると言っていたのだ」と彼は言いはじめた。

それから、急にベンチから立ち上がり、ドアに近づいた。少し首を傾けて、外の物音に耳をすましていた。ゴーレは、何気ない風に時計を取り出した。右手でしばらくその重さを計っているふりをして、それをまた左手の掌に移した。一方、ためらいがちな、軽い足どりで、老人は部屋の真中にもどった。

「皇帝の時計ですよ」と、ゴーレは老人に自分の時計を示した。「オデッサで買った掘出物ですよ。ロシアの皇帝の時計だったそうで……ちょっと手に取ってみて下さい。きっとびっくりしますよ！」

時計をその太い金の鎖から取り外そうとした。すると、老人は、まるでゴーレの話を聞いてもいなかった風に、夫人に話しかけた。

「ポポヴィチさん、あなたの方へは、あのパウネスクからなにか便りがありましたか？」と、彼はあざけりの笑みを浮かべてたずねた。

「あなたになんの関係があるの？」と、エリサヴェータが、いきなりはじかれたように立ち上がり、食ってかかった。「それより、ちゃんと家賃を払ったらどうなの！」

「エリサヴェータ、お願いだから、お前は余計な口出しはしないでおくれ」と、夫人がさえぎった。

それから、老人の方をちらりと見やったきり、一言も言わずに肩をそびやかした。急にむしゃくしゃしてきたゴーレは、あいかわらず時計を掌でもてあそびながら、他の三人の話は耳に入らぬというふりをしていた。

「私は、あれが真面白な男ではないと注意してあげましたよ」と、老人は言った。「私にもいろんなつてがあるのですから。よく確めてみたのですよ。誤解なさらないように……」

ゴーレは、次第にはげしい怒りの感情が高まるのを感じた。もし、パウネスクが正直な人間であったら、もし、約束を守る男であったら、とっくに彼のために大蔵省からの認可をとりつけていたはずであった。そのために、彼はすでに三百万レイ前払いしてあったのだ。そして、今頃は、もうあの売りもの——六千頭の牛——とともに国境についていただろう。純益は四千万レイ。そうしていたら、ブクレシュティでむだに時間をつぶしてなどいないであろうし、空襲にあったりしていなかっただろうに……

「あなたはパウネスクを知っているのですか?」と、ゴーレはもうがまんしきれなくなって、老人に話しかけた。「あの大蔵省のパウネスクを?」

老人は彼の方に目も向けず、微笑しながら肩をすくめただけであった。

「私が彼を知らないとでもお思いですか!」と、老人は言った。「ともかく、私は自分の義務と信じることはやりましたよ、あなたに前もって警告したのですから……」

「あの男をよく御存じですか? どんな人なのですか?」と、ゴーレは、囁き声でたずねた。

老人は、まるで彼の声さえ聞えなかったかのようにゴーレの横をさっさと通りすぎて、ベンチにまた腰を下した。『この連中は気でもふれているのか！』とゴーレはつぶやいた。横を向いて、つばを吐き、ハンカチで口を拭った。

「奥様、私はもうここにはこれ以上いる気がしません！」と、エリサヴェータは、まるで熱湯でも浴びせられたようにとび上がって叫んだ。「また、私の目がひくひくしはじめましたわ！」

「お前、気でもちがったの！」と、ポポヴィッチ夫人は彼女の腕を摑えながら言った。

「もし、これが防空演習だというのなら、あなたはどうしてここに来たの!?」と、エリサヴェータは、厳しい口調で、ほとんど叫ぶように老人に言った。「そして、なぜ、そこにいつまでもいるの？　あなたは、私たちにいやがらせをするためにここに来たのね！」

その瞬間、ゴーレは、空襲警報解除のサイレンを聞き、ベンチから立ち上がった。

「やあ、助かったぞ！」と、彼は叫んだ。

「私もこの家に住んでいるのですから、法律上、この防空壕に入る権利がありますよ」と、老人はおもむろに答えた。

「ああ有難い、助かった！」と、ゴーレは十字を切りながら言った。そして、老人に向って言った。「あなたの言う通りでしたよ。本当の空襲ではなかったんですね。高射砲の音が一回も聞えなかったし、それに、どれくらい続きましたか？」

あわてて自分の時計を引き出し、顔をしかめて、遠ざけながらそれを見つめた。

「おや、五分もたたなかったな！」

「お前、そんなにお祈りばかりして頭がおかしくなるよ」と、ポポヴィッチ夫人は、エリサヴェータの腕をゆすりながら、ささやいた。

ゴーレは三人を眺めまわして、微笑した。

「いや、神様があんたの祈りをききとどけてくれたのかもしれんな。それで、空襲がなかったんだろう！」と、陽気な気分になって叫んだ。

防空壕から出ようとしたが、ドアの手前で一瞬、ためらい、中の三人を振りかえってみた。老人はじっと天井を見つめていた。

「まだここにいるんですか？」と、ゴーレはたずねた。「もう出ていいのでは？」

しかし、だれ一人それに応えようとはしないのを見て、ゴーレはあわててドアを開けた。

「忌々しい気ちがい連中！」と、ゴーレは、しきいのところから吐き出すように言った。

通りに出て、しばらくしてから、太陽の光にすっかり目がくらみ、自分でもどこを歩いているのかよく見えないまま、無我夢中に足を運んでいるのに気づいた。あのペテン師のパウネスクめ！　彼のせいで、気分がめいるのだと感じていた。『六千頭の牛』と、彼はたえず苛立ちながら思い出していた。『純益四千万レイ。おれの目をくらましやがった。おれを笑いものにした。このヤンク・ゴーレ様をだましやがった！』彼は足を早めてみたが、自分の怒りをしずめるにはいたらなかった。帽子を手にしたまま空な顔でほおを拭いながら歩いていった。と、不意に十四番地の家の前に来ているのに気づいた。一瞬そこに立ち止まり、それから、垣根越しに中庭の方へ向ってぺっとつばを吐いた。

「ぬすっとどもめ！」と叫んだ。

ゴーレは帽子を頭に勢いよくかぶると、酒場の方へ向った。酒場の内部のしめっぽい、ひんやりした空気を再び見出した時には、ほっとした。今から半時間ほど前にすわっていたのと同じ椅子に腰を下した。彼の姿を目にして、酒場の主人はほほえみかけた。

「食事も出しますよ」と言った。

「じゃ、まず、ぶどう酒を少しと、コップを二つ頼む」と、ゴーレは注文した。

そして、テーブルを指で叩きながら、落ちつかない気分で待っていた。二人がそれぞれのコップにぶどう酒を注ぐと、ゴーレが相手にたずねた。

「ねえ、大将、パウネスクというのは、どんな人間だったのかね？　あの男についてなにか知っているかね？」

酒場の主人は、幾度か舌うちして、あまり気の進まない様子でコップをあけた。

「空襲のあとで引越してしまいましたよ」と、彼は言った。

「いいよ、それはもう判った」と、ゴーレがそれをさえぎった。「私にもう前に言ってくれたじゃないか。あの男をよく知っているかどうかたずねているんだよ。私は一種のペテン師だと聞いたが。いろんな人をだましているようだ……」

主人はコップを盆の上に置くと、首を左右に振った。

「私はそんな話は聞いていませんね」と言った。「ここには余り来なかったですしね」

「私はペテン師だと断言するね」と、ゴーレは再び相手の言葉をさえぎった。

その時、再びあの考えにとらえられた。『六千頭の牛、今頃は国境についた頃なのに』

「それに、もう一つ言っておく」と、彼は興奮にかられて言った。「どんな人間も、ヤンク・ゴーレを手玉に取ったりはできんとな。私の言葉をよく覚えておいてくれ。これには大金がかかっているんだ。一万二千頭の牛、輸出許可証もあるし、必要な書類は全部揃っている。私は、あの気のふれたポポヴィチ夫人のように易々とだまされたりはしない……」

酒場の主人は、びくっと身体を震わせて、驚いたように目を上へ向けた。

「あなたは、どこからポポヴィチ夫人のことを御存じなので?」とたずねた。「だれに聞いたのです?」

「だれに聞いたか、それはどうでもいいだろう」と、ゴーレは謎めいた笑みを浮べて言った。

「要は、私がポポヴィチ夫人のようなあほうではないってことさ」

「あのかわいそうなポポヴィチ夫人、どうか神様あの方をお赦しなさるように!」と、主人はつぶやきながら、敬虔な面持ちで、胸いっぱいに大きく十字を切った。

ゴーレは、あっけにとられて、しかし、厳しい目つきで相手をしばらくじっと見つめた。

「一体、どうしたというのだ?」と、彼は急にどなりつけた。

「なぜ、そんな風に十字を切ったりする?」

「この間の空襲で亡くなってから、もう四十日になりますが、まだ、だれも、追善供養をしてあげてないのですよ」と、主人は、急に力の抜けた声で言った。

ゴーレは少し身体を後に引き、相手をぐっとにらみつけた。

「それじゃ、人ちがいだ」と、彼は自信たっぷりに言った。「私が君に話しているのは、五十歳前後の、上流の身分のポポヴィチ夫人のことだよ。長い鼻をした奥方だ。この通りの、あのペテン師のパウネスクの家より少し上手に住んでいるんだ。女中が一人いるね。それもちょっと気の触れたような女だ、エリサヴェータという名の……」

「あのエリサヴェータもかわいそうに！」と、酒場の主人が悲しげな微笑を浮べて言った。「そう、おそらく、十二、三年前になりましょうか、コンスタンツァ（黒海に臨む歴史の古い港町）からやってきた時から知っています。ポポヴィチ夫人がやもめになった時からです。あの二人をみんな、私たちはよく知っていました。この酒場にテラスがあった頃には、夕方よく来ていました」

「で、その女はどうなった？」と、ゴーレが苛々してその話をさえぎった。

「彼女も空襲で死にましたよ。あの、あなたも御存じの通り、ラジオで放送された通り防空演習だとみんなが信じこんでいた日ですよ……」

「いいかげんなことを言わないでくれよ、死んだなんて！」と、ゴーレがまたさえぎった。「君にはっきり言っておくぞ。私はつい先程その二人の女に会ったのだ。彼女たちが語るのをこの耳で聞いたんだ……」

　酒場の主人は不信の笑みを浮べて、首を左右に振った。

「それでは、あの二人ではなかったのでしょう、神様、あの二人の罪をお赦し下さい」と言った。「爆弾が、中庭の奥の防空壕を直撃したんですよ。建物も崩れおちました。爆風で倒れたんです。でも、爆弾は丁度防空壕の真上に落ちたんです。なにひとつ残ってはいませんでした……あの日、どれだけ多くの人々が死んだことか」と、彼は声を低めて、まるでおびえたようにつけ加えた。

ゴーレは、口を半ばあけて、眉をしかめながら、酒場の主人の話を聞いていた。なにも言わず、ポケットからハンカチを取り出すと、せかせかと顔を拭いはじめた。

「よく聞いてくれ、大将」と、彼は厳めかしい顔で言いはじめた。「お前さんは、私をからかうつもりかね。私が、先程、腹をすかしたまま、ぶどう酒二リットル飲んだので、正気をなくしたと思っているのかね。でも、だとすれば、私という人間を見損っていることになるよ。私は、もし、ぶどう酒が上等なら二樽でも飲んでみせるよ。ピテシュティへ来てみろ、世間の人々がヤンク・ゴーレとはどんな人物か話してくれるよ。私はね、大将、数百万レイ、数千万レイの商いをする人間だ。私は、あの詐欺師のパウネスクにひっかかったりしたのが残念だ。こっちは、ちゃんとやって、必要なものも全部揃っていたのに……」

酒場の主人は彼の言葉をおびえた顔で聞き、なんとか微笑しようと努力していた。

「多分、あなたは、だれかと見まちがえたのでしょう」と、彼は言いわけがましく言った。

「しかし、さっきたしかに、ポポヴィチ夫人とエリサヴェータの二人が話をし、店子の老人と言い争っているのを聞いたんだからね。誓って言うが……」

「あの判事さんと?」と、酒場の主人がいっそうおびえた顔で、ゴーレの言葉をさえぎった。

「プロトポペスク判事と? あなたは、そのことも知ったんですか!?」

「三人とも、あの防空壕にいた。そして、私にはなにがいさかいの原因か判ったよ。その判事が家賃を払わなかったらしいのだ!」

酒場の主人は彼をしばらくじっと見つめていた。

「しかし、防空壕になにをしに行ったのですか？」と、だいぶたってから、彼は話を変えようとして言った。

「私はこわくなったわけじゃない。しかし、先程、空襲警報のサイレンが聞えたから、みんなと同じように防空壕に入ったまでだ……なにしろ、そういうお上の命令だからな……」

「今日は一度も空襲警報は出ませんでしたよ」と、主人は囁き、詫びるように目を伏せた。ゴーレは、自分を抑えようとして、しばらく指でテーブルを叩いていた。

「今日は、昼の食事になにが出せるんだね？」と、彼は急にたずねた。

「肉とキャベツの煮込みです」

「私に二人分持ってきてくれ」

酒場の主人は、カウンターの後に行き、それから台所の方へ姿を消した。ゴーレは、自分がおびえて幾度か十字を切ったのを思い起し、急に笑い出した。

「お前ら、どつもこいつも気ちがいばかりだ」と、彼は低い声でののしった。

一群の労働者たちが丁度その時入ってきて、一人で笑っているゴーレを一瞬見つめた。それから、まだガラスのはまっている窓のそばのテーブルに腰を下ろし、お互いになにか話しはじめた。店の主人は、湯気の立っている大きな皿とパンを半切れ盆にのせて、もどってきた。

「今日も無事でよかったな、コスティカ旦那！」と、労働者の一人が言った。「みんなにツイカ（スモモから作られる強い酒）をいっぱいずつ」

「あれは、防空演習にすぎなかったんだ」と、ゴーレがそちらの方を振りむいて言った。「五分と続かなかったね。ラジオで放送したそうだ。もし知っていたら、防空壕になぞ入りはしなかったのに……」

店の主人はカウンターの後にもどり、コップにツイカを注意しながら注いでいた。

「この人は、今日空襲警報が出たと言うんだがね」。主人は急に元気づいて言った。

「防空演習のためだ!」と、ゴーレはやや言い難そうに叫んだ。口にいっぱい食べものを押しこんでいたからである。

「そんなものはなかったよ」と、数人の声がいっせいに叫んだ。「先週には防空演習があったけれど、今日はなんにもなかった……」

「この人は、あの鉄柵のある大きな家のポポヴィチ夫人と女中のエリサヴェータに会って、二人の話すのを聞いたというんだがね。それにポポヴィチ夫人の下宿人の判事のプロトポペスクさんにも会ったそうだ。防空壕の真上に爆弾が落ちた家の……」

人々は、順ぐりにゴーレの方に視線を向けた。彼はやっとのことで自分の怒りを抑えながら、あわてて、がつがつと食物をのみこんだ。

「おれたちは、通りをきれいにするためにあそこで丸々一週間働いたぜ」と、労働者の一人があらわに嫌悪の情を見せて言った。

「あそこで残ってたのはあの鉄柵だけだった……」

「だれかと見まちがえたのさ」と、ほかの労働者が言った。

ゴーレは、その労働者たちをもっとよく見ようと椅子の向きを変えた。彼は、ナプキンで口とほおを拭うと、腹立ちまぎれにそれをテーブルに叩きつけた。

「だれか、私とツイカひとびんの賭けをするか⁉」と彼は、勢いよく立ち上がりながら言った。

「なんについての賭けを?」と、だれかがたずねた。

「君たちに、防空壕を見せてやり、それから、君たちにポポヴィチ夫人とエリサヴェータの姿をお目にかける、という賭けだよ」と、ゴーレはつづけて言った。「私があの人たちの家を訪れ、賭けをしたと説明して、ポポヴィチ夫人に、ドアか、あるいはせめて窓際に出てきて、君たちに話しかけてもらう。それが賭けの内容だ」

なん人かの労働者は笑い出した。

「あの邸はちょっと遠いな」と、一人が言った。

「そうら見ろ、賭けをする勇気がないんだろう?」と、ゴーレは勝ちほこって叫んだ。

「いや、僕が賭けを受けて立つよ」と、一人の若い労働者が立ち上がって、コップのツイカをぐっと一息きに飲みほして言った。「僕は、七十四番地のあの鉄柵のある邸の跡で働いたからな」

ゴーレは、微笑を浮べて、部屋の真中でその青年を待ち、みんなに賭けがなされたことを見てもらうために、相手の片手を両方の掌で握りしめた。それから、急ぎ足でテーブルにとってかえし、帽子をとって、出口の方へ向った。なん人かの労働者たちもがやがやとしゃべりながら、テーブルから腰を上げて、彼のあとについてきた。

「コーヒーを用意しておいてくれ。すぐに帰ってくるから」と、ゴーレは、しきいの所から酒場の主人に叫んだ。

　外では、異常な暑さがみなぎっているように思われた。まだ、やっと五月のはじめなのに、歩道はまるで真夏のように熱を発散しているようであった。それでも、ゴーレは顔をしかめて足を早め、パウネスクの家の前を通る時にも、そちらを眺めようと目を上げることもしなかった。労働者たちは、彼にすぐに追いついたが、彼が一言も口をきかないのを見て、彼が一人でどんどん先へ進むままにさせておいた。五分ほど歩いた時に、若い労働者が数歩先に進み出て、彼の片腕をつかんだ。

「そら着きましたよ」と、ゴーレに言った。

　ゴーレは立ち止まり、すばやい視線を横の家の方へ向けた。槍を並べた形の鉄柵が、まだセメントの土台にくっついたまま立っていた。建物は、入口の石の階段しか残っていなかった。数段の階段が、レンガと丸太と瓦礫の乱雑な塊りの中へ消えていた。

「この家ではないよ」と、ゴーレは首を振りながら言った。そして、さらに先へ進もうとした。

「これが七十四番地ですよ」と、青年は言った。「鉄柵のある家……」

「それは私には関係ない」と、ゴーレは、厳しい顔つきで言った。「私は君にポポヴィチ夫人の姿をお目にかける、といって賭けをしたのだ。私といっしょに来たまえ、もうすぐ近くのはずで……」と、つけ加えた。

　そして、先に立って歩き出した。しかし、数歩進んでから、途方にくれて、あたりを見まわしはじめた。大気は硝煙と瓦礫のにおいがしていた。歩道はあちこちで断ちきられ、ある所ではもう全く無くなっていた。こちら側では、通りの上手数十メートルにわたって、一軒の建物も立っている姿はなかった。ところどころ、丸太に支えられた壁の残骸があったり、廃墟の上に奇妙な恰好に宙づりになった内部の階段のちぎれた部分が見えたりするだけであった。ゴーレは、苛立たしげに、通りの向う側へ視線をめぐらした。そちらには、まだ、ちゃんとした形の建物もちらほら残っていた。けれどもどの建物の窓にも、ほとんどガラスがはまっていなかった。窓は、半ばぐらいが、板ぎれを釘づけにして塞がれていた。

「ここはじゅうたん爆撃だったんだ」と、だれかが言った。

ゴーレは、早足で先へ進み、労働者の群れは陽気にざわめきながらあとについて来た。数歩ほど歩きつづけて、青年は、再び彼の片腕をつかんだ。

「もう、フルモアサ通りは、ここで終りですよ」と、ゴーレに言った。「ここからは、グラディナ（庭園）通りですよ。その端に電車の停留所があります」

「私になんの関係がある?」と、ゴーレは吐きすてるようにどなりつけた。

それから、さらに数歩進んだ。そして、黒く塗った人差指の印のついた立札の前で、勝ちほこった顔で立ち止った。その印は、今、彼らの進んできた後の方を指していた。その下に大きな文字で『この先一〇〇メートルに防空壕』と書いてあった。だれかが、印刷用のインクで『フルモアサ通り七十四番地』と書き加えてあった。

「僕がさっきあなたに立ち止るように言った所にあったんですよ」と、青年は、ゴーレの肩ごしに、立札を読んでから言った。

ゴーレは、後ろを振りむいて、今自分の通ってきた人気のない通りをもう一度眺めた。目に入るのは、同じ廃墟、同じレンガと瓦礫の山で、その間からあちこちに曲った鉄線がわびしげにのぞいていた。こういったことのすべてが、あのペテン師のパウネスクのせいなのだとゴーレは考えた。今頃は、六千頭の牛とともに、国境にたどりついていただろうに……

「お前たちはみんな気ちがいだ！」と、ゴーレはつぶやいた。

そして、道を向う側へ渡ろうとした。しかし、労働者たちは、笑いながら、彼の後姿へ向って叫んだ。

「おい、おっさん、ツイカひとびんはどうした！……そういう約束じゃなかったのかい？」

ゴーレは、しばらく、後も振りむかず、どんどん歩いて行った。しかし、あの青年が、両手を口にあてて、あらん限りの大声で、彼に叫んだ。

「あなたは酒場の主人には払ったのか？ それとも、あっちも無銭飲食かい？」

ゴーレは、突然、顔を真赤にして立ち止まると、労働者たちの方に挑むように向き直った。

「お前たちは、ゴーレが何者か、知らないのか？」と、彼は、自分の財布を取り出しながら、遠くから彼らに言った。「これぞ頼むに足る、有望な未来の男、ヤンク・ゴーレ様のことを聞いたことがないのか？……しかし、その名を今に聞くだろうよ。ヤンク・ゴーレの名を……」と、彼はつけ加えた。

それから、彼は無理に笑顔を見せようと努力しながら、紙幣を震える手で勘定しはじめた。すると、その時子供が一人道を横切った。一人の若い女が、その子供を遠くから見かけて、叫びはじめた。
「ヨニカ！　どこに行ってたの、ヨニカ？　もう一時間も前からお前を探していたのよ、このちびっ子悪魔！」

パリ　一九五二年十二月

（直野敦訳）

ミハエスク

◆ジブ・I・ミハエスク

Gib I. Mihăescu 1894-1935

オルテニア地方のドラガシャニで、町長も務めた弁護士の家に生まれた。母ヨアナはある尼僧の私生子で、ジブはその優しい、ロマンチックな気質を受け継いだとされる。大学在学中に参戦した東部戦線での体験や、地方の生活を舞台にして、強迫観念や幻覚の支配を描き、長編『ロシア女』（三三）によって、第一次大戦後のルーマニア心理小説の代表的作家の一人とされるが、四十一歳の働き盛りで病没した。ほかに中短編集『グランディフローラで』（二八）、『幻影』（二九）、長編に『遅れた学生の日々と夜々』（三四）、『ドンナ・アルバ』（三五）など。

それは大きめの写真で、横一〇センチ、縦はその二倍ぐらいあろう。その地所の邸で見つかったものはそれがすべて。でもそれだけでも大発見だったのである。ベッサラビア（現在のモルドヴァ共和国を中心とする地方。一九世紀にロシア帝国領となり、第一次世界大戦後のこの物語の時代にはルーマニア王国領）のこの地所は彼の生まれた土地であり、両親が住んでいた土地だが、以前はあまり重きを置いていなかった。ここへは定期的に、おもに管理問題や、収穫物の商談や、集金のために来るだけだった。だから両親の邸に一枚の写真しかないのも当然である。そもそも、それさえなくてもおかしくはなかった。

これでようやくナタリアの全身が所有できた。というのは、戦地へ身に着けて行った名刺入れには半分しか入らなかったからだ。上半身だけ。その代わり、当時はナタリアから絶えず手紙が来て、それで不完全な写真の埋め合わせがついていた。ところで今は、もしも、この宝物に恵まれなかったらどうだろう。それにしても、どうしてここにあるのか思い当たらない。戦前も、遠方へ出かける時はいつもナタリアの写真を一枚肌身はなさず持っていた。そうして、母方から見ればナタリアもモルドヴァ人なのだけれど、彼女は一度もこのベッサラビアにはついて来なかったから、ここへ来る時は特に、せめて写真だけは必ず持つように気をつけていた。どうやら、それをあわててここに置いていったのか。忘れて行ったのか。忘れ物ということはある、ごく大切なものに対して、最愛の存在に対しても、一瞬の不注意ということはあろう。それにしてもこれは、驚いたどころの話ではすまない。いったいこの自分が、どんな急いでいたにせよ、ナタリアの写真を忘れようとは、しかも、何年もの間、そのことに気づかぬまま過ごそうとは。信じられない。だがやはり写真はここにある。彼女の姿が、全身像が、そうだったと語っている。それほどあわてていたというなら、戦争の年、戦争勃発の年のことに違いない。それ以外の時にそんなことの起こるはずがあろうか？　あの時に違いない、あの騒ぎ、あの動転、右往左往。それにしても不思議だ、まさにそんな場合こそ、そんな興奮と沸騰と惑乱の中でこそ、最愛の姿を思い出し、その美しさにすがり、いつもその写真を納めてある左胸を両手でしっかりとおさえていそうなものではなかったか？

忘れ物ということはある。愛しいものの写真を胸に押し当てないと心臓の拍動が整わないという人間がいるが、彼もそのたぐいだ。その彼が写真を忘れたというなら、それはちょうどもっとも切ない苦悩の時に出してやろうとの神のはからいに違いない。写真を目にして、彼は猛獣のような勢いで飛びつき、口づけし、涙でぬらし、そうしてシャツの胸に押し込んだ。見つけたのはここへ戻ってきてから一年後のことで、写真はナイトテーブルの箱の中の数枚のロシアの新聞紙の間にはさまっていた。あとでその新聞を読んで一層はっきりしたのだけれど、やはりその日付は開戦直後のものだった。当時の電報があの激甚な悲劇の始まりを簡潔に、断片的に、恐ろしいほど断片的かつ凄惨に記述していた。もしナイトテーブルの箱に用がなかったら、彼の哀れな、大切な、いとしいものは、まだいつまでもその古新聞の下でおとなしく待っていたことだろう。今はその新聞も一緒に大事に町へ持ち帰った。新聞がなければ、そこに写真のあろうはずはなかったからだ。持ち帰った写真と古新聞、このすばらしい獲物は、彼にとっては、鞄に詰めた収穫代金の総計にもまさる値打ちだったのである。

都会の住居に帰り、町じゅうの人が寝静まって、夜の厳かなしじまが広がり、街路にも足音一つしなくなるのを待って、彼はナタリアの小さな肖像を取り出し、言いようもない渇望にあえぎながら、やにわにその脚に頰を寄せ、唇をつけた。前線から持ち帰った上半身には今まで何回となく口づけした、頭にも、目にも、額にも。だがこのすらりと真っ直ぐな脚、ほら、こんなに真っ直ぐな脚は。ああ、この歳月。両脚にかわるがわる、まず右側の腰から始めて下へ、膝まで、くるぶしまで、ドレスの裾かがりの下——それから左へ移って上へ、腰まで、彼の唇は一ミリ一ミリとしゃぶりつくすのだった。

ドクター・カロンフィル。ロシア領時代にはカロンフィロフと呼ばれていた。ドクターとは名ばかりである。肩書きは医学博士、しかし医師を仕事にしているわけではない。ときたま、友人とか、召使いとか、地所の雇い人とかを診てやる程度。それでも医学誌の購読はしていて、定期的にブカレストとパリから届く。ペトログラードからはもう来るはずもない。

それでも世間ではみんなに〈ドクター〉と呼ばれている。ドクター、ただそう言えば、ここではカロンフィルないしカロンフィロフのこととだれでも承知している。カロンフィルの住むベッサラビアのこの町には、実際に医者をやっている老齢の医師が五人、若い医師が十五人いるが、その二十人の中のだれかをさす場合には、肩書きだけでなく名前まで言うならわしである。

カロンフィルは資産家である。県庁所在地のこの町に大きな邸、数駅離れたところに数百ヴェルスタの地所がある。それもすばらしい地所、すばらしい葡萄畑、すばらしい館。だが本当はもっと豊かなはずだった。三倍も、あるいはそれ以上だろう。もしあの革命がなく、ロシア領の分の財産が根こそぎ接収されなかったとすれば。なあに、ニストル（ベッサラビアとウクライナの境の川、ロシア語ではドニエストル）の向こうの地所など、仮に残っていても空しいことだ——もうナタリアがいないのだから。

ナタリア・アレクサンドロヴナ。娘としても、妻としてもそう呼ばれていた。裕福な土地持ちストラトミロフ男爵の令嬢ナタリア・アレクサンドロヴナ・ストラトミロヴァ。そうして、同じように豊かな土地持ちのドクター・アレクサンドル・カロンフィロフ男爵つまり今のカロンフィルの夫人として、ナタリア・アレクサンドロヴナ・カロンフィロヴァ。

ナタリア・アレクサンドロヴナは向こうに残したままで、二枚の写真ばかりがここにある。瓦解の時ドクターはロシア軍に召集されてポーランド戦線にいた。彼はなんとかして妻のところにかけつけよう、ナタリアを探して、見つけて、どこか離れた別の国へ連れて行こうと焦った。彼の階級章は兵士らにもぎとられてしまった。彼はこうして、この世ならぬ暴虐の嵐の吹きすさぶ聖なるロシアの荒海へ、階級章もなく、ただの一兵卒として、潜入しようと企てたのだ。そうして、野戦病院を捨てようとすれば殺すという兵士らの脅迫にもかかわらず、本当にこの恐ろしい冒険を成し遂げた。けれども、ナタリアからの最後の手紙が発信されているその地所にたどりついたドクター・カロンフィルの見たものは、往時の壮麗な館ではなく、焼け跡の灰燼だけだった。また、町にある義父の一番立派な邸は接収されて役所になっていた。義父も、妻も、義理の兄弟たちも、影も形もない。どこにも、なんの手がかりもない。ごく親しくしていた知り合いに会った。何週間も剃らない髭面にぼろをまとっていたが、その話では、妻の父と二人の兄弟は銃殺された、だがナタリアのことはよく分からない、と言う。それから、にたりと歯をむき出した。「多分助かっていますよ。こういう場合は女の方が楽に乗り切りますからね」。

ところで、崩れかけた馬小屋の入り口でうつろな目をしてへたりこんでいたこの男は、ドクターに惨状の一部始終を説明してくれたのだが、それをいやに大きな声で話す。そうして、何か待ちかねるようにあたりを見回している。そこで、夜になったらあんたの馬小屋にかくまってくれないかと頼んでみると、男は迷惑どころか大喜びの様子でどうぞ、と言い、それからは落ちついて、話し方も小声になり、きょろきょろしなくなった。

一方、ドクターは、男と別れたあと、戻りはしなかった。知人だろうと古い友達だろうと、もう何も訊ねる訳にはいかないと分かったからである。密告は多分いい値になったのだ。パンまるまる一個とか。

ニストル川を越えてこちらへ来ると、権利も財産もまもなく回復することができた。ルーマニア人という身分と、顔の利く親類のおかげである。あの時はずいぶん奔走したものだ、さんざん駆け回り、しゃべり、右へ左へ、頼んだり、どなったり、すかしたり、おどしたり。一日がそうして終わって、もうだめかと思っても、次の朝は一層強硬に取り組んだ。ありがたいことに、不退転の決意で立ち向かった賜物か、苦労もそう長くは続かなかった。ドクターはただの流れ者からまたひとかどの人物にもどった。そうして、自分の家の自分の部屋のやわらかいベッドで目を覚ました最初の朝、あのキエフで会った男の言葉が突然別な音色に響いた。

ロシアのステップを踏破する間、その言葉は耳で鳴り続けて、何日も食物にありつかなくてもあまり気にならなかった。鳥の声にも、ものの影にも怯える日々であったが、確かなのは、もしだれかが懐を探って名刺入れを奪おうとしたら、たとえ相手がなにものだろうと、断じてひかずに、死にものぐるいでぶつかっただろうということだ。そうして、あの夜、彼を衛兵に売り渡すために馬小屋で待っていたであろうあの卑劣漢の言葉、記憶に深く刻みこまれたあの言葉が、彼を一層激しく駆り立てたことだろう。石にもなれ、鋼にもなれ。

ところが、すっかり幸せな新しい気分でその小さな姿を眺めようとした、まさにその朝、例の言葉が頭の奥で、一転して奇妙な音色に響いたのである。それは酔っぱらいがくだを巻くような、間延びした、しゃがれた、白けた声だった。

「多分助かっていますよ。こういう場合は女の方が楽に乗り切りますからね」。ドクターはいやな顔をして肩をすくめた。結局のところ、そんなたわごとがなんだというのだ。結局のところ、聖なるロシアの大地の上で、あのたわけた嘲笑など何の意味があろう。ナンセンスさ、ナンセンス、ナンセンスだ！　そうして小さな名刺入れに唇を寄せた。バックの清らかな白は、彼女の地所の空のシンボルだ。その地所は自分が努力と商才でほとんど三倍にもふやしたのだった。この写真、この小さな聖像はその空さながらの白さ、清らかさだ。またこのセピアのビロードのようなやわらかさは、彼女の瞳の色に似ているではないか。このような大地の上で、あんな嘲笑に何の意味があり得ようか。

こうした明るい思いに浸ると、ドクターはもう改めてあの言葉について考える気にはなれず、やがて、汚い乞食かなにかのように、心の中から追い払ってしまった。そうして、一年後、この写真を見つけた時には、もはや、藁混じりのすえたパン一つのために喜んで人を売るような卑劣漢の、あほらしい嘲笑のことなど考えもしなかったのである。今はこの下半身も、神々しいばかりのあの脚もここにあるのだ、それがすべてだ。それからは、来る夜も来る夜も、街路に足音が消え、天地に一切の物音がしなくなると、写真を眺めて過ごした。脚の輪郭そのものはくるぶしの上のあたりでドレスに隠れている。そこからふくらはぎの膨らみが微かに始まっているのだが、しかし、写真は正面だから、それを知っているのは自分だけだ。またドレスの階調のわずかな変化で、そこにこそナタリアの神々しい膝があることが分かる。この細部を発見して、まるで自然の偉大な一個の真理を発見したかのように感動し、その偉大な真理を涙とロづけに浸すのだった。ところで左膝の少し上、ほんの片手の幅ぐらい上にはあの小さな、カフスボタンほどの大きさのしるしがある。焦げ茶色で、丸く、目を近づけると桃の実のような産毛におおわれているが、少しも突起はないから、ほくろではない。遠くからは目の虹彩のように見え、彼女の目と同じその色が、膝一帯と脚全体のアクセントとしてたとえようもない魅力を創り出していた。この絶景がドレスに遮られていることは言うまでもない。でも彼はそこにそれがあることを知っており、目をこらすと印画紙のセピア色を透してそれがはっきりと、それも原寸大に見えるように思われる。というのも、この濃いセピアはちょうど彼女の目と同じ色であり、彼のほかだれ一人知らないそのひそかなしるしと同じ色だからだ。（だれ一人知るものか、だれ一人）と、しきりに言い募ることもあった。それは、時たま、まれに、例の卑劣漢の言葉がまたしても彼の確信をおびやかそうとする時のことであるが、それはごくまれで、年月がなごやかに流れて彼の心との間の折り合いがつくにつれて、なおまれになって行くのだった。静かな、賢しい微笑み、というよりむしろ溜息。彼の微笑みは、朗らかな、安堵の溜息だった。思ってもみよ、彼女の国ロシアのような、あれほど広大な、あれほどの波瀾に揺れる大海原の中で、あんな小さな、あえかな、つつましいしるしを、彼女の脚の悦楽のあの瞳を、だれが見たりするものか。あの小さな印章、あの細密画、ナタリアの一切の魅力のあのシンボルを。だれ一人、いくら衣服を剝ごうと、藁とふすま混じりのパン切れをいくつ並べようと、だれ一人それを見ることはできまい。

ラガヤック中尉の話を聞くまで、何年もの間、ドクターの気持ちはそこに止まったままになっていたのである。ラガヤック中尉はニストル川地域から連隊とともに帰還したのち、何かの任務でチェルナウツィ（当時のルーマニア領北ブコヴィナの中心都市、第二次大戦後はウクライナ領）へ行って来た。……そうしてちょうど、トロフィモフで、アペリティフをなめながら、ベッサラビア以外の地方へ行くと、どんなに居心地が悪いかという話をしていた。ブコヴィナは前にも見たことがあり、チェルナウツィも同様だが、このニストル川沿いの町々に代わるものはない。部下の小隊と何カ月間も駐留したのだ。……ドクターはラガヤック中尉が大いに気に入っていたけれども、ほかのベッサラビア人の前ではそれを口にしなかった。毛嫌いしているベッサラビア人が多いからだが、それは虚実取り混ぜた数々のアヴァンチュールの噂のためであり、端正かつみやびな物腰とはひどく不調和な、皮肉っぽい目つきのためであり、それにもまして特に、女性の間での悪評のためだ。それはモルドヴァ女、ロシア女、ユダヤ女を問わず、美人に特に目立つのだけれど、とは言っても、彼女たちは中尉のいる席ではすっかりもじもじして、さかんに流し目を送るのである。だがドクターには、ラガヤックが自分さえ異動を望めばブカレストにもポストがあるにかかわらず、ベッサラビアがいい、この町に残ると強情を張るのを、簡単になるほどとは言えなかった。で、いつものことだが、西南部のオルテニア出身のこの中尉が、わずかの間留守にしただけのベッサラビア、この第二の故郷への積もる郷愁を冗談まじりに格好よくもの語るのがいつもながらおかしくて、耳を傾けていた。チェルナウツィの街で出会った女たちは、この色浅黒く若枝のようにしなやかな青年将校といろいろ話したそうな目つきばかりはするのだけれど、どうもぴんと来ないのだと言う。

話が佳境に入ったところで、ドクターをはっとさせたのは、バラエティ・ショーの看板である。ロシア名前、こちらにもあるような名前で、〈偉大な踊り子、ナタリア・アレクサンドロヴナ〉。ドクターは低くうなり、目を大きく見張った。だがすぐに、聞き違いだと自分に言い聞かせて、そっと微笑んだ。これまでにも、女名前でさえあれば愛しいあの名前に聞こえたことが何度もあったのである。

「ナタリア・アレクサンドロヴナ」とラガヤック中尉はまた言った。さらに繰り返した。もう空耳ではあり得ない。だがこの世にナタリア・アレクサンドロヴナという名前はいくらでもある、と思い直してみる。わが心のあのナタリアが、チェルナウツィくんだりで踊り子などやっているはずがあるものか。彼女は、ベッサラビアに来たことこそ一度もないけれど、夫の地所のある村の名前も、夫の両親の住まいのある都会の名も、よく知っているのだから。

それでもドクターは、息を詰めて、ラガヤック中尉の話の続きに聴き入った。ただ、聞いた名前の圧倒的な力が神経に与える衝撃のために、その目はうるんでいた。ところでラガヤックは物語の名手である。ドクターはベッサラビア人のうちでは中尉が胸襟を開く唯一の人間であり、その座のほかの聞き手はみんな戦前からのルーマニア領で育った親友たちだった。ほかの冷淡な住民の前ではラガヤックは決してこんな話をしない。だからドクターはラガヤックが好きなのだが、とりわけ今は格別であった。話が終わったら食事に彼を招いて、今の最後の話で頭から足先まで電流が走ったような感じのしたことを話そう。しかし、ドクターが何も言うひまのないうちに、中尉の話は次第次第にナタリア・アレクサンドロヴナを非在の夜の中からよみがえらせるのだった。今はその名前だけでなく、その面影が、その全体がドクターの胸を締め付ける。

ラガヤックはこんな踊り子を今まで見たこともないと話している。ここに一片の疑念が残ってドクターを引き止める。ナタリアは踊り手ではない。言うなればありふれた踊り手で、舞踏会好きの陽気なふつうのロシア令嬢なみに過ぎない。

だが、ラガヤックはさらに説明を続ける。諸君、天才的ダンサーの話と思うことはない。どうしてって？　ナタリア・アレクサンドロヴナの踊りは、自分の創作でもなければ、どこかの音楽作品から組み立てたものでもない。いくつか、だれでも知っているロシアの民族舞踊を踊るのだ。それからほかのいくつかは、それほど有名ではないけれど、珍しいというほどでもない。そうじゃなくて彼女そのものの魅力がすべてなのさ、体のうねり、脚の弾み。それから目だ！　そうだ、目が踊るんだ、とラガヤックは呆気にとられる聴衆を見回して断言した。彼女の目が動くと、それについて観客の目がみんな踊り出すんだ、将校も、市民も、ホールの男がみんな、いいや、女どもの目まで。黒っぽい目だ……栗色に近いかな……。

「その子をご招待しなかったのかね」と一人が尋ねた。

「無理だ」とラガヤックは答えた。「無理だよ。引く手あまた。毎晩、土地の常連らしいのが椀飯振舞さ。どいつが特別のお気に入りだかは分からないね、むしろプレゼント次第で取り替えていたと思うな。とりまきはみんな金持ちだ。そうして、ほら、情緒の方面からのアプローチは多少時間がかかるからね。ぼくはもう帰任しなければならなかったし。だが、幾晩も続けて、ぼくも彼女の目の踊りと――だれでも自分だけ見られているような気になるんだ――、むき出しの脚の毒にあてられて、また同時につらい不眠の時間を慰められてもいたよ」

「むき出しの脚？」と今度は、息を詰めて真っ赤になったドクターがうめいた。みんな、このやるせなげな問いに、わけ知り顔で笑った。そこでラガヤックは補う。

「太ももまでむき出しで、真っ白で、真っ直ぐなのだ。……ああ、いつかも言ったけれど、このロシア民族の強みというやつは脚にあるね……」

それに続けてラガヤックは芸術的に構築された脚の詩情についての信念を開陳するのだが、それはドクターにはもうただの雑音としか聞こえず、耳は貝の殻のように雑音を外へ反響させるだけだった。手がわなわなと話し手の方へ延びて、口がつぶやいた。

「じゃあ、しるしは、左の膝の少し上に、小さな、まるい、焦げ茶色のしるしは見えなかったかい……」

ちょっとの間、寂として声もない。みんなは、笑ったものか、それとも目を丸くしたものか、ためらっていた。一人が口を切った。

「そんなものが遠くから見えると言うのですか?」

一人が後についた。

「脚にほくろ……ドクターも皮肉ですねえ?……」

そこで一座は爆笑し、ドクターはぎょっとして腰を浮かせた。ラガヤックは笑い声と張り合うように声に力を入れた。本気の礼賛がからかわれて、少々意地になったのである。

「ぼくはいつもかぶりつきの席をとっていた。だから脚は目の前だと言っていい……でもドクター、ほくろなど見えなかったよ、脚は完璧だった……。もし彼女がキシナウ(ベッサラビアの中心都市、ロシア語ではキシニョフ)に来たら、全員で見に行こう……。そうすれば分かるよ、そのあとでも諸君が笑う気になれるかどうか、あの逸品にほくろが見つかるかどうか……。ないよ、ほくろのほの字もない……」

今度はドクターのたくましい胸が哄笑にあえぐ番だった。あんまり愉快そうだったので、一座は思わず顔を見合わせたが、それからつられて笑いだし、ラガヤック中尉は露骨に不愉快な顔をした。そうして、自分たちの笑っているわけが分かり始めたようにみんなが思ったその時には、ドクターの豪快な笑い声は、しぼむ風船のようなひゅうという音になって止みかかっていた。〈しるしがないなら彼女ではない!〉と、だれかが叫んだように、ドクターの頭の中で響いた。そうしてドクターの目は針の穴のように細くなって行った。

ドクターは部屋に入ると疾風のようにあの大きい方の写真に飛びついた。食事を知らせに来た小柄なバーブシカばあさんは頭ごなしに怒鳴りつけられ、追い払われて、ドアの後ろにしゃがみこんだ。ほかの使用人たちが寄ってきてなにを聞いても答えず。ただその目の怯えの色で、みんなにも中のドクター様がまともではないということが分かった。バーブシカの泣き声がおさまると、ドクターのすすり泣くような声が始まり、それは外まで響いてきた。事実、ドクターはソファーに倒れ、ナタリアの写真を手に泣いていたのだ。そのしるしが、もしや彼の思うより小さくはなかったかどうか、躍動するむき出しの二本の脚にうっとりしている観客の目に入らぬということがあるものかどうか、ドクターにとっては、それを確かめるべきいかなるてだてもこのセピア色のドレスによって断ち切られている。だが向こうの世界にはこのドレスはないのだ。むき出しの脚が放縦な欲情にさらされ、満場のぎらぎらした視線に貪られているのだ。だれでも、行きずりの観客よりもたっぷり時間を使えるものならだれでも、白粉に塗り隠したその小さなしるしを見ることができたはずだ、——あの脚の眺めにゆっくりひたるものは、だれでも、難なくそれを見つけて、愛撫して、キスするのだ。(南無三、そんなやつがどれほどいたことか、どれほど!)とドクターは身をよじって呻く。

やがて、歯を食いしばって立ち上がると、持ち前の男性的な足どりをしっかりと踏みしめて室内を横切った。怒り狂って壁に投げつけたりして、罪のない写真にわるいことをした。どんなに白粉を重ねてあろうと、あれが目につかないはずはないのだ。あれは目立つしるしだ、それはよく覚えている、たった今見たばかりのようにありありと目に浮かぶ。

ありえない、絶対に……その女は、毎夜あの女好きの中尉の心を乱し、ブコヴィナの町の金持ち連中を相手に美貌を取引しているそのナタリア・アレクサンドロヴナは、妻であるはずはない。自分の妻はここに投げ出されたつつましいドレスの写真だ。このドレスにかくれて、大切な、つつましい細部は見えない。それが耐え難いほど甘く優しいのはだれにも知られないからこそなのであり、それを話題に乗せて酒飲みやプレイボーイの将校たちの肴にするなんて、自分はなんというおっちょこちょいなのだ。ドクターは震える指に写真を拾い上げて、許しておくれ、と胸に抱いた。

(彼女ではない)とドクターはつぶやき続けた。(そうとも、ねえきみ、ぼくのアイドルであるものか、……きみのはずはない……きみではない……)

その声はまた湿りだし、胸の奥深くからまたすすり泣きがこみ上げてくる。

(君ではない、きみのはずはない……)と泣き声になると、それはたちまち怒号と身もだえに変わった。

(なぜきみではない?……そんなはずはない……君に違いない……ちがい……ない……違いないんだ!)とこぶしで自分の頭を殴りながらうなる。

なるほど大きなホールだ。広々として、豪華である。シャンデリアの強烈な輝きは、まだ電灯の光にあまり慣れていない市民の目にはまぶしすぎるほど。ドクターはいち早くフロアのかぶりつきのテーブルを占めた。騒々しい見物人がひっきりなしに入ってきて座る。あちこちから、ナタリア・アレクサンドロヴナ、ナタリア・アレクサンドロヴナ、とささやきが聞こえる。前座のうちは、みんなろくに舞台を見てもいない。拍手はまばらで、口笛さえまじる。

ドクターは居心地が悪い。度外れの興奮に喉が締め付けられる。それに、ここに座っていると、まるで自分までバラエティ番組の登場人物になったようだ。アーチストは踊りの最中にドクターに気がつくだろう。叫び声を上げるだろう、彼に呼びかけるだろう。ダンスの番組が一転して正真正銘のドラマになるだろう。そうだ。メロドラマだ。二人はしっかと抱き合うだろう。それから彼は彼女をこの放縦な小屋から連れ出すだろう、失神した彼女を荷物のように小脇に抱えて、好色な目の届かぬ所へと運ぶドラマ……。だが強烈な好奇心の衝動がドクターをさいなむ、それは、このままここで、一切を見、一切を聞けと命じるのだ。この女性があれほどの歳月の間、夜をどのように過ごしていたのかを知ろう、と。彼の善意は、さあ強くなれ、できるだけ速かにこんなことは全部終わりにしろ、何も見るな、と力なく促す。いままでのことはみんな過ぎたことだ、この世界を根底から揺るがしたすさまじい宿命の、恐ろしい破局のなせる業ではないか。さらに善意は進言する、今すぐに席を立ち、彼女の楽屋へ行って叫べ、そんなピエロの化粧を落とせ、きれいさっぱり洗い流せ、昔のあのナタリアに戻るのだ、と言え。

けれども、何年も妻に会わずにきて、突然その妻のことを、しつこい、止めようもない噂話で聞く時、男心は好奇心の虫の跳梁のままに食い荒らされる。結局、ドクターはボーイを呼んで、だれか奥の方のテーブルの客に（満席であり、かぶりつきの彼のまわりではみんな期待で固唾を呑んでいた）、席を替わる話をつけてくれと頼んだ。それこそ相手にとっては願ったりの話で、この変わった好みはもちろんすぐに実現した。実際、この奥の席の方がドクターには落ちつける。少なくとも見せ物にはなるまい。それに、脚の例のしるしは、ドクターの目ならこの距離でも見えるだろう。他人は、たしかに、かぶりつきでも気がつくまい。これはドクターにとって最大の慰めであり、その思いに励まされてドクターは、どうか彼女でありますように、とただそれだけを渾身の力で求め、望み、神に願う……。そうだ、彼女が渡ってきた広大な苦難の荒海の中で、だれも、だれ一人として、あの小さな、優しい、聖なるしるしを、ドクターにとっては全身全霊を引きつける場所であるそのしるしを、だれも見なかったのだ。

今度のテーブルはドアのすぐ前で、ドアのところには、遅れた入場者が押し合いへしあいしていた。ドクターの一番近くには将校が一人と市民が一人。こびとのように小柄な若い少尉だが、しかしりゅうとした服装。結核患者なのか頰はげっそりとこけ、目に溢れる露骨な欲情が片眼鏡で増幅されて見える。下品な大きな口を開く前からドクターは気にいらなかった。だが、さてその声が聞こえ出すと、頭に血が上って破裂しそうだった。妻について程度の悪い侮辱の数々（ああ、これが本当でないとどうして断言できよう！）を聞く羽目になったのである。

少尉は、ナタリアの部屋に夜迎え入れられるための手順を連れの客に解説している。ごく簡単だ。あののっぽのやせの禿の頰ひげのボーイの耳に望みをささやくだけでいい。もちろんボーイにも握らせなければならない。おそらく奴は彼女からも百もらうんだが。

あいにく、聞いた様子では、どうも代金がえらく高い。砲兵隊のある将校の武勲談を聞いただけで、自分はまだトライしていないのだ。その将校を個人的には知らないが、先を越されたね。朝、砲兵将校は女のテーブルに五百レイ載せた。ひと騒動だ、大もめだ、とどのつまり彼女は黙らなくてはならなかった、アーチストとしての評判を傷つけないために……そうして鑑札料を取られる羽目にならないために……。

「ところで、彼女は亭主を捜しているという話だね、亭主がルーマニアに逃げてきたということが分かったのだそうだ……」

ドクターは、どうしてすぐにボーイを呼んで、支払いをしてさっさと出て行かないのか、と自問した。今ペストのように自分にとりついているこの愚劣な好奇心を押しつぶすべき、真の男にふさわしい強さを持とう。つまり夫をさがしていると？　大いに結構。それなら、いずれわが家の門をたたくだろう。その時、しかるべく迎えればいいではないか。とは言っても、今ホールから出ていくのはばかばかしい。遠路はるばるやってきて、目的の人を見もせずに帰るなんて。強さとは、自分と知らせず、一声も掛けずに背を向けることだ。そうすると、あののっぽの、やせの、禿げの頬ひげのあるボーイを呼んで、詳しく事情を聞くのがよかろう。ドクターは、結核病みの将校とその連れがもうその辺にいないのを確かめてから、すばしこそうな見習いのボーイにことづけた。返事はすぐにきた。お呼びの客席係は今大きな注文をこなすのに忙しい。でも、片づき次第すぐ来ます。お客さんの御意向は承知です。まだ時間は十分ありますよ。

そうしてドクターは、にたりとわけ知り顔に顎をしゃくった見習いの脳天を、よくもこのリキュールのびんで割らなかったものだとわれながら呆れる。

だがなぜこんなことに？　ドクターはおずおずと自問する。結局のところ、それは分かる。踊り子になる、だれかれとなく身を任せる、安全な岸にたどりつくまでに越えねばならない大変な障害。だが、岸にこれほど近づいた時に、あとは一泊と三時間の汽車旅のためのいくらかのお金が要るだけという時に、こんな売春になんの意味があるのだろうか？　最低の女でも快楽のために売春したりはしない……。でもあんな……でもナタリアが……ナタリア・アレクサンドロヴナ、気高い女性、男爵令嬢で男爵夫人が……あり得ない……きっと同姓同名さ……きっとなにかで転落した女だ……。

そうして、リキュールのグラスは、ボーイが置いていったボトルから満たされては、渇きの癒されぬドクターの口との間を往復し、その間隔がだんだん短くなってくるのだった……。

（すべてが揺れ動いている、どこにたまっていた澱が表面に浮かび上がるか、知れたものではない）とドクターは考え続けた。……（しかし、もしすぐにも誤解と分かれば、そんな疑念のとりことなったこと自体、絶対に許せないことであろうに……。もちろん誤解と分かるはずさ……）

グラスが上がり、口へ一挙にダイビングする。

（あの気高さ……だれにくらべて……？　美しさ……うむ……あの甘美……うむ……）

グラス。

ああ、あの美しい姿をいつまた目にすることができるのであろう？　本物の、待望の？　いつになったら、何年たったら、……どれほど苦しんだら……？

グラス。

このすぐそばに彼女がいるなら……。いま数秒の間に奇跡が起こったなら……

グラス。

ここにこそまことに神の御手が奇跡を成就なされるなら……。他人には見えない手が、奇跡を願う罪深きもののみに現れて。こうしてまさにこの不潔な空間に、まさにこの無恥無自覚の愚衆の真ん中に、神秘はその汚れなき真率さと不壊の力を保ちながら。

グラス。

連れて来るため……なにを連れて？……美しい妻を……ナタリア・アレクサンドロヴナ、変身した……

グラスはこのたびは途中まで上がっただけで、干されぬままテーブルに戻った。

(主よ、御心のままに……主よ、御心のままに……。わが運命はあなたの至高の知恵の定めるままにまかせます……。主よ、命じるままに私は従い、喜んですべてを受け入れましょう……)

突然ホールのざわめきが高まった。喚声が頂点に達し、ついで返す波のように引く。いたるところからささやきが聞こえる。ナタリア・アレクサンドロヴナ……ナタリア・アレクサンドロヴナだ……

ドクターは青ざめて、テーブルのふちをがっきと握りしめた。

(主よ、御心のままに……彼女だろうか、神よ、主よ、神よ、父祖代々の主よ……彼女だろうか……この瞬間次第で……。彼女だろうか、神よ、……彼女だろうか、彼女か……ナタリア・アレクサンドロヴナ……）

客席の照明が消え、ステージが明るくなった。ドクターの背中に冷たい気流が起こり、濡れたスカーフのように彼を包んだ。あたかもホールが割れて、突然無人の境になったように――そうして荒野のすべての風がここへ吹き寄せるかのように。ドクターは歯をがちがち鳴らせ、椅子から転げ落ちまいとテーブルにしがみついた。（彼女なら、神よ、……！　彼女なら、私のナタリア、私のナタリア、ナターシャ、ナタシェンカ……）

朝日に輝く白雪のようなきらめきが舞台にほとばしり、ついで床の上で無垢の新雪の塊に結晶した。

耳を聾する拍手と嘆声。雪の化身はそのままじいっとうずくまっていたが、やがて全身が展開して行く。夢の仙境のような一本の腕がくねるように掲げられ、続いてもう一本の手、それに引かれるように、まだうつむいたままの頭が、雪の肩が、胸が、腹が、すらりとした脚が。最後に、昂然と顔が仰向く……。あれだ。ナタリア・アレクサンドロヴナだ。

喝采。喚声。嘆声。無数の頭をもつ野獣が野獣の流儀で賞賛を送っている。今もっぱら賛嘆が捧げられているのは、ほとんど裸形の美。ドクターの震える視線は下へ、脚に向かう。まだなにも。けれども彼はなお膝の少し上の場所を手探りしている……。えい、どこを見ている？　右？このばか……。

今踊り子はむき出しの両脚を同じ方向に投げ上げた。一本は直角に、もう一本は鈍角に……。そうしてダンスは荒々しく白く始まった。雲の中に断続的に造形される彫像。

（彼女だ！）ドクターは完全に理解した。（完全に彼女だ）。例のしるしは見えなかったが……。（いや……見ろ……はっきり見える。はっきり見える、まさに踊っている時に……。静止している間、脚をどう扱って見えなくしているものか。だが、そら、踊り出す時あのしるしが見えた……）

一曲終わるごとにナタリアは強烈な喝采に追われるように消えるが、喝采はそのまま鳴り響く磁石となってすぐに彼女を引き戻す。そうして踊り子は次々に才能のあらゆる面をくりひろげてゆく。ドクターの頭はもう何も考えられない。何度か、脳髄を浸している光彩に何かコメントをつけようと努めたが、あきらめるほかなかった。光彩は、緻密に、重く、そこにいすわって、ほぐしようもない。踊り子が腰をかがめて最後の喝采を受けているときになって、初めて彼は自分の考えを覗く隙間を見つけた。だがそこでかいま見ることができた考えと言えば、ただ、（このまばゆい美女は私だけのものだった、これからも私だけのものだ。私だけ、私だけだ）とばかり……。

ただこの一つのことだけを思い続けているうちに、ナタリア・アレクサンドロヴナは着替えを済ませ、カフェーの普通の客のようなドレスで広土間に現れた。そこに巻き起こる騒ぎ、われ勝ちの賛辞、引く椅子、押され、寄せられるテーブル、ボーイを呼ぶ声や注文の声、うれしそうな笑いや叫びの光景を眺めているうちに、ドクターはいつもの思考力の動きを回復した。ホールの中央で盛大な宴が続き、たくさんの黒いタキシードや軍服や、婦人服までが、席に連なりたがっていた。今やナタリア・アレクサンドロヴナは夫の真向かいにいる。しかし二人の間にはいくつも酔客のテーブルがあって、二人の視線の出会いが妨げられている。ドクターは、彼女の目が何度かこちらに向いたけれども、まだ自分には気がつかない、と言うよりも自分だとは気づいていない、ということをはっきり意識していた。もっとも、まだドクターの方でも、彼女がこちらを向く時にはあまりまともに見ないようにしていたのである。怖ろしい対決は二人の間の空間の障害が清算される時まで保留になった。そうしてそれも間近いという兆しが現れた。ステージのダンサーたちの踊るスペースがなくなってきた。さがって、さがって！と、繰り返し声がかかる。ドクターは待った。しかし今度は抱き合って踊るたくさんのカップルで、よけい見えにくくなった。ドクターは待った。ジャズが止む時、最終的に啓示が起こるだろう。その時誰かが軽くドクターの袖を引いた。例のボーイ見習いがあそこを見ろと合図している。ナタリアのダンスの始まった時と同じような震駭を覚えつつ、ドクターはそちらへ目を走らせた。そうして一瞬、鞭で打たれたような痛みを覚えた。その方向に見えたのは、ひょろ長い口ひげのボーイの辛抱しろというサインだった。忘れてはいませんよ、今来ます、時間はありますよ……。

だがドクターの方は忘れていたのだ。今思い出した。思い出して愕然とした。彼の魂は、ナタリアの前座の踊り子のコルセットから下がっていたリボンのスカートさながらに、千々に引き裂かれて舞う。くり出される光輪のように妻の美の核心から放たれるはかなくもきらびやかな光景の急速な連鎖に眠らされていた苦悩のすべてが、今目の前に溢れ出て、めまいを覚えた。しかし、今こそ行動する時だ。ドクターは急いで気を取り直し、妻の驚愕に対してこちらのとるべき冷然たる振る舞いの計画をしっかりと策定した。

驚いた美女が両腕をさしのべて走り寄る。それを冬の雲のように暗い、冷え切った視線で受ける。ああ、ダンスの時のあの腕が自分にさしのべられる……

「アレクサンドル！　サーシャ！」

「なにかご用ですか？……なにかお手伝いいたしましょうか？」

「ごめんなさい、あなたはドクター……アレクサンドル・カロンフィロフじゃなくて？」

「いいえ、人違いですね……失礼」

そうして、とまどう視線ともじもじと握り合わせる手に向かって。

「でも、どうぞ、おかけ下さい……大変うれしいことです……あなたにまたお会いできて」

「私にまた会えて？……」

「ええ……今から五年前、最後にお会いしたような気がします、あなたの地所の……」

「サーシャ、あなたなのね……。この悪ふざけはどういうこと？」

「悪ふざけはあなたの方じゃありませんか？　あなたはここでアーチストです……讃えられ、取り巻かれ、愛され……値がつけられ……失礼、でも人の話では……」

突然音楽が止んだ。のどの渇いた踊り手たちはさっと散ってわれがちにテーブルへ急いだ。ドクター・カロンフィロフとその妻との間の戦線は見通しになった。彼は目を大きく見開いて彼女を見据え、彼女も同じように、どこか不安げに、彼を見つめ……、目をそらしてはまた戻し……その視線には次第におびえの色が加わる……。まだ彼女はがんばっているが……むだだ、ドクターは目を離さない、だが彼女はもう彼を見ていない。右へ左へ応答し、笑い、シャンパンのグラスを上げている。しかしドクターはなお見据える。十五分間、彼女から視線を外さなかった。楽器がジャズを再開する。女が立ち上がる。ナタリア・アレクサンドロヴナは会食者一同にお休みを言う。ドクターの胸がふくらむ。いよいよだぞ！　肘を広げて、リラックスする。一番自然に見える姿勢をとらねばならない。老人と大佐の二人だけに伴われて、ナタリアが床を滑るように歩む——彼の方へ。ドクターはカラーの後ろに指を入れて窮屈な喉をゆるめた。近づくにつれ彼女はますます挑発的な美しさを加える。ドクターの顔からすっかり血の気が引いた。

彼に親しげに微笑みかけ、コートの袖で軽く触れ、そうして通り過ぎる。ドクターは急いで立ち上がる。だがもう彼女はいなかった。疑いもなくここを通って行ったのだ、ショーのあとでは彼女もみんなと同じに玄関の大扉から出るはずだから。

ドクターは大扉まで一っ飛びで駆けつけた。

「ナタリア！」

アーチストは立ち止まる。二人の連れは、少し離れて立ち止まった。

「ナタリア！」

「なにかご用？」とナタリアは完璧なアクセントのルーマニア語で尋ねた。「あなたはどなた？」

「そんなお芝居はやめろ……」

「お芝居ですって？……おもしろいこと……どなたか存じませんけど」

「五年で自分の夫の顔まで忘れたのか？」

ナタリアは身をよじって笑いこけた。

「まあすてきなお話。私は結婚なんてしたこともないわ」

「ナタリア、ナタシェンカ、でも君にそんな仕打ちができるなんて信じられない……他人の目の前でそんななぶりものにするなんて……それは、たしかに君の最近の生活は……」

「ねえ、今あなたとピランデルロの芝居をする気はありませんの……きっと人違いですわ、どなたか、そっくりの人がいるのね」

「ばかな！　名前も顔も同じで人違いなんて……冗談はもう止めよう……。君は私の妻だ、そうして今は、こんな身の上の君を見つけた以上……」

「私の身の上はあなたに関係ありません……」

「ナターシャ、過ぎたことはもういい。君の美しさが、どんな汚点でも帳消しにする、どんなに重大なものだろうと……とにかく私はもう君のその美しさなしではいられない……。ねえどうか……。私は五年間君を待っていた、五年間君の写真にキスしていた……。だのにそんな返事をするのか？　今も私は裕福だ、ベッサラビアの土地財産を探しだし、取り返した、君はまた裕福な上流夫人になれるんだよ、ねえナターシャ、私について来るだけで……。そんなふうに私をからかってはいけないよ、ナターシャ、ショーの間にあのしるしが見えたのだよ……」

「しるしですって？」

「そうだ、膝の上に……」

「残念だけれどしるしはお腹にも一つありますわ。とにかく、裕福だとおっしゃるから、思い出しましたわと言いかけたのですけど。でもあいにく、私の膝にしるしはありません……あなたにはなにかとても強い思いこみがあるのね、待っておいでのその方に私が似ているので、そこにないしるしまで見えたのね。あなたはいい人みたいだから、いいわ、ここで見せてあげましょう、殿方の前でもいいわ……どちらの膝がお望み？」

「殿方の前で膝を出すなんて止めてくれ！」と胸もつぶれる思いでドクターは呻く。

だが彼女は今度は心からおかしくてたまらないというように笑い、親しげに彼の肩をたたいて、椅子を勧めるかのように腕を広げた。

「どの殿方のことですの？　二人だけなのに……」

ドクターは愕然として体をくるりとひねり、目をむいた。それは本当に別の場所、閉め切った一室の中だった。おやおや、どこかで見たことのある部屋ではないか……。それは戦前のロシアのあの地所の二人の寝室だった。

「でも言っておきますけれど」と、彼女はドレスの下へ手を入れてガーターを外しながら言う。「私がロシア女だとすれば、あなたはハワイ人ね」

そうして絹の靴下を引っ張ると、豁然（かつぜん）と白くまぶしい膝頭をむき出した……

ドクターは目をこすり、伸びをして、自分のように想像力の乏しい人間に、こんな複雑な夢を見ることが本当にできたのかなあと、なんとも腑に落ちぬまま、肘掛け椅子から立ち上がった。たくさんの吸いがらが灰皿の中に山をなし、外にもこぼれているのは、これはずっと目を覚ましていた証拠だ。そのあと、今うとうとしていたのは確かで、おそらく前にもときどきちょっとずつまどろんだのだろうが、しかし、その間に部屋を端から端へいらいらと歩き回ったのを覚えている。底をついたリキュールのボトルと、そのわきにグラスがあるから、うたた寝の合間に、歩き回ってテーブルのところへ来る度に、あのチェルナウツィのキャバレーでと同じく、その度にぐっと一息にやっていたのに違いない。とにかくこういうことでよかった。おかげで知らぬうちに時間が経った。振り子時計の短針が真夜中の零時をまわったところだ。明朝、あのぼろい駅からチェルナウツィ行き一番列車の出る時間まで、これから落ちついてぐっすりと一眠りできよう。今は、なすべきことが分かった。

「私のナターシャ！」と写真に呼びかけた。「いとしのわがあこがれよ。どれほど無惨なしがらみが君の歩みを狂わせたことか……。もうなにも心配は要らないからね……。君に会えたらまっすぐに、その夜のうちにも、私がそんなしがらみから君を引き抜いて、ここへ連れて来よう……。もう君が踊るのを待ったり、扉ぎわで窺っていたりはしない。あの連中は好きなだけ君を待つがいい、じれて手をたたくがいい、踵がつぶれるまで足踏みをしているがいい……。君はまたこの家の、そして私のあるじになるのだ。分かるかい……あの若い将校の話……私の夢……これはみんな、未知なるものの知らせなのだ。それは君に違いない、君でしかありえない……なにかが私の身の上に起こるのだ」

もいちど写真にキスして胸に押しつけた時、ドアにおずおずとノックの音がした。

「ええ、なんだ、だれだ？　この真夜中になんの用だ？」とドクターは叫んだが、その時初めて、トロフィモフでのアペリティフとここのリキュールのほかには、昼食も、夕食も、なにも食べていないことに気がついた。

「食事なら置いていっておくれ」

ドアの隙間から、顎も額もショールに包んだバーブシカの頭がのぞいた。恐怖に飛び出さんばかりに見開かれた目。

「だんなさま」とくちごもる。

「なんだね、言いなさい」

「女……外に……下のホールに……」

「女がどうした……なんのことだ……病人か？ 今そんなことをやってはいられない。朝の列車で発つのだから」

「その人は、あれだと……。初めは、こちらの男爵夫人のことを知らせに来たと言って……」

「なんだって？ なんと言った？ え、男爵夫人のことを……。どこだ？ どこにいる？ 連れておいで……連れて来るんだ。なにをぐずぐずしている？」

「でもドアのところで、実は自分がその男爵夫人だと……」

そうして胸に十字を切った。

「ともかく、ご覧になれば……」

「行けと言ったろう……ここへすぐ連れてこい」

ドクターは、はじめ、このもぐもぐと要領を得ぬばあさんを壁に突き飛ばして駆け下りて、自分でナターシャをここへ連れて来ようという昂りを覚えた。しかし、あれほどの転変を体験させた先ほどの夢は、今彼に大きな自信をもたらしている。そうか、彼女が、悔悟して、おずおずと、一人で、自分の方からやって来たからには、こちらは少々控えめに、少々疑わしげに迎えても悪くあるまい……。少しは涙声も聞きたい、今までの自分の生活を必死に呪うところを聞きたい、彼女が手をもみ、唇を嚙むのを見たい。赦しは呻吟と血とともにあれ。自分も一場のドラマを見たい、悲劇的なのを、本物のを、歯ぎしりして、膝を抱えるのを……シャンパンと跳ね上げた脚と放縦な叫びではなくて。今必要なのは苦痛の叫びだ!……

だが、なぜ入ってこないのだろう。うん、うん、いやな思いが積もる時、再会の瞬間はつらい……。その間に、急いで灯火をつけようとして、震えの止まらない手の中でマッチが何本も消えた。

ついにドアにノックの音。

「はい。どうぞ。お入り。入って!」

ドアがわずかに開き、さらに濃い闇の広がるその隙間から、一つの陰惨な幻が、ぼろの塊をまとった亡者の顔が現れた。その幽霊は、げっそりした顎を動かして、なにか衣擦れのようなささやきを、一つの言葉を、彼の名を洩らし、それからよろよろと何歩か室内へ進み、絨毯の上に崩れた。バーブシカが怯えきって、外からドアを閉めながら、もう一度十字を切るのがドクターの目に入った。

ドクターは、あの夢の時間の大方を過ごした肘掛け椅子に、ぐったりと腰を落とした。女は顔を絨毯に伏せたまま長い間声もなく泣いていた。彼もまた声もなく、何の力も、何の考えもなく、彼女の泣き止むのをただ待っていた。

どれほどの時間が流れたか。女はたわむ骨にかろうじて体を支えて、立ち上がった。ドクターは一瞬、助け起こそうと身動きしたが、力なく、また椅子の肘掛けにもたれて座り込んだ。

「つまりあんたは……？」

無意識にロシア語で尋ねると、彼女もロシア語で答えた。弱々しいけれども、それは彼女の声だった。高熱を出して、彼が一人で看病したことがあるが、あの時の彼女の声だった。

「こう言ってもよろしければ……あなた次第ですわ……。決めて下さい、私の主人よ」

わずかに腰をのばすと、その体はかつての誇りの気配を暗示した。ドクターはおののく。しかし、希望の最後の瞬きも、勝ち誇るランプの光の前に消えた。ランプはついに、肉の削げ落ちた顔一面に、深々とえぐられた痘瘡の不吉な穴を、くっきりと照らし出したのだ。

ドクターは額を両手で抱えた。女は昔のことを語り始めた。農民の間に不穏な兆候が高まった時、みんなで町の邸へ避難しました。しかし家は接収され、両親も兄弟も監禁され……やがて銃殺されました。されたのだと思います、確かなことは分かりません。私はこの役所、あの役所と呼び出され……あげくに両親の家の馬小屋のわきのぼろ部屋をもらいました。夜中過ぎ、それをまわしてくれたソビエトの局長がドアをがんがんたたいて起こし、代償を請求しました。貴族の厩のわきの部屋といえば大変なプレゼントというわけでした。でも私は押しのけ、力いっぱい突き飛ばして、とうとう逃げ出しました……。でも追われているのを感じました。弾丸がひゅうひゅう鳴る街路を夢中で走りました。運よく、伝染病病院の前に出ました。門衛が止めようとしましたが、私は「触らないで！　うつるから！」と言いました。中にはいると、看護婦は事情を知って、同情してくれました。親類ということにして、かくまってくれました。……しかし、彼女の出身は簡単に隠せても、美しさの方は隠しにくく、しょっちゅう苦労の種になった。それもとうとう、神の慈悲か、大きな痘痕に恵まれた。そうして彼女の体はいささかも汚されなかった。

最後の言葉でドクターは椅子から跳ね起きた。ランプの灯心をかき立てる。光がぱっと明るさを増すとともに頬の穴も醜悪に拡大された。それからおずおずと女に近づき、体にかけたぼろ切れの端に手を触れた。不快をこらえてえいとぼろを引きめくる。骸骨さながらに萎え枯れて、痘瘡に食い荒らされた脚が現れる。美のすべては永久に失われてしまった。だがドクターが見ようとしたそのものは、昔の思い出と陶酔のあのしるしは、その場所にある……左膝の上の方に、焦げ茶色に、産毛をかぶり、鳶色の瞳の虹彩のようにまんまるく。ドクターが立ち上がると、屍の顔が痛々しく歪み、不意をつかれた羞恥の寛大な微笑のようにひきつるのが見えた。

だが、この生きた屍に、人の形をしたこの黒い痘瘡にただ一つ美しさを残す大きな、大きすぎるほどの目が、ドクターの茫然自失の顔に出会った時、そうした滑稽なひきつりはすべて一挙に拭い去られた。女はためらい、涙が滝のように頬を伝う。胸のあえぎを憎むかのように手のひらで押さえた。言葉にしようとするが、ならない。かつて乳房であったものが躍り、言葉をしゃっくりに変えてしまう。ようやく声にした時、ドクターははっきりと聞き取った。

「出て行かなくてはいけませんか？」

「いや、それはいけない……ナタリア・アレクサンドロヴナ……(この名をドクターは今やっと口にした)……出て行ってはならない、ここは君の家なのだから……君は私の妻じゃないか……」

ナタリア・アレクサンドロヴナには言葉がなかった、嘆きの深みからの感謝を表せる言葉が。そこで彼の手をとろうとした。だが、ドクターはその手を引っ込めた。

「いいんだよ、そんな、ナタリア・アレクサンドロヴナ。今はまずゆっくり眠らなくては……」

「あなたが優しいことは分かっていたの……」と、ようやくあえぎを声にして、「だれのために身を守るのか、分かっていたの……でなければ……ちがう乗り切り方もできました……あの時だって、ねえアレクサンドル・カロンフィロフ……。ほかの大勢の女のような……」

「いいよ、いいよ、ナタリア・アレクサンドロヴナ。その話はまた明日にしよう……ね、ゆっくり眠らなくては……そうして明日はゆっくり入浴して……君の無垢な体のために、それがなによりもいい……。明日はチェルナウツィへ出かける予定だったけれど、延期しよう……。せめて家で着る物を何着かそろえなくてはね……使用人にそんな格好で見せるわけには行かない……もう見られたにしても……仕立屋はそのあとで呼ぶことにしよう……。というのはね、私はどうしても発たなくてはならない、三日後には、どうしても発たなくてはならない……チェルナウツィへ。仕事は仕事だから……」

こう言いながら、急いで寝室へ案内した。寝室を彼女に譲ろう。自分は書斎へ戻ることにする。途中で彼女はふとよろめき、すがろうとした。だがドクターは無意識に身をかわした。と、女は壁につかまり、伝い歩きを続けた。

「私につかまりなさい、ナタリア！」とドクターは、意図しなかったむごい仕打ちに慚愧（ざんき）の唇を嚙み、女を促した。

ナタリアには聞こえなかった様子で、彼もそれきり繰り返さなかった。寝室で自分のパジャマを渡し、親しげな笑顔をつくろってお休みを言うと、幽霊を怖がっているように、廊下を振り返りながら走った。

最初の夢の肘掛け椅子にぐったりと掛けて、まどろもうとした。夢の中で、チェルナウツィのナタリア・アレクサンドロヴナが、夢に残してきた部屋で彼を待っていて、白くまばゆい、すべすべした脚を見せる。あのしるしが現れている。彼が仰天すると、笑いはしゃぐ。はしゃぎはやがて切ないむせび笑いに、むせび泣きに変わる。まつげの間から透かし見ると、黒い痘痕がひざまずき、昔のナタリア・アレクサンドロヴナの写真を見て泣いている。写真を抱きしめて泣いている。ドクターはこの新しい夢を乱すまいと、じっとしていた。（あなたのためなの、アレクサンドル・カロンフィロフ、ただあなたのためにこうしたのよ……許してね！）と、幽霊のささやきが、すすり泣きにまじって聞こえた。ドクターにはそれが手に取るようにはっきりと聞こえ、緊張して待ちかまえた。もし彼女が今そのドアから出て行くならば、これはみな同じ夢のバリエーションであり、チェルナウツィ行き列車の出るまでの結構な時間つぶしになったということだ、と胸の中でつぶやく。だが、動けばみんな現実と思えて来そうで、身動きできなかった。

「夢だ!」と歓喜に近い叫びを上げたのは、幽霊が本当にドアに姿を消した時だ。寝室に通じる廊下のドアではなく、初めに現れた時と同じ玄関側のドアだ。夢だ!

夢だったのだ。手を打って、ランプの灯心を大きくした。ナタリアの写真は元の所にあり、ドクターはもう何の疑念も持たなかった。発車までの時間を見ようと懐中時計を出す。だがその時、写真の縦長の台紙の裏の大きな文字に気づいた。〈安らかにお寝みなさい、ただの夢でした。ナタシェンカ、一九二*年四月二十五日〉

(いつ書いたのだ、いったい、いつ!)とドクターはまた椅子に崩れ込みながら、凝然として自問した。……書くところは見なかったが、ちょっとの間眠りこんでいたのだろうか……。だがそれはどうでもいい。肝心なのは、今どうするかだ、今からどう?……このまま眠ろうか? 写真ははっきりと言っている。ナタリア・アレクサンドロヴナの言葉は、彼にはっきりと促している。〈安らかにお寝(やす)みなさい、ただの夢でした〉……あの骸骨のような手にこれを書く力があったのか……昔あの手は愛の……昔は……そうして今……今これほどしっかりと字を書いた……これほどの力で断ち切った……。

「いけない、いけない!」とドクターは部屋の真ん中へ飛び出して吼えた。「……いけない、ナタリア・アレクサンドロヴナ……」

ドアにぶつかりながら飛び出した。通りは明け方の細い月の下に静まり返って、人影はどこにもない。ドクターの咆哮に、家々ではみんなベッドで目を覚ます。

「ナタリア……ナターシャ……ナタシェンカ……」

夢の中さながらの幽明の夜を走る。人々は窓辺に立って夢のように暗闇をすかして眺めている。彼は前へ走らなければならない、果てまで。意識は彼に命じる、前へ走れ、めざめてぞっとするまで。それとも、もしかしたら、戸口や路地に出て来た人たちが彼の目を覚まさせて、安心させてくれるまで。全部、初めから終わりまで、ただ一つの長い夢に過ぎなかった、逆上の発作が少し重く、長引いたに過ぎなかったのだ、と言って。

（住谷春也訳）

東スラヴ人の歌

ペトルシェフスカヤ

◆リュドミラ・ペトルシェフスカヤ
Ludmilla Petrushevskaya 1938-

ロシアの女性作家。モスクワ生まれ。モスクワ大学卒業後、テレビやラジオ番組の編集、ポーランド語の翻訳などで生計をたてながら小説・戯曲を書いていたが、作家として公認されず、広く発表の場を与えられるようになったのは八〇年代も後半になってからである。主要なテーマは、救いようのないほど過酷な状況に生きる女たちの孤独や絶望、精神の荒廃。作品集に『不滅の愛』『二〇世紀の歌』『空色の服を着た三人の娘』(戯曲集)『エロスの神の道を行く』などがある。邦訳に長編『時は夜』(群像社)。ノルシテインのアニメーション『話の話』の脚本も手がけている。ここに収録したのは、『新世界』誌一九九〇年八月号に発表された連作『東スラブ人の歌』全七編のなかから作者の承諾を得て選んだ四編である。

母の挨拶

あるところにオレーグという若者がいて、母が亡くなったとき孤児になり、身寄りは姉ひとりになってしまった。父は生きているには生きていたが、オレーグのほんとうの父親でないことがあとでわかった。ほんとうの父親はどこのだれともわからなかったが、母はすでに夫のいる身でその男と会っていたのだった。そのことをオレーグが知ったのは、亡くなった母のことをもっと知りたいと思って、母の残した書類を一枚一枚調べはじめたときのことだった。そこで見つけたのは、文書、というか、そのどこのだれともわからぬ男が書いた手紙だった。手紙には、自分には妻子があって、だれの子かわかりもしない赤ん坊のためにふたりの子供を捨てるわけにはいかない、と書いてあり、日付もはいっていた。つまり母は、オレーグを生む少し前に夫を捨てて他の男と結婚しようと思っていたということになる。ということは、何もかもいつか姉がオレーグと話していたときに仄めかしていたとおりだったというわけか。姉は復讐でもするかのように意地悪く仄めかしたものだ。この手紙を見つけてから無意識のうちに書類をぱらぱらめくりだした若者は、さらに写真の数枚はいった黒い紙包みがあるのに気がついた。それは一枚ずつ着ているものを脱いでゆく母の姿が順次おさめられた写真で、裸のものもあった。どれも芝居がかった写真で、裸でいるときまで母は頭上に長いスカーフをかかげている。若者にはたいへんなショックだった。親戚の者から、若いころお前の母親は美人で有名だったと聞かされていたが、写真に写っているのはもうかれこれ三十五歳くらいのすらりとした女性だが、たいして綺麗でもなく、ただ若々しいというだけだった。

こんなショックを受けた若者は——当時十六歳だったが、学校を中退し、すべてにやる気をなくして、軍隊にはいるまでの二年間というもの何もせず、だれの言うことも聞かず、家の冷蔵庫にある有り合わせのものを食べ、父と姉が家に帰ってくるとふらりと出かけ、ふたりが寝ている間に戻るという生活をして、完全に衰弱してしまった。父親は手をまわして、オレーグが精神分裂と診断され年金を受けられるようにと、医療労働審査委員会に診察してもらうところまでこぎつけたが、委員会が開かれる寸前に、ある夜自分のベッドでぽっくり死んでしまい、すべてが水の泡と化してしまった。手早く姉は、オレーグをひとり部屋に残したままアパートを交換してしまい、まもなく彼は兵役に行った。

軍隊ではこんな事件があった。オレーグは他の兵士たちとある峠の山道に配備されていたが、収容所を逃げだした囚人がこの峠を越えにくるはずだという。その囚人はもうおよそひと月もの間娑婆をうろついていて、道すがら女を含めて五人もの人をあやめ、ヨーロッパ地域に抜ける唯一の峠であるこちらに近づきつつあるということだった。情報をまとめると、囚人が姿をあらわすのはさほどすぐというわけでもなかったが、峠の道にはもう三日も前から伏兵を置いて待ち伏せしていた。逃亡者がどんな乗物に乗ってくるかわかったものではなかったから。伏兵となっていたのはオレーグと軍曹の他に三人の兵士で、大きな岩の上に自動小銃を置いてそのかげにすわり、交替で見張った。ちょうどオレーグが見張っていたとき、道にひとりの男があらわれた。前もって写真を見せられていたその男にちがいないと思い、オレーグはこらえきれずに男を撃ったが、あとになって別人だったことが判った。それは、すでに刑期は務めあげたものの流刑囚としてあと数年その州に住まなければならないことになっていた男だった。この男も、たしかに法をくぐり抜けてということになるが、こっそりロシアへの家路をたどろうとしていたところだったのだ。本物の犯罪者のほうは隣の峠で逮捕された。オレーグはお咎めを受けずにすんだ。一時的な心神喪失のため責任能力なしと判断され、入院させられたのである。しばらくすると兵役遂行に不適格であるとして除隊させられたので、彼としてはさらにいやな思いをしなくてすんだ。というのは、間違って殺された男の妻が、自分の夫は居住地の州境からほんの数歩踏み出したというだけで殺された——例の峠には行政上の州境が走っていた——として、夫を殺した精神異常の兵士をずっと探しているという噂だったからだ。

　オレーグは家に帰った。髪の毛はもうほとんど残っておらず、歯も次々と抜け、食べるものもなく、することもなく、何の教育がなくてもできるような仕事をしに出かけるだけだった。ところがそうした生活を送っているところへ突然姉があらわれて何から何までみずから采配を振い、オレーグを技術学校に入れたり、部屋を片付けたり、食べ物やお金を差し入れたりしてくれたのだった。完全に血のつながった姉弟というわけでもなければ、未だかつて自分のことを愛してくれたこともない姉だったのに。ある日の夕方、帰り支度をした姉が、まるでついでの話のようにぽつりとこう言った。

「いつかお母さんのことであんたに吹き込んだことだけど、本気にしないでね。あれは私たちのお父さんがああ疑っていただけなの。お父さんは気むずかしい人で、だれでも相手の気を変にしてしまうところがあったわ」

そして姉は帰っていった。

姉が帰ったあと、オレーグはトランクをあけて、手紙のはさんであった書類をかき回してみたが、見つかったのは母の葬式の写真がはいっている封筒だけだった。服を脱いだ母の姿が写っている写真がはいっているはずのあの黒い紙包みには、ひどく古いよれよれの黒い紙がはいっているだけだった。中から引っ張りだそうとすると、そのまま粉々に砕けて塵になってしまった。

オレーグは書類に目を通してみたが、どれもこれもが父に宛てた母の手紙で、そこに書いてあるのは、愛と貞節について、オレーグについて、オレーグがどれほど父親似かについてだった。彼はひと晩じゅう泣き明かした。涙があとからあとから頬を伝わった。翌朝、姉に打ち明けようと思って姉が来るのを待った。十六歳のときに自分の気が変になったこと、ありもしないことを見ていたこと、そのせいで殺人まで犯してしまったこと、写真で確認しなければいけなかったのに、その写真とは似ても似つかない別人を殺したこと。

ところが姉はついにやって来なかった。どうやらオレーグのことなど忘れてしまったらしく、彼のほうでも生活に追われて、まもなく姉のことを忘れてしまった。技術学校を卒業し、やがて専門大学に進んで、結婚し、子供をもうけた。

不思議なことに、オレーグは黒い目をしており、妻も黒い目と黒い髪だったが、息子はふたりとも金髪に青い目で、死んだ母つまり息子たちの祖母にそっくりだった。

あるとき、ふと妻が彼の母のお墓参りをしたらどうかと言いだした。お墓は苦労の末やっと見つかった。古い墓地に墓標が所狭しと立っている。母の墓に、少し小さめの墓標がもうひとつあるのがふと目についた。

「たぶん父のだろう」とオレーグは言った。彼は父の埋葬に立ち会わなかった。

「ちがうわ、見て、お義姉(ねえ)さんのよ」妻が答えた。

オレーグは姉のことをきれいさっぱり忘れていたことにぞっとし、その板の上にかがみこんで墓碑を読んだ。たしかに姉の墓標だった。

「でも死んだ日付がなんだかおかしいな」彼は言った。「姉さんなら、ぼくが軍隊から戻ったときにちょくちょく訪ねてくれたけど、それはここに書いてある死んだ日付よりずっと後のことだ。ほら、話したろ、姉さんのおかげで立ち直れたんだ、ほんとに人生を取り戻せたんだよ。まだ若くて、つまらないことで気が変になってたんだ」

「そんなことあり得ないわ、死んだ日付をまちがえるなんて」妻が答えた。「あなたのほうが勘違いしてるのよ。軍隊から戻ったのは何年だった？」

こうしてふたりは、うらぶれて草の生い茂った墓地の片隅に立ったまま、ああでもないこうでもないと言い合った。ふたりがそこを立ち去るまで、夏の間に勢いよく伸びた雑草がふたりの膝をずっと撫でていた。

新開発地区

モスクワの新開発地区でのできごとである。省庁勤めのあるエンジニアは、妻との仲がひどく悪かった。彼らには二DKの家具付きアパート、絨毯、食器セット、カラーテレビがあったが、妻は、離婚するなら全部自分のものだと言い張った。夫のほうはモスクワ出身ではなく、どこかトゥーラ近郊から文字通り「裸一貫で」在学中に妻の家にやって来た男だった。ふたりは同じ大学の同級生で、同棲するようになって、子供も生まれるはずだったので、男は結婚せざるを得ない状況に追い込まれたのだった。さもなければ退学処分だと迫られて。じつは男には一学年上の恋人がいて、この恋人と結婚して遠くへ行ってしまおうと思っていたのだが、妊娠した同級生の父親が、八方手を尽くして役所を駆けまわった結果、もし男がその同級生と結婚しないなら、彼の恋人は卒業証書をもらえないということになってしまったのだ。結局のところ、男はいやいやながら結婚させられたわけだが、それもいい加減にというのではなく、しかるべく結婚させられたのだった。ただ結婚登録をして、両親のところにしばらくいてから離婚したとかいうのではなく、ちゃんと結婚させられたのだ。つまり、彼は自分の愛する女の卒業証書のために結婚を無理強いされたのである（そして恋人のほうも別段そのことに抵抗はしなかった。もっとも、男が寮を出て結婚登録所に向かう前に別れを告げに来て、男のあとから妊娠した同級生の父親が自家用車の「ボルガ」でやって来たときには、苦い涙を流し、窓から飛び降りようかとも思ったが）。

つまり、男はいやいやその憎むべき家に来て、残りの在学期間の二年というもの、四六時中監視されているような感じで暮らすはめになったのだ。この間に男の恋人はモスクワを去り、グローズヌィとかいう町に就職してゆき、そこでたいへんな働き者のダゲスタン人と結婚して女の子を生んだ。ところが、その女の子はおそらく癲癇ではないかと思われる発作に襲われ、定期的に真っ青になっては苦しそうに喘ぐので、医師たちは母親に断乳を勧めず、母親は娘が六歳近くになるまで乳を与えていた――粥を与えても、女の子は今度はこっちとおっぱいを指すのだった。ワシーリイがこうしたことを知ったのは、あるとき、大学を卒業してしばらくしたころ、ビヤホールで友人に会ったためだった。その友人というのは化学産業に従事しており、グローズヌィにある同系の企業に行っていた折、そこでついでに昔の同級生に会ってきたということだった。彼が教えてくれたことには、その娘に発作が起こったのは虫垂炎の潜伏期だったためとわかり、しまいには虫垂を切って痛みはだいたいおさまったという。このときまでにワシーリイはもう昔の恋など忘れていたが、子供の話はいっさい御免こうむるといった心境だった。というのは、結婚してから、妻は六カ月になっていたおなかの子を早産して入院し、赤ん坊は保育器で一月の間生きていたが、なんということか、二千五百グラムのカッテージチーズのかたまりのようになって死んでしまった。赤ん坊は埋葬もされず、名前もないまま、研究所に置いておかれた。かま焚き女がそういう赤ん坊を焼くのだった。かま焚き女はどうしたものか事務局で騒ぎを起こしたが、それをワシーリイの妻が、就労不能証明を打ち切るために研究所にやって来たときに耳にした。丸一月もこんな苦労が続いた。妻は母乳が出るようになって一日に四回も乳を搾りに研究所に行っていたが、その乳は必要もないのにまさにカッテージチーズみたいなかたまりにやられていたわけである。他にもコネでそこにはいっている子供が何人かいたが、中には五ヵ月半も生き延びた子もいた。妻はすべてのことを飲み込んでいたわけではなかった。だいたい保育器に近づくことも許されず、赤ん坊が死んだときですらその姿を見ることもかなわなかった。この後妻は昼も夜もうめき声をあげつづけた。妻の父も、やはり全力をあげて赤ん坊を一目見られるようにと骨を折り、看護婦に贈り物をしたりしたが、遺体を返してもらうことすらできなかった。当時舅はだれを買収したらいいのかわからなかったのだ。飲み助のかま焚き女をうまくたらしこめばよかったのに。ウォッカ半本で大喜びしたはずだ。十分報酬を受けてもいない汚い仕事などだれがやるものだろうか――それこそかま焚き女が酔っぱらって騒ぎを起こし、事務局でわめき散らしていた理由なのだから。ワシーリイはだいたいこの家族のなかにあってひとりよそ者で孤独だった。妻の涙にはものすごくいらいらさせられたし、自分自身のことも哀れだと思っていた。赤ん坊のことはほんのついでくらいにしか思っていなかった。この世でたったひとりのいとしい人間になったかもしれなかったのに。しかし彼はそんな性格だったので、しばらくの間心を閉ざしてしまった。妻のほうは必死でもう一度子供を作ろうとしたが、ワシーリイはとても用心して、掌中の珠のように精液を出し惜しみし、妻が妊娠しないようあらん限りのことをしていた。

妻の両親は、娘が結婚するとすぐ、共同組合アパートを建てることにし、娘の名義でアパートを作った。なにがあってもワシーリイは妻からびた一文もらうことができないようになっていた。妻が両親に借金を負ったことになっていて、それは公証人のところで正式に認証されたものだから、アパートはふたりで貯めた共通の財産とは見なされなかったのだ。妻の両親はそこらじゅうに命綱を張りめぐらしておいたが、ひとつだけ見落としていたことは、そういつまでもゼンマイを巻き上げておくことはできない、いつかは一層激しい勢いで逆戻りするにちがいないということだった。

　ついにワシーリイの妻がとにもかくにも身ごもった。赤ん坊が欲しくて欲しくてたまらず、カッテージチーズの記憶をなんとか追いやりたい一心だったのだ。そうなると雨が石をうがつごとく、たとえ用心していようとそうでなかろうと、ぐでんぐでんに酔わせたり、睡眠薬を混ぜ入れたり、行きずりの男と寝たりして、ともかく自分の思いどおりにしてしまうものである。それに亭主のほうだって、いつも自分のしたことに覚えがあるとは限らない。結局のところ娘が生まれ（最初の子は息子だった）、アリョーヌシカと名付けられた。可愛いアリョーヌシカはみるみるうちに大きくなり、黒髪で父親そっくりになった。母親のタマーラは白い衣魚（しみ）といったところだったから。ワシーリイは娘をとても愛していて、人殺しをした大晦日の夜も、あと一息というところまで妻を殺しておきながら、折悪しく娘が泣きはじめたので娘のところへ行き、あやして寝かしつけてから、浴室の妻のところへ戻ってとどめを刺したくらいだった。顔の骨を打ち砕き、身元がわからないように指を切り取った。ついでながら、普段は毛皮のコートをしまっておくような二メートルもある大きなポリ袋をあらかじめ用意してあったが、血はどう始末したのかだれにもわからない。冷たいシャワーでタマーラを洗い流したのか、それにしてもどうやって片づけたのやら、どこにも血は残っていなかった。ワシーリイがあとで語ったところによると、まず妻の死体を防水布でくるんでから袋に詰め込み、窓を避けて袋をベランダから雪のなかへ投げ込んだという（吹雲の夜だった）。彼らのアパートは工事現場と隣り合わせだったが、その夜は祭日のためだれも働いていなかった。ワシーリイはコートにタマーラの指をしまったが、どうやったのかうまい具合に音もたてずに指を切り離したのだった。おそらく切り取っただけなのだろう。さらに彼は娘の橇を持って慎重に下に降り、死体を橇に乗せて工事現場に運んで、そのへんにあったプレートの下に置き、指は何かの管のなかに捨てて、事件が明るみに出るかどうか春を待つことにした。

ワシーリイは警察に妻が行方不明だと届けたが、もちろん信じてはもらえず、舅と姑は彼の日頃の行状をくわしく話した。職場では、彼がひどく下品な女といっしょに住んでいるという噂で、その女は彼を手玉にとって金をせびっているが、ワシーリイが離婚しても彼と結婚する気はないという。妻と別れたら、三十二歳にもなろうという男が、またしても裸一貫になってしまうだろうからだ。舅が彼に使わせてくれている車でさえ、話し合いによってやはり妻の両親に対する借金として登録されたくらいなのだから、彼は四方からがんじがらめ、この世に財産など何もないのだった。

しかし妻が死んだ今となっては、雪の溶ける四月までの四ヵ月間は少なくとも平穏に暮らせるし、死体は工事現場でとっくにコンクリート漬けになっているかも知れない。妻を殺してまもなくの頃、彼は建設現場に立ち寄ってみたが、自分の隠したものは見つけられなかった。資材が山と積まれたなかにまぎれこんでしまい、雪のため跡形もなかった。

娘は妻の両親が引き取り、女性取調官がワシーリイと定期的に会談した。彼がいつも繰り返すことは、妻との仲はうまくいっておらず、大晦日に喧嘩し、妻は上着をひっかけて両親のところへ行ってしまったが、娘を起こすことは許さなかった、ということだった。

いよいよ雪が溶けたが、妻の死体があがらないので何も起こらなかった。ところがあるとき、五月の初め、ワシーリイはみずから自白をしに取調官のところへ赴き、自分が妻を殺したことを明らかにした。ほんとうにやったのなら証拠を見せろと言われて、彼は取調官や検察の一行を建設現場に連れていった。そこにはもう完成間近の建物がそびえ立っていた。死体は発見されず、証拠もあがらず、人で賑わっていたあの大晦日の夜にだれひとり死体も橇も見た人がいなかったので、ワシーリイは釈放された。やはり良心が咎めて夜もおちおち眠れなかったんだろう、だから我慢できずに自分から白状したんだとか、例の下品な女は自分の勤めている省庁から追いやってしまって、早い話が別人のように変わったとかいう噂がたつことはたった。

ところが当のワシーリイは妻の両親に電話して、水道の栓からマニキュアを塗った指が突き出ていると言うのだった。舅はそんなはずはないと諭した。かりに指だけ別にして何かの管に捨て、しかも水道管だったとしても、新しい建物に水が流れている一カ月の間に指は腐ってぶよぶよに膨れたはずだし、ましてやそれが貯水ポンプを通ってくるわけがない、だいたい隣の水道設備がとうの昔に建てられたこちらの建物となんの関係があるんだ。そう言って舅はワシーリイをなだめたが、ワシーリイはまるっきり気が変になっていた。妻の両親がやってきたが、もちろん何も見つからなかった。ワシーリイは、浴室に行くのがこわい、きっと指が排水口に流れていっただろうから、と言うのだった。

そして、これがその証拠だとして、床で見つけたという赤いマニキュアのついた鱗片を両親に見せるのだが、そんなものでだれも納得するはずもなく、マニキュアをつけた女でも来たのだろうというわけで、ワシーリイは今でも相変わらず落伍者として生きつづけており、今なおあちこちに髪の毛がばらまかれているのを目にしては、物的証拠としてそれらをかき集めている。

手

戦争中のこと、ある大佐のもとへ妻から「とても寂しいの。帰ってきて。あなたに会えないうちに死んでしまいそうだから」という手紙がきた。大佐は休暇をとるために立ちまわり、ちょうど勲章をもらったばかりだったので三日間の休暇を許された。そして飛行機で帰ったのだが、到着する一時間前に妻は息をひきとった。大佐はしばらく泣いて、妻を葬ってから、汽車で引き返そうとして、ふと党員証をなくしたことに気がついた。持ち物を残らず調べ、乗り込んだ駅まで戻ったりしてさんざん探しまわったが、何も見つからず、とうとう家に帰ってきた。家で眠りにつくと、深夜妻があらわれて、党員証は私のお棺の中、向かって左側にあります、あなたが私にキスしたとき落ちたんです、と告げた。妻はまた、私の顔にのっている覆いをめくりあげないでね、とも言った。

大佐が妻のお告げどおりにして、棺を掘りおこし蓋をあけると、妻の肩のあたりに党員証が見妻はまるで生きているように見えたが、ただ左の頬に蛆虫がわいていたので、大佐は片手で蛆虫を払いのけてやり、妻の顔に覆いをかぶせて棺をふたたび埋めた。

　もう残り時間がごくわずかになってしまったので、大佐は空港に向かった。目的地に行く飛行機はなかった。が突然、あちこちひどく焼けたオーバーオールを着た飛行士に呼び寄せられた。その飛行士は、ちょうど大佐殿の行かなくちゃならない方面へ飛びますから送ってあげましょう、と言う。大佐は驚いて、自分の行き先をどうして知っているんだろうと思ったが、ふと気がつくと、それは先日故郷まで自分を送り届けてくれた飛行士だった。

「いったいどうしたんだ」と大佐が訊ねた。

「ちょっとばかりやられちまいましてね」飛行士は答えた。「ちょうど帰り道でして。でも何でもありません。お送りしますよ。行き先はわかってますし、途中ですから」

　飛び立ったのは真夜中だった。大佐は飛行機のすぐ横を行く鉄製の座席にすわっていたが、そもそもこんな飛行機が飛ぶのかと不思議だった。中はめちゃくちゃに荒れ果て、そこらじゅうに切れ端がぶらさがり、足元には焼け焦げた丸太のようなものが転がっている。ぷうんと焦げた肉の匂いがする。あまりにもあっという間に着いてしまったので、大佐はほんとうに目的地に着いたのかともう一度訊ねてみたが、飛行士はまちがいなく着いたと言う。「この飛行機はどうしてこんななのかね？」気になっていることを大佐が口にすると、飛行士は、いつもは航空士が片づけるのだけれど、今しがた焼け死んでしまって、と答えた。そして飛行機の中から焼け焦げた丸太を引っ張りだしながら、「こいつが航空士なんですがね」と言うのだった。

飛行機がとまっているのはとある空き地で、そのまわりを怪我した人たちがさまよい歩いていた。四方は森に囲まれ、遠くに焚き火が燃えていて、ばらばらに壊れた戦車や大砲の合間合間に、倒れている人や立っている人、他の人たちの間を歩き回っている人がいる。

「この野郎、どこに連れてきたんだ？ ここがおれの任地の空港なもんか」と大佐は叫んだ。

「今はこれが大佐殿の部隊なんですよ。元の場所にお連れしたまでです」飛行士は答えた。

大佐は、自分の連隊が包囲され、徹底的に叩きのめされたと知って、この世のありとあらゆるものをくそみそに罵った。飛行士もついでに罵られたが、その飛行士は「航空士」だと言っていた丸太をまだ相手にしていて、「立てよ」とか「行ってくれよ」などと説得している。

「それでは退却を始めよう」大佐は言った。「まずは司令部の書類と連隊旗、重傷を負った者たちからだ」

「飛行機はもうどこへも飛びませんぜ」と飛行士が言った。

大佐はピストルを取り出し、言いつけに背くならその場で撃つぞと言ったが、飛行士は口笛を吹きながら、相変わらずああでもない、こうでもないと丸太を地面に立たせては、「さあほら、行こうぜ」と言うばかりだった。

大佐はピストルを撃ったが、どうやら当たらなかったらしい。というのも、飛行士が相変わらずぼそぼそと「行こうぜ、行こうぜ」と言いつづけていたからだが、そうこうするうちにエンジンのうなる音が鳴り響き、ドイツ兵の乗ったトラックの縦列がこちらの空き地に出てきた。

大佐が小高い丘の草のかげに隠れると、トラックが何台も何台も通っていったが、まったく一発の撃ち合いもなければ、何の号令も聞こえず、エンジンが止まるわけでもなかった。ものの十分もするとトラックは行ってしまい、大佐が頭をあげると、飛行士は相も変わらず焼け焦げた丸太にかかずらっているし、遠くの焚き火のそばでは人々がすわったり横になったりぶらぶら歩きまわったりしている。大佐は立ち上がって、焚き火のほうへ行った。まわりにだれも知った顔はなかった。まるで違う部隊なのだ。そこには歩兵、砲兵、他にもよくわからないのがいて、みなずたずたに破れた軍服を着ていた。傷を負った剝き出しの腕、足、腹。ただし顔だけはどの顔も無傷だった。人々は静かに話をしている。焚き火のすぐそばに、こちらに背を向けて女がすわっていた。黒っぽい平服を着て、頭にかぶりものをしている。

「ここではだれが指揮をしてるんだ、現状を報告せよ」と大佐は言った。

だれひとり身じろぎする者もいなければ、大佐がピストルを撃ちはじめたのに注意を向ける者もいない。それなのに、飛行士が焚き火のほうへ焦げた丸太を転がしてくると、彼が「航空士」と呼んでいたこの丸太を焚き火にくべるのをみなが手伝い、それでもって炎を叩き消してしまった。あたりは真っ暗になった。

寒さのあまり全身わなわなと震えだした大佐は、これじゃまったく暖まらない、あんな丸太で火が燃えだすわけがないじゃないか、と悪態をつきはじめた。

すると、そこにいた女が振り返らずに言った。

「どうして私の顔をご覧になったの、どうしてかぶっていたものをめくりあげてしまったの。今にあなたの手がきかなくなるから」

それは妻の声だった。

大佐は気を失い、われに返ったときには病院にいた。あとで聞いたところによると、大佐は墓地の妻の墓のすぐそばで発見されたが、体の下敷きになったほうの手はひどく傷ついており、今におそらくきかなくなるだろうとのことだった。

小さなアパートで

一九四七年の正月のことだった。エロホフスカヤ教会の裏手にある小さな二階建てのアパートに、ヴェーラという二十五歳の娘が住んでいた。取り立ててこれという特徴もなかったが、ただ年がら年じゅう隣人たちに、自分の許嫁のヴィーチャが戦死したと触れ回っていた。戦争中は隣人がしょっちゅう入れ替わったものだ。ところが、新しく引っ越してきた人たちは、アパートの他の住人の話から、これが許嫁でもなんでもなくて、やはりただの隣人にすぎなかったということを知ることになるのだった。ヴィーチャはヴェーラの許嫁ではなかった。戦争の始まる直前に入居してきて、その後まもなく戦地に赴き、モスクワ郊外であっけなく一九四一年に死んでしまった。そしてヴェーラの様子が変わったと思われるようになったのは、ヴィーチャが戦死してからのことだった。彼のことを思って泣き、さも許嫁だったかのように話すようになり、今ではボイラー焚き女のスチェーシャが住んでいる彼の部屋から、あれこれ借りようと、やれラジオだ、やれ蓄音機だと持ち出そうとするようになった。でもスチェーシャは、自分の物ではないし、部屋の主が帰ってくるかもしれないからと言ってことわり、貸してやらなかった。今では、コルホーズ市場に田舎から上京して来るスチェーシャの男たちが、日曜日というと決まってヴィーチャの蓄音機をかけており、ラジオのほうはスイッチを切られたためしがなく、音が絶えるのは真夜中に流される国歌と正確に時を告げる朝の時報の間だけ、つまり十二時から朝までの間だけになっていた。でもヴェーラがこぼすには、真夜中でもラジオが鳴っているんだか、スチェーシャのところに男が来て夜遅くまでぼそぼそ話しているんだかで眠れやしないとのことだった。そう言われると、ひどく口の悪いスチェーシャは「そのうち悪魔を追い払うような目にあうよ」と言い返すのだった。

ちょうど大晦日の夜のこと、スチェーシャが当直に出かけようとしてヴェーラの部屋の前を通りかかると、ドアがあいたままになっていた。ヴェーラはこのとき、まさに新年を迎える時刻だというのに、音楽も何もなく、スチェーシャのラジオから流れてくるソビエト連邦の国歌に合わせて、椅子をぎゅっと抱き締めて踊っていた。

「ああ、いまに悪魔に会うだろうよ」スチェーシャはそう言って出ていった。

翌日正午過ぎに当直から戻ってきた彼女は、自分のアパートのまわりに大勢の人だかりができていて、騎馬警官が来ているのを目にした。やっとのことで階段をすり抜けて二階にあがり、自分の部屋にはいろうとすると、ヴェーラの部屋のドアがあいていて、部屋の真ん中にヴェーラが椅子といっしょに突っ立っており、まわりで警官とのこぎりを手にした男が忙しそうにしていた。

隣人たちが夜中のうちに気づいたことだが、ヴェーラは椅子もろとも石のように硬直した柱になってしまったのだった。ランプの灯火がともるなか、ヴェーラは腕をのばした格好で一晩中椅子を持ちつづけており、どうやってもその手から椅子をもぎ取ることもできなければ、その場所から動かすこともできなかった。スチェーシャは跪き、泣きながら十字を切りはじめたが、追い立てられてしまった。男が斧で床を斬りこみだした。しかしすぐに床を打つ音はやみ、男が斧を持ったまま部屋から飛び出してきた。その斧からは血がしたたり落ちていた。「床から血が噴き出るんだ」と男がスチェーシャに言うと、廊下や階段や中庭に集まっていた人々がいっせいに騒ぎだし、わめきだして、泣きながら「その子に触らないで！」と叫ぶ人も多かった。

結局のところ、警官が部屋から出てきてドアをばたんと閉め、鍵をかけた。何を待っているのだかわからぬままに、みな何かを待っていたが、まずは救急車といったところだろう。人だかりは増えるばかりだった。騎馬警官はアパートを包囲した。救急車がやって来て、若い女医が看護兵をふたり連れてヴェーラの部屋のドアのほうへ向かった。看護兵は折り畳み式担架を運んできた。しかし警官はドアをあけることができなかった。カギ穴に鍵を差し込むや、そこから熱い血がたらたらと流れ出るのだ。女医は診療カバンを手にしたままドアの前に立ちつくしていたが、とうとうどうしていいかわからず、帰っていった。今度は消防隊が呼ばれ、窓から部屋のなかにはいりこんだが、鍵のかかったドアをあけることもヴェーラを運びだすこともできなかった。夜が更けてきて、人だかりはますます増え、どの窓にも煌々と灯がともり、消防隊員たちは階段の下に待機していたが、スチェーシャは自分の部屋でじっとしていた。十二時の時報が鳴り、国歌したうめき声が聞き取れた。廊下に飛び出したが、ドアのすぐそばに見張りが立っているだけで、何も聞こえない。部屋に戻ると、うめき声とぼそぼそつぶやく声がまた聞こえてきた。それはラジオから流れてきたものだった。「やめろ、足で壁を蹴るな」ラジオはそう囁いてうめいた。

スチェーシャはハーフコートを掴み、あわてて長靴に足を突っ込むと外に走り出た。見ると、男の子たちが面白半分にアパートの壁を蹴飛ばしており、その度にこだまのようなものが聞こえていた。「やめな、いたずら坊主ども！」スチェーシャは大声でわめき、そちらに駆け寄っていったが、ぎょっと驚いた男の子たちはしてやったりという顔をして、蜘蛛の子を散らすようにアパートのまわりを走りながら、手でどんどんと壁を叩くのだった。

事態は次のように収拾した。スチェーシャはわれに返ると、見張り番に軍の曹長を呼んでくれと頼み、曹長と何やら長々と話し込んだ。翌朝アパートに救急車がやって来て、正面玄関からシーツにくるまれたヴェーラが運び出され、車に乗せられた。まもなくスチェーシャも出てきたが、ぼろにくるまれた何だか大きな皿のようなものを持っていた。彼女は墓地に行き、守衛に、自分が運んできたものをどこかに埋めてくれと頼んだ。「気でもちがったのか？」と守衛が言うので、スチェーシャはこれは死んだ兵隊さんの声なんだと答えて、守衛に三百ルーブル握らせた。守衛は金をもらってスチェーシャを帰らせたが、ぼろきれからラジオを取り出しただけで、埋葬しようともせず、頭のいかれた女もいるもんだとばかりに、がらくたの山に投げ込んだ。やがてラジオは雪におおわれてしまった。

ヴェーラは死ななかった。スチェーシャは彼女に蓄音機をやったが、ラジオについては壊れてしまったと言った。本当にラジオは壊れたのだが、それは身動きもせずにじっと立ちつくしているヴェーラのところへ消防隊員がそれを持っていったまさにその瞬間のことだった。それと同時に、椅子もヴェーラの手から離れ落ちたのだった。

（沼野恭子訳）

編者あとがき

形式と混沌のはざまで

沼野充義

いまとなってはもうだいぶ昔のことなので、記憶が定かではないのだが、本書『東欧怪談集』の編纂を依頼されたのは、すでに河出文庫に収められている『ロシア怪談集』（一九九〇年）と同時だったはずだから、それから五年近い時がたってしまったことになる。その間、編者としても怠惰に腕をこまねいていたわけではなく、雪崩をうつように起こった「東欧革命」から共産主義体制の崩壊、そして日本でのちょっとした「東欧ブーム」の盛衰といった動きを横目でにらみながら、これまで政治的に語られるばかりで、文学のあり方がほとんど知られなかった「東欧」の独特な相貌を――「怪談集」という風変わりな枠の中ではあれ――浮かび上がらせるにはどうしたらいいのか、という課題をいつも頭の片隅のどこかに置いて、忘れることはなかった。

その間、自分でも東欧やロシアに何度か出かけ、現地で『怪談集』のための資料を補充する機会もあったし、また、一九九一年にまる一か月アメリカ合衆国に滞在したときには、ハーヴァード大学の巨大な図書館で足を棒にしてスラヴ文学関係の棚を隅から隅まで調べることもできた。ただし、そのときわかったのは、東欧に的をしぼったこの種のアンソロジーは欧米にも——少なくとも、調べることのできた範囲では——まったくないということだった。そういった何年にもわたる「東欧の怪談を求める旅」の、とりあえずの報告が本書である——などと言えば、大げさに響くかもしれないが、ささやかな本とはいえ、前例のない試みであるだけに、やっとこういう形にまとまって、正直なところ、それなりの思いがないわけでもない（ただし、日本では唯一の例外として、『現代東欧幻想小説』（吉上昭三他編訳、白水社、一九七一年）という、本書と主題的に一部重なりあう先駆的なアンソロジーが出ていることを忘れてはならないだろう。編者もこの本を学生時代に愛読して、東欧の不思議な世界に目を開かれた記憶がある）。

そういった経緯を経てようやく完成したものなので、自己宣伝めくけれども、本書の特色と思われることを、最初に説明させていただきたい。

まず、ここに収められた二六編の作品のうち、一九編までが、本書のために初めて訳されたものであり、しかも収録された作家の大半は、日本語に訳されること自体、今回が初めてである。その意味では、本書は文庫版とはいえ、実質的にはまったく新しいオリジナル・アンソロジーであることを強調しておきたい。本書を編むために、結果として、大部分を新訳にしなければならなかったということは、東欧文学の紹介の手薄さを端的に物語っているとも言えるだろう。その背景にあったのは、東欧各国の古典的傑作さえ日本語になっていないのだから、まして「怪談」などという「趣味的」なものを紹介する余裕などない、といった事情である。たとえば、東欧の中ではおそらく一番翻訳が多いポーランド文学の場合でも、ステファン・グラビンスキのような作家は、本国で恐怖小説ジャンルの最大の古典と目されているにもかかわらず、日本ではこれまでまったく知られることがなかった。

そして、もう一つ特筆しておきたいのは、本書に収められた作品が（パヴィチの作品を唯一の例外として）すべて原語から直接訳されたものだということである。英文学は英語から、仏文学はフランス語から訳す、というのはいまでは常識のようにも思えるが、じつは日本の現状ではちょっとマイナーな言語になると、必ずしもそれはまだ当たり前のことではなく、ロシア語の著作でさえ英訳から訳されるようなことさえ時折ある。まして、東欧のもっとマイナーな言語となると、そもそも自由に読みこなせる人材が日本では非常に限られているということもあり、重訳はまだ止むをえないものとして認められている。しかし、このアンソロジーでは東欧各国文学それぞれの第一人者の協力を得ることができたため、基本的にすべて原語からという原則を貫くことができた。ポーランド語やチェコ語、ハンガリー語など、東欧諸語の中でも比較的「メジャー」な言語だけでなく、スロヴァキア語、マケドニア語といった、日本では学習者の数も限られたかなり「珍しい」言語についても、専門家の協力が得られたことは、本書のために幸福なことだった。またユダヤ文学については、日本で初めてのイディッシュ文学史を執筆中の西成彦氏による、イディッシュ語（東欧ユダヤ人の母語）からの直接訳が実現した。これも編者にとっては、誇るべきことの一つである。

ところで、本書は「東欧怪談集」という表題を堂々と掲げているわけだが、はたして東欧固有の怪談のあり方というか、「東欧的」な幻想というものがあるのだろうか。そのことを考えるためにも、まず、そもそも「東欧」という概念について、基本的なことを押さえておきたいと思う。「東欧」とはいったいどこからどこまでを指すのか、西欧と文化的にどう違うのか（あるいは違わないのか）、そして西欧と一線を画する「東欧的怪談」の想像力というものがあるのだろうか。

＊

じつは一九八九年のいわゆる「東欧革命」の前までは、「東欧」という概念はもっと明快なものだった。それはヨーロッパの中部から東部にかたまっていた、主としてソ連ブロックの社会主義諸国を指す、政治的で便宜的な概念だったからである。その意味での「東欧」という言葉は、民族や文化の背景に関する何らかの実体を指し示すものではまったくなかった。そして、特にチェコやポーランド、ハンガリーといった、もともとヨーロッパへの帰属意識が強い国の知識人にとって、本来の「東」とはロシア（ソ連）のことであり、自分たちがその「東」の勢力圏に暴力的に組み込まれたことは屈辱以外の何物でもなかったから、社会主義体制が崩れるやいなや、彼らが「自分たちの国は東欧ではない。われわれは中央ヨーロッパ〔中欧〕なのだ」と声高に主張し始めたのも、当然のことだった。そのため、現在ではこれらの国を「東欧」と呼ぶことは、難しくなっている。

しかし、それでは東欧、あるいは東ヨーロッパという呼び方に、一時の政治的色分け以外の何の意味もなかったのかと言えば、必ずしもそうは言い切れない。東欧史の専門家、南塚信吾氏も述べているように(森安達也・南塚信吾共著『東ヨーロッパ』、朝日新聞社)、「東欧」が「西欧」と区別して論じられるようになったのは、十八世紀末のことで、それ以来、じつに様々の立場からの「東欧」の定義が試みられてきたのだった。ロシアを含むスラヴ人の世界が東欧であるとするスラヴ主義的立場、西欧のローマ＝ゲルマン文化に対して、ビザンツ＝スラヴ文化圏を東欧として対置する立場、あるいは「東欧」とはドイツとロシアに挟まれた地域であって、そこにはロシアは含まれないとする立場。こういった議論にここで深入りするつもりはないけれども、本書を編む際に僕がつねに念頭に置いていたのは、西欧の東側に広がる、中欧からロシア・ウクライナのヨーロッパ部までを含むかなり広大な領域だった。そして、チェコやポーランドはもはや「東欧」ではないとする現代の「中欧」知識人の立場や、あるいはロシアは「東欧」には含まれないとする伝統的な分類に反することは百も承知のうえで、この領域全体を含む「ゆるやかな」概念として「東欧」という言葉を使うことにしたのである。

僕にとってこの「東欧」とは、単なる地理的な概念でもなければ、政治的な色分けでもない。それはしいて言えば、文学的想像力のあり方に関わることなのだ。アジアに向き合ったときはヨーロッパ的な文化の強力な擁護者として立ち現れるものの、西欧に対してはどうしても「田舎くさい」非ヨーロッパ的な闖入者のように見えてしまい、西方的な洗練された形式と、東方的などろどろした混沌のあわいに、捉えどころのない姿を変幻自在に見せては、また深い裂け目の中に消えていく幻影のようなもの。それがどうやら、僕にとっての「東欧」に出没する亡霊の正体だったのではないか、と本書を編みおえたいまとなって思う。

しかし、西方的形式と東方的混沌の「はざま」として東欧を捉えるという見方自体は、決して珍しいものではない。たとえば、それを作家の立場から誰よりも雄弁に語ったのは、ヴィトルド・ゴンブロヴィッチ（一九〇四―六九）である。ゴンブロヴィッチと言えば、本国から引き離された亡命作家の位置に身をおきながら、一貫してポーランドの伝統的な価値観を痛烈に批判し続け、逆説的なことにそういった行為を通じて「裏返しのポーランド性」とでも呼びうるものを極めたポーランドの作家だが、彼の特権的な「距離」からはまた、ポーランドの「東方的」な性格がくっきりと浮かび上がって見えることになった。彼はフランス人の友人、ドミニク・ド・ルーを聞き手としたインタビューのなかで、こう語っている。

私はポーランドの人間だった。たまたまポーランドに生まれたということですよ。では、ポーランドとは何か？

それは東と西の間の国、ヨーロッパが終わりを告げはじめるところ、そして東と西がたがいに溶け合う境界上の国です。弱められた形式の国……。ヨーロッパ文化の大きな運動は、一つとして本当にはポーランドのなかには浸透しなかった。ルネッサンスも、宗教戦争も、フランス革命も、産業革命も。こういった現象について、ポーランドが感じ取ったのは、微かなこだま以上のものではなかった。〔中略〕

そんなわけで、どんな風（かぜ）にも簡単にさらされてしまうこの平原の国は、長い間、「形式」と

「崩壊」の間の大いなる妥協の現場であり続けてきました。ここでは何もかもが消し去られて、分解させせられた……。〔中略〕形式が欠けているという感覚がポーランド人を苦しめてきた。しかし、同時にそれは彼らに奇妙な自由の感覚をも与えたのです。

「形式」とはゴンブロヴィッチに一生つきまとった固定観念の一つだが（この単語を彼はいつも大文字で書いた）、その論法を借りるならば、西欧の高度に洗練された文化の形式が東進するにつれて次第に崩れていき、それが完全に崩れて「無形式」の虚無に落ち込む一歩手前で踏みとどまっているのが東欧だ、という見方もできるだろう。

しかし、それは一つの見方に過ぎない。別の視点から見れば、東欧とはヨーロッパ文化がさらに東の非ヨーロッパ世界とぶつかりながら、自らのヨーロッパ性を守り続けている最後の砦だとも言えるだろう。こういった場所では、西欧がすでに忘れかけている「ヨーロッパ的なもの」がより鮮烈に意識されたとしても、不思議ではない。たとえば、チェコ出身の亡命作家、ミラン・クンデラに言わせれば、ブダペストやプラハは「東欧」などではなく、あくまでも中欧、いやヨーロッパそのものであり、「東」（＝ロシア）に暴力的に誘拐された西欧なのだということになる。実際、プラハが西欧以上にヨーロッパ的な都市だということは、クンデラが繰り返し強調してきたことだった。

ゴンブロヴィッチが西の「形式」が崩れていくという方向性において東欧を捉えようとしたとすれば、クンデラは通常「東欧」と見なされる地域は本当は西欧以上にヨーロッパ的な形式を重んじているのだと主張する。こうして、この二人の東欧観は真っ向から対立するように見えるが、しかし、こういった相反する志向性に引き裂かれているということ自体が、まさに東欧的なのではないだろうか。そして、面白いことに、「形式」と「混沌」のはざまという、東欧に与えられた特別な位置は、そのまま「怪談」という文学ジャンルの特性にもぴったりあてはまるように見える。

「怪談」、あるいは恐怖小説とは、恐怖そのものを楽しむ一種の文学ゲームである。そして文学ゲームである以上は規則を必要とし、ジャンルとしての形式的洗練を目指していく。たとえば、本書の冒頭に置かれた『サラゴサ手稿』の著者、ヤン・ポトツキは、啓蒙主義時代のポーランドが生んだ最大の異才とも言うべき西欧的教養人であり、『サラゴサ手稿』もフランス語で書いているが、フランス語といえば当然のヨーロッパで最も普遍的な――そして、文学ゲームに相応しく洗練された――言語だった。こういった遊びの精神への傾斜ということで言えば、本書に収められた作家の中では、現代セルビアのミロラド・パヴィチの名前も忘れるわけにはいかない。彼の代表作『ハザール事典』は一見、東方的な異国趣味に寄り掛かっているようでいて、じつはスケールの大きなバロック的奇想によって地域的なものを飛び越えてしまった作品であり、彼は現代ヨーロッパで文学ゲームをもっとも過激に実践している作家の一人と言えるだろう。

しかし、その一方で、「怪談」が描き出す恐怖の背後には、そういったゲームの規則や形式には容易に解消できないような、混沌とした、形にならないどろどろしたものが常に潜んでいる。これはおそらく怪談というジャンルにつきまとう本質的な二面性と言えそうだが、東欧はまた形にならざる「混沌」の極に関しても、豊かな宝庫である。具体的には、キリスト教伝来以前の異教的な世界観を色濃く残したフォークロアに、そういった「混沌」を見ることができるが、それはまた文学的「怪談」の世界にも流れ込むことになった。本書の中では、スロヴァキアやマケドニアなどの「鄙びた」味わいの作品にそういった要素が直接出ているし、またそれはエリアーデの描きだす魔術的世界にも通じていく。そして、現代ロシアのペトルシェフスカヤの、陰惨な現実そのものから幻想を湧き出させるような重苦しい語り口にも、洗練された文学ゲームの規則を超越した「東欧的混沌」の迫力を感じることができるだろう。

しかし、東欧とは「形式」や「混沌」のどちらかの極に収斂するものではなく、あくまでもこの両者のはざまで幻影のように揺れ動くものではないかと思う。そして、こういった形式と混沌の間の深い裂け目の中から、何か根源的な恐ろしい力のようなものが一瞬でも姿を見せてくれれば、編者としては満足すべきだろう。

*

以上のようなことを考えながら本書を構成していったのだが、ここには常識的には「怪談」とは分類できないような作品もいくつか入っていることをあらかじめお断りしておきたい。これはひとえに、「怪談集」というよりは、「怪談的な要素を強く持った東欧文学のアンソロジー」と呼べるものを作りたい、という編者のわがままを通したせいである。また、若い盛りで事故のため惜しくも散ってしまったヨネカワ・カズミの作品をあえて採ったのも、編者の個人的な思い入れによる。彼の父、米川和夫氏は、日本におけるポーランド文学研究・紹介の先駆者の一人だったが、一九八二年にまだ五十二歳の働き盛りで亡くなられた。僕は学生時代にこの米川家で一時家庭教師をさせていただきながら、和夫氏の仕事に接するという機会に恵まれたが、それは東欧に目を向け初めたばかりの僕にとって貴重な経験だった。

本書の扱う「東欧」の範囲については、初めにも触れた通り、西欧の東に広がるロシアまでを含む地域という、かなりおおらかな立場をとることにした。そうすることによって、ソ連崩壊・東欧革命以降に初めて見えてきた本来の――政治的な色分けによらない――東ヨーロッパの広がりが実感できるのではないかと考えたからである。旧体制崩壊後ロシアに現れた作品をあえて一つだけ採ったのも、そういった意図による。また固有の国家を持たないために、国別の分類法では無視されてしまう東欧ユダヤ人のイディッシュ語文学にも、あえて場所を割り当ててみた。これもまた、多様な東欧の忘れてはならない顔の一つだからである。

しかし、その一方では、編者の非力ゆえに、クロアチア、スロヴェニア、ブルガリア、アルバニアの文学からはついに適当な作品を見つけることができず、残念ながらこれらの国は本書に含めることができなかった。また、ソ連から分離・独立したエストニア、ラトヴィア、リトアニアのいわゆる「バルト三国」も本来ならば新しい東欧の枠組みの中に入ってくるべきだが、紙面の制約もあって、これらの国の作品については別の機会に譲ることにした。

本書は僕個人の「編」となっており、確かに作品や作家の選定にあたっては編者の趣味を時には独断的に押し通したが（そのため、わざわざ本書のために訳してもらった原稿の一部をあえて没にするということもあった）、しかし実際には、これは僕一人でできるような作業ではなかった。「東欧」とは、文化的背景も、歴史的背景もそれぞれ異なった民族が絡み合うきわめて多様な地域であり、本書に収録された作品に限っても、九つの言語にまたがっている。こういった地域の文学を一望のもとにおさめ、一人で「東欧文学」の全体を論じることなど、少なくとも日本人には不可能である。僕としても英・独・仏語や、ロシア語、ポーランド語などの資料を渉猟して、自分なりの全体像を得るようにできるだけ努力したが、その結果痛感させられたのは、東欧という「未知の世界(テラ・インコグニタ)」に向き合ったときの自分の非力さばかりだった。

それにもかかわらず、僕に編者の役割がまがりなりにもつとまったのは、各国の専門家の熱心な協力があったからである。特にチェコの石川達夫氏とスロヴァキアの長與進氏には最初の段階から編集に協力していただき、また最後の段階ではハンガリーの岩崎悦子氏とルーマニアの住谷春也氏にも助けていただいた。実質的には本書はこういった専門家との「共編」であるということを、ここに明記しておきたい。

また、最後になるが、本書のために訳を提供してくださったその他の訳者の方々と、ことによったら幻のまま消えてしまうのではないかとも思われた本書に長年つきあい、この幻をついに実体化させる（化けて出させる？）ことに成功した河出書房新社の内藤憲吾氏と田中優子さんにお礼を申し上げたい。皆さん、本当にどうもありがとうございました。

まあ、そんな編集の内輪話はともかく、読者の皆さんはどうか心ゆくまでこの本を楽しんで（怖がって？）くださるよう。

（編者付記）

本書に収録した作品の中には、原文の性質上、ごく僅かですが差別語とも言えるものがあります。これは、作品の扱う時代背景・文体の一貫性等への配慮から余儀無く残ったものですので、あらかじめご海容をお願いいたします。

・出典一覧・

「笑うでぶ」　ムロージェック『象』国書刊行会　一九九一年刊
「こぶ」　『ポロニカ』第四号　ポロニカ編集室　一九九四年刊
「足あと」　チャペック『一つのポケットから出た話』晶文社　一九七六年刊
「ドーディ」　ヴィスコチル／カリンティ『そうはいっても飛ぶのはやさしい』国書刊行会　一九九二年刊
「象牙の女」　『現代東欧幻想小説』白水社　一九七一年刊
「ルカレヴィチ、エフロシニア」　パヴィチ『ハザール事典［女性版］』東京創元社　一九九三年刊
「一万二千頭の牛」　『ユリイカ』（エリアーデ特集号）青土社　一九八六年九月号

・原著者、原題、制作発表年一覧・

「『サラゴサ手稿』第五十三日　トラルバの騎士分団長の物語」
Jan Potocki : Cinquante-troisième Journée "Manuscrit trouvé à Saragosse"　1804年

「不思議通り」
Franciszek Mirandola : Ulica Dziwna　1919年

「シャモタ氏の恋人」
Stefan Grabiński : Kochanka Szamoty　1919年

「笑うでぶ」
Sławomir Mrożek : Ten gruby, co się śmiał　1962年

「こぶ」
Leszek Kołakowski : Garby　1963年

「蠅」
Kazumi Yonekawa : Mucha　1988年

「吸血鬼」
Jan Neruda : Vampýr　1871年

「ファウストの館」
Alois Jirásek : Faustuv dům　1894年

「足あと」
Karel Čapek : Šlépěje　1928年

「不吉なマドンナ」
Jiří Karásek ze Lvovic : Zlověstná madona　1947年

「生まれそこなった命」
Eda Kriseová : Nenarozený　1987年

「出会い」
František Švantner : Stretnutie　1942年

「静寂」
Ján Lenčo : Ticho　1988年

「この世の終わり」
Jozef Puškáš : Koniec sveta　1986年

「ドーディ」
Karinthy Frigyes : Dodi　1957年

「蛙」
Csáth Géza : A béka　1906年

「骨と骨髄」
Tamási Áron : Csont és velö　1935年

「ゴーレム伝説」
Itskhok Leybusz Perets : Der Goylem　1910年

「バビロンの男」
Itskhok Bashevis : Der Yid fun Bovl　1946年

「象牙の女」
Ivo Andrić : Žena od slnove kosti　1965年

「ルカレヴィチ、エフロシニア」
Milorad Pavić : Lukarević, Efrosinija　1984年

「見知らぬ人の鏡」
Danilo Kiš : Ogledalo nepoznatog　1983年

「吸血鬼」
Petre M. Andreevski : Vampir　1973年

「一万二千頭の牛」
Mircea Eliade : Douăsprezece mil de vite　1968年

「夢」
Gib I. Mihăescu : Visul　1935年

「東スラヴ人の歌」
Ludmilla Petrushevskaya : Pesni vostochnykh slavyan　1990年

Kazumi Yonekawa, Ján Lenčo, Jozef Puškáš, Petre M. Andreevski
各氏の著作権者、著作権継承者の方、もしくはご連絡先をご存じの方は編集部までお知らせください。

・訳者紹介・

沼野充義（ぬまの・みつよし）
1954年生まれ。著書に『徹夜の塊 ユートピア文学論』（読売文学賞）『徹夜の塊3 世界文学論』、訳書に S・レム『ソラリス』など。

工藤幸雄（くどう・ゆきお）
1925〜2008年。ロシア東欧文学者・詩人。著書に『ぼくの翻訳人生』『十一月』、訳書に『ブルーノ・シュルツ全集』（読売文学賞）など。

長谷見一雄（はせみ・かずお）
1948年生まれ。訳書に C・ミウォシュ『ポーランド文学史』（共訳）、S・ムロージェク『象』（共訳）、S・レム『完全な真空』（共訳）など。

芝田文乃（しばた・あやの）
1964年生まれ。訳書に S・ムロージェク『鰐の涙』、S・グラビンスキ『火の書』『不気味な物語』など。写真家としても活躍。

坂倉千鶴（さかくら・ちづる）
1954年生まれ。訳書に J・ストルィコフスキ『還らぬ時』、J・コット『カディッシュ』、J・ヴィルコン『二羽のツグミ』など。

石川達夫（いしかわ・たつお）
1956年生まれ。著書に『マサリクとチェコの精神』（サントリー学芸賞／木村彰一賞）、編著に『チェコ語日本語辞典』など。

栗栖継（くりす・けい）
1910〜2009年。翻訳家・チェコ文学者・エスペランティスト。訳書に J・ハシェク『兵士シュヴェイクの冒険』など。

長與進（ながよ・すすむ）
1948年生まれ。著書に『スロヴァキア語文法』、訳書に J・ユリーチェク『彗星と飛行機と幻の祖国と』など。

木村英明（きむら・ひであき）
1958年生まれ。著書に『21世紀のロシア語』（共著）、訳書に S・ターレ『墓地の書』、L・ダウナー『マダム貞奴』（共訳）など。

岩崎悦子（いわさき・えつこ）
1943〜2019年。翻訳者・出版社ユック舎を創業。訳書に K・イムレ『運命ではなく』、M・フェレンツ『パール街の少年たち』など。

西成彦（にし・まさひこ）
1955年生まれ。著書に『耳の悦楽』（芸術選奨新人賞）『外地巡礼』（読売文学賞）、編訳書に『世界イディッシュ短篇選』など。

栗原成郎（くりはら・しげお）
1934年生まれ。著書に『ロシア異界幻想』『諺で読み解くロシアの人と社会』、訳書に I・アンドリッチ『宰相の象の物語』など。

中島由美（なかじま・ゆみ）
1951年生まれ。著書に『バルカンをフィールドワークする』（木村彰一賞）、訳書に I・B=マジュラニッチ『巨人レーゴチ』など。

直野敦（なおの・あつし）
1929年生まれ。著書に『ルーマニア語辞典』『アルバニア語入門』、訳書に M・エリアーデ『ムントゥリャサ通りで』など。

住谷春也（すみや・はるや）
1931年生まれ。訳書に L・レブリャーヌ『大地への祈り』、M・エリアーデ『マイトレイ』、G・ササルマン『方形の円』など。

沼野恭子（ぬまの・きょうこ）
1957年生まれ。著書に『夢のありか』『ロシア文学の食卓』、訳書に L・ペトルシェフスカヤ『私のいた場所』など。

新装版
東欧怪談集

一九九五年 一 月一〇日 初版発行
二〇二〇年 九 月一〇日 新装版初版印刷
二〇二〇年 九 月二〇日 新装版初版発行

編 者 沼野充義
発行者 小野寺優
発行所 株式会社河出書房新社
〒一五一-〇〇五一
東京都渋谷区千駄ヶ谷二-三二-二
電話〇三-三四〇四-八六一一（編集）
〇三-三四〇四-一二〇一（営業）
http://www.kawade.co.jp/

ロゴ・表紙デザイン 粟津潔
本文フォーマット 佐々木暁
印刷・製本 中央精版印刷株式会社

Printed in Japan ISBN978-4-309-46724-5

ラテンアメリカ怪談集

ホルヘ・ルイス・ボルヘス他　鼓直〔編〕　46452-7

巨匠ボルヘスをはじめ、コルタサル、パスなど、錚々たる作家たちが贈る恐ろしい15の短篇小説集。ラテンアメリカ特有の「幻想小説」を底流に、怪奇、魔術、宗教など強烈な個性が色濃く滲む作品集。

エドワード・ゴーリーが愛する12の怪談　憑かれた鏡

ディケンズ／ストーカー他　E・ゴーリー〔編〕　柴田元幸他〔訳〕　46374-2

典型的な幽霊屋敷ものから、悪趣味ギリギリの犯罪もの、秘術を上手く料理したミステリまで、奇才が選りすぐった怪奇小説アンソロジー。全収録作品に描き下ろし挿絵が付いた決定版！　解説＝濱中利信

ボルヘス怪奇譚集

ホルヘ・ルイス・ボルヘス　アドルフォ・ビオイ＝カサーレス　柳瀬尚紀〔訳〕　46469-5

「物語の精髄は本書の小品のうちにある」（ボルヘス）。古代ローマ、インド、中国の故事、千夜一夜物語、カフカ、ポオなど古今東西の書物から選びぬかれた九十二の短くて途方もない話。

怖い橋の物語

中野京子　41654-0

橋は異なる世界をつなぎ、様々な物語を引き寄せる。奇妙な橋、血みどろの橋、あっと驚くような橋……世界各地の実在の橋、お話の中の橋、描かれた橋などを興味深くちょっぴり怖いエピソードとともに紹介。

怪異な話

志村有弘〔編〕　41342-6

「宿直草」「奇談雑史」「桃山人夜話」など、江戸期の珍しい文献から、怪談、奇談、不思議譚を収集、現代語に訳してお届けする。掛け値なしの、こわいはなし集。

見た人の怪談集

岡本綺堂 他　41450-8

もっとも怖い話を収集。綺堂「停車場の少女」、八雲「日本海に沿うて」、橘外男「蒲団」、池田彌三郎「異説田中河内介」など全十五話。